ПСИХОЛОГИЯ
ОБЩЕНИЯ

Сирил Норткот Паркинсон

ЗАКОНЫ ПАРКИНСОНА

Москва

«ЭКСМО»

2007

УДК 159.9(1-87)
ББК 88.4(4Вел)
П 18

C. N. PARKINSON

Parkinson's Law, The Law and the Profits
© Перевод с английского *Н. Трауберг*

In-Laws and Out-Laws
© Перевод с английского *А. Кистяковского*

Mrs. Parkinson's Law
© Перевод с английского *М. Ковалевой* и *Р. Райт-Ковалевой*

Оформление *Евгения Савченко*

Паркинсон С. Н.
П 18 Законы Паркинсона / С. Н. Паркинсон; [пер. с англ.]. — М.:
Эксмо, 2007. — 464 с.

ISBN 978-5-699-24807-0

Сирил Норткот Паркинсон хорошо известен читателям как первооткрыватель законов, не менее знаменитых, чем законы Ньютона и Архимеда. Юмор, гениальная изобретательность и парадоксальность мышления сделали его книгу одной из самых популярных в XX веке, не теряющей своей актуальности и в веке XXI.

Законы Паркинсона адресованы «подросткам, учителям, авторам пособий по истории», домохозяйкам и всем тем, кому кажется, что мир устроен достаточно разумно. Здесь вы можете найти советы на все случаи жизни, от организации собственной фирмы до составления списка приглашенных на вечеринку, а законы миссис Паркинсон помогут вам разрешить самые запутанные проблемы в личной жизни и справиться с любыми неурядицами.

УДК 159.9(1-87)
ББК 88.4(4Вел)

ISBN 978-5-699-24807-0

ЗАКОН
ПАРКИНСОНА

PARKINSON'S LAW
1965

Перевод Н. Трауберг

ОТ АВТОРА

Подросткам, учителям и авторам пособий по истории государственных учреждений и политике кажется, что мир сравнительно разумен. Они думают, что люди свободно выбирают своих представителей из тех, к кому питают особое доверие. Они полагают, что самые умные и самые дельные из этих избранных становятся министрами. Они воображают, как заправилы промышленности, свободно выбранные акционерами, облекают деловой ответственностью тех, кто проявил себя на более скромной работе. Все это бодро утверждается или тихо подразумевается во многих книгах. Тем же, кто хоть как-то знает деловую жизнь, предположения эти просто смешны. Высокий совет благородных мудрецов существует лишь в мозгу учителя, и потому небесполезно напомнить иногда о правде. Не думайте, мы не хотим отвадить любознательных от ученых книг, повествующих о деловой и административной жизни. Пусть читают, если воспримут их как чистый вымысел. В одном ряду с романами Хаггарда и Уэллса, сочинениями о космосе или о пещерном человеке книги эти никому не повредят. Если же воспринимать их как научное пособие, они принесут больше вреда, чем на первый взгляд кажется.

Встревоженный тем, что думают другие о чиновниках или о новых зданиях, я пытался показать интересующимся, как все обстоит на самом деле. Умный человек догадается — даже для того, чтобы хоть как-то показать правду, понадобилось много перевидеть. Предполагая, однако, что не все читатели одинаково умны, я прилежно рассказываю при случае

о том, как много проделано исследований. Представьте себе, сколько таблиц, карточек, вычислительных машин, справочников и счетчиков могло понадобиться для такого труда. Поверьте, что их было много больше и что истины, открытые здесь, плод не только незаурядного дара, но и большой исследовательской работы. Быть может, кому-нибудь покажется, что надо бы подробнее описать опыты и расчеты, на которых зиждется моя теория. Пусть он прикинет, однако, что такую длинную книгу и дольше читать, и труднее купить.

Хотя в каждый из этих очерков вложены годы кропотливого труда, не думайте, что здесь сказано все. Новые открытия ставят перед нами новые задачи. Так, знатоки военного искусства установили обратно пропорциональную зависимость между числом убитых солдат противника и числом наших генералов. Недавно ученые обратили внимание на степень неразборчивости подписей и попытались установить, в какой именно точке успешной карьеры сам начальник уже не может ее разобрать. Что ни день, то открытие; так что, по всей вероятности, это издание сменят новые, более полные.

Я хотел бы поблагодарить издателей, разрешивших перепечатать некоторые из очерков. Почетное место займет издатель журнала «Экономист», в котором «Закон Паркинсона» впервые явился человечеству. Ему же я обязан правом перепечатки «Председателей и комитетов» и «Пенсионного возраста». Еще несколько очерков были напечатаны в журналах «Харперс мэгезин» и «Репортер».

Я особенно благодарен художнику Осберту Ланкастеру за то, что он прибавил легкости труду, который мог бы показаться суховатым широкому читателю.

Обязан я и издательству «Хафтон Мифлин», которое первым опубликовало книгу в США. Без его поддержки я бы мало на что решился, а добился бы еще меньшего. И наконец, я признателен математику, чья наука порою смутит читателя. Ему (впрочем, по другой причине) и посвящена книга.

ЗАКОН ПАРКИНСОНА,
или Растущая пирамида

Работа заполняет время, отпущенное на нее. Это всем известно, что явствует из пословицы: «Чем больше времени, тем больше дел». Так, ничем не занятая старая дама может целый день писать и отправлять письмо племяннице в Богнор Риджис. Час она проищет открытку, час проищет очки, полчаса — адрес, час с четвертью будет писать и двадцать минут — решать, нужен ли зонтик, чтобы опустить письмо на соседней улице. То, что человек занятой проделает за три минуты, измотает другого вконец сомнениями, тревогами и самим трудом.

Поскольку работа (писанина в особенности) так растягивается во времени, ясно, что объем ее никак или почти никак не связан с числом выполняющих ее людей. Когда делать нечего, совсем не обязательно лениться. Когда делать нечего, не обязательно сидеть сложа руки. Дело тем важнее и сложнее, чем больше времени на него отпущено. Все это знают, но мало изучены последствия этого правила, особенно в области административной. Политики и налогоплательщики почти никогда не сомневаются в том, что чиновничьи штаты так растут, потому что дел все больше. Циники, оспаривая этот взгляд, предположили, что многим чиновникам делать просто нечего или что они могут работать все меньше. Но ни вера, ни безверие не приблизились к истине. Истина же в том, что количество служащих и объем работы совершенно не связаны между собой. Число служащих возрастает по закону Паркинсона, и прирост не изменится от того, уменьшилось ли, увеличилось или вообще исчезло количе-

ство дел. Закон Паркинсона важен тем, что он основывается на анализе факторов, определяющих вышеуказанный прирост.

Ценность этого недавно открытого закона зиждется в основном на статистических данных, которые мы вскоре приведем. Однако обычному читателю любопытней узнать, какие факторы обусловливают ту тенденцию, которую выразил наш закон. Опустив технические подробности (которых немало), мы можем выделить две основные движущие силы. Для нынешних наших надобностей облечем их в форму двух почти аксиоматических положений:

1) чиновник множит подчиненных, но не соперников;

2) чиновники работают друг для друга.

Чтобы освоить фактор 1, вообразим, что некий чиновник *A* жалуется на перегрузку. В данном случае неважно, кажется это ему или так оно и есть; заметим, однако, что ощущения *A* (истинные или мнимые) могут порождаться и упадком сил, неизбежным в среднем возрасте. Выхода у него три. Он может уйти; он может попросить себе в помощь чиновника *B*; он может попросить двух подчиненных, *C* и *D*. Как правило, *A* избирает третий путь. Уйдя, он утратил бы право на пенсию. Разделивши работу с равным ему *B*, он рискует не попасть на место *W*, когда оно наконец освободится. Так что лучше иметь дело с двумя подчиненными. Они придадут ему весу, а он поделит работу между ними, причем только он один будет разбираться и в той, и в другой категории дел. Заметьте, что *C* и *D* практически неразлучимы.

Нельзя взять на службу одного *C*. Почему же? Потому что он разделил бы работу с *A* и стал бы равен ему, как отвергнутый *B*, и даже хуже, он метил бы на место *A*. Итак, подчиненных должно быть не меньше двух, чтобы каждый придерживал другого, боясь, как бы тот его не обскакал. Когда на перегрузку пожалуется *C* (а он пожалуется), *A* с его согласия посоветует начальству взять и ему двух помощников. Чтобы избежать внутренних трений, он посоветует взять двух и для

D. Теперь, когда под его началом служат еще и *E, F, G, H,* продвижение *A* по службе практически обеспечено.

Когда семеро служащих делают то, что делал один, вступает в игру фактор 2. Семеро столько работают друг для друга, что все они загружены полностью, и *A* занят больше, чем прежде. Любая бумага должна предстать перед каждым. *E* решает, что она входит в ведение *F, F* набрасывает ответ и дает его *C, C* смело правит его и обращается к *D,* а *D* — к *G.* Однако *G* собрался в отпуск и передает дело *H,* который снова пишет все начерно за подписью *D* и вручает бумагу *C,* а тот в свою очередь просматривает ее и кладет в новом виде на стол *A.*

Что же делает *A*? Он мог бы с легким сердцем подписать не читая, так как ему есть о чем подумать. Он знает, что в будущем году он займет место *W* и должен решить, *C* или *D* заменит его самого. Он же решит, идти ли в отпуск *G* — вроде бы еще рановато, и не отпустить ли лучше *H* по состоянию здоровья — тот плохо выглядит, и не только из-за семейных неурядиц. Кроме того, надо оплатить *F* работу на конференции и отослать в министерство прошение *E* о пенсии. *A* слышал, что *D* влюблен в замужнюю машинистку, а *G* неизвестно почему поссорился с *F.* Словом, *A* мог бы подписать не читая. Но не таков *A.* Как ни терзают его проблемы, порожденные самим существованием его коллег, совесть не позволит ему пренебречь долгом. Он внимательно читает документ, вычеркивает неудачные абзацы, привнесенные *C* и *H,* и возвращает его к тому виду, который был избран изначально разумным (хотя и склочным) *F.* Правит он и стиль — никто из этих юнцов языка своего толком не знает, — и в результате мы видим тот вариант, который создал бы *A,* если бы *C, D, E, F, G* и *H* вообще не родились. Но вариант этот создало множество людей, и ушло на него немало времени. Никто не отлынивал от работы, все старались. Лишь поздно вечером *A* покидает свой пост, чтобы пуститься в долгий путь домой. Теперь во всех окнах его учреждения гаснет свет и тьма сгущается, знаменуя конец еще одного нелегкого тру-

дового дня. *А* уходит одним из последних, сильно сутулясь, и думает с кривой улыбкой, что поздний час, как и седина, — возмездие за успех.

Человеку, изучающему структуру и работу государственных учреждений, этот экскурс покажет, что чиновники в той или иной степени подвержены размножению. Однако мы еще не говорили о том, сколько времени проходит обычно между вступлением *А* в должность и днем, с которого начнется трудовой стаж *Н*. Собрано множество статистических данных, изучение которых и позволило вывести закон Паркинсона. Подробный их анализ занял бы слишком много места, но читателю будет интересно узнать, что началась наша работа с изучения смет Адмиралтейства. Дела здесь легче поддаются изучению, чем, скажем, в министерстве торговли. Все сводится к цифрам и тоннам. Вот некоторые данные. В 1914 г. во флоте служило 146 000 моряков, 3249 чиновников и 57 000 портовых рабочих. В 1928 г. моряков стало всего 100 000, докеров — 62 439, зато чиновников было уже 4558. Число военных судов уменьшилось с 62 до 20, но служило в Адмиралтействе уже не 2000, а 3569 чиновников, образуя, как кто-то выразился, «могучий сухопутный флот». Нагляднее все это будет в виде таблицы.

Объект исчисления	Год		Прирост или убыль в %
	1914	1928	
Крупные корабли	62	29	— 67,74
Военные моряки (рядовой и командный состав)	146 000	100 000	— 31,5
Портовые рабочие	57 000	62 439	+ 9,54
Портовые служащие	3249	4558	+ 40,28
Адмиралтейские служащие	2000	3569	+ 78,45

В свое время удивлялись, почему людей, нужных в бою, стало меньше, а людей, годных лишь в конторе, — больше. Но нас интересует не это. Мы хотим отметить, что 2000 чиновников 1914 года превратились к 1928 г. в 3569, а работы не прибавилось. Личный состав флота за эти годы уменьшился на треть, а количество судов на две трети. Более того. В 1922 г. стало ясно, что в дальнейшем флот не увеличится, ибо количество судов было ограничено Вашингтонским морским соглашением. Однако за 14 лет число адмиралтейских чиновников возросло на 78%, т. е. на 5—6% в год. На самом деле, как мы увидим, все шло не так ровно. Но сейчас нам важно одно: общий прирост.

Нельзя понять, почему так увеличилось число служащих, если не знаешь, что оно подвластно определенному закону. Нам скажут, что именно в те годы быстро развивалась морская техника. Самолет уже не был игрушкой чудаков. Все шире применялись электроприборы. К подводным лодкам притерпелись. Флотских инженеров стали, в общем, считать людьми. И мы бы не удивились, увидев в платежных ведомостях больше чертежников, технологов, инженеров и ученых. Но таких служащих стало лишь на 40% больше, тогда как штаты Уайтхолла возросли почти на 80%. На каждого нового мастера или электрика в Портсмуте приходилось два чиновника на Чэринг-кросс. Отсюда следует, что прирост администрации примерно вдвое больше, чем прирост технического персонала, тогда как действительно нужных людей (в данном случае моряков) стало меньше на 31,5%. Впрочем, последняя цифра, как доказано, к делу не относится — чиновники плодились бы с той же скоростью, если бы моряков не было вообще.

Небезынтересно посмотреть, как шло дело дальше, когда адмиралтейский штат в 8118 человек (1935) возрос до 33 788 (1954). Однако штат министерства колоний в пору упадка империи представляет еще больший интерес. Флотская статистика осложнена рядом факторов (скажем, морская авиа-

ция), мешающих сравнивать один год с другим. Прирост в министерстве колоний нагляднее, так как там нет ничего, кроме служащих. Статистика здесь такова:

Год	1935	1939	1943	1947	1954
Штаты	372	450	817	1139	1661

Прежде чем показать, с какою скоростью растут штаты, мы отметим, что объем дел министерства отнюдь не был стабильным в эти годы. Правда, с 1935 по 1939 год население и территория колоний почти не изменились, зато к 1943 году они заметно уменьшились, так как много земель захватил противник. К 1947 году они увеличились снова, но затем с каждым годом уменьшались, ибо колония за колонией обретала самостоятельность. Казалось бы, это должно отразиться на штатах министерства, ведающего колониями. Но, взглянувши на цифры, мы убеждаемся, что штаты все время растут и растут. Рост этот как-то связан с аналогичным ростом в других учреждениях, но не связан никак с размерами и даже с самим существованием империи. На сколько же процентов увеличиваются штаты? Чтобы это установить, мы не должны рассматривать военные годы, когда штаты росли очень быстро, а ответственность падала. Показательней мирное время: около 5,24% от 1935 до 1939 и 6,55% от 1947 до 1954 г. В среднем — 5,89% в год, т. е. практически то же самое, что и в штатах Адмиралтейства с 1914 по 1928 г.

В такой работе, как наша, неуместен более подробный статистический анализ учрежденческих штатов. Мы только хотели прикинуть, сколько времени проходит от поступления на работу того или иного служащего до поступления его помощников.

Если говорить о самом приросте штатов, исследования наши показали, что в среднем прирост этот равен 5,75% в

год. Это дает нам возможность облечь закон Паркинсона в математическую форму. В любом административном учреждении в мирное время прирост служащих вычисляется по формуле:

$$x = \frac{2s^m + l}{n},$$

где s — количество служащих, набирающих себе подчиненных, чтобы продвинуться по службе; l — количество лет, проведенных на работе; m — количество человекочасов, потраченных на обработку материала; n — количество нужных служащих; x — нужное число новых служащих в год. Математикам ясно, что для вычисления прироста в процентах надо умножить x на 100 и разделить на число служащих предыдущего года (y). Выглядит это так:

$$\frac{100(2s^m + l)}{yn}\%.$$

Число это неизменно будет где-то между 5,17 и 6,56% независимо от объема работы и даже при полном ее отсутствии.

Открытие этой формулы и общих принципов, на которых она основана, не надо рассматривать, конечно, с политической точки зрения. Мы и не думаем ставить вопрос о том, должны ли штаты расти. Если вы считаете, что это уменьшает безработицу, дело ваше. Если вы сомневаетесь в устойчивости экономики, которая зиждется на перекрестном чтении бумаг, — это тоже ваше дело. По-видимому, преждевременно решать, каким должно быть соотношение между начальством и подчиненными. Однако, если какое-то предельное соотношение есть, мы сможем вскоре вывести формулу, по которой вычислим, за сколько лет достигается оно в любом данном сообществе. Эта формула, как и предыдущая, не будет иметь политической ценности. Мы не устанем повторять, что закон Паркинсона — чисто научное открытие и к

текущей политике он применим лишь на уровне теории. Ботаник не должен полоть сорняки. Он вычислит скорость их роста, и с него довольно.

ОКОНЧАТЕЛЬНЫЙ СПИСОК,
или Принципы отбора кадров

Нынешней администрации, и деловой, и правительственной, постоянно приходится отбирать людей. Неумолимый закон Паркинсона гарантирует непрестанную нужду в кадрах, но выбрать того, кого надо, не так легко. Расскажем о методах отбора, применявшихся в былое время, и о методах нынешних.

Раньше (а отчасти и теперь) применялись метод британский и метод китайский. Оба они заслуживают внимания хотя бы потому, что принесли гораздо больше пользы, чем вреда. Британский метод (старого типа) основан на личной беседе, в которой соискатель должен объяснить, кто он такой. Немолодые джентльмены, сидящие вокруг краснодеревного стола, спрашивают его имя и фамилию. Предположим, он отвечает: «Джон Сеймур». Один из членов комиссии интересуется:

«А вы не родственник ли герцогу Сомерсетскому?» На это соискатель скорее всего ответит: «Нет». Другой джентльмен скажет: «Тогда, быть может, епископу Вестминстерскому?» Если и здесь ответом будет «нет», третий джентльмен возопит: «Так чей же вы родственник?» В том случае, когда соискатель отвечает: «Ну, отец мой торгует рыбой в Чипсайде...» — беседу можно считать исчерпанной. Комиссия переглядывается, один из членов звонит, а другой говорит лакею: «Вывести». Одно имя вычеркивается без обсуждений. Если

следующим предстанет Генри Молине, племянник графа Сефтонского, шансы его будут велики вплоть до появления Джорджа Говарда, который сумеет доказать, что он — внук герцога Норфолкского. Комиссия не встретит трудностей, пока ей не придется выбирать между третьим сыном баронета и вторым, хотя и побочным, сыном виконта. Но и тут можно справиться в специальной книге, так что выбор прост, а нередко и удачен.

Адмиралтейская разновидность метода (напомним: старого типа) отличается лишь тем, что выбор ограниченней. На адмиралов не действуют титулы как таковые. Им важно, связан ли соискатель с моряками. Идеальный ответ на второй вопрос: «Да, адмирал Паркер — мой дядя, капитан Фоли — отец, коммодор Фоли — дед. Мать моя — дочь адмирала Харди. Капитан Харди приходится мне дядей. Мой старший брат — лейтенант королевского флота, другой мой брат учится в морском училище, а третий ходит в матроске». — «Так, так, — говорит главный адмирал. — А почему вам вздумалось идти во флот?» Ответ на этот вопрос практически безразличен, поскольку секретарь уже отметил имя в списке. Если приходится выбирать из двух таких соискателей, какой-нибудь адмирал попросит назвать номера такси, на которых они приехали. Тот, кто честно ответит: «Не знаю», будет отвергнут, а тот, кто быстро соврет «23—51», будет принят, как юноша с хваткой. Метод нередко давал блестящие результаты.

Британский метод нового типа выработался в девятнадцатом веке, как более уместный для демократической страны. Комиссия живо интересуется: «Где учились?» И, слыша в ответ: «Хэрроу», «Хейлибери» или «Регби», задает второй вопрос: «Во что играете?» Хороший соискатель ответит на это: «Я играю в теннис за Англию, в крикет за Йоркшир, в регби за клуб «Арлекин» и в гандбол за «Винчестер». Тогда задают третий вопрос: «А в поло не играли?» — чтобы он не

17

возомнил о себе, хотя и без поло такой соискатель заслуживает внимания. Если же на первый вопрос ответом будет «Уигловорт», беседа не затянется. «Что?!» — удивится председатель. «А где это?» — вскричат остальные, когда вопрошаемый повторит название. «В Ланкашире», — объяснит он, и кто-нибудь для порядка все же спросит насчет игр, но ответ «Настольный теннис за Уигэн, велосипедные гонки за Блэкпул и бильярд за Уигловорт» окончательно преградит ему путь. Возможны нечленораздельные замечания о наглецах, расходующих чужое время. И этот метод давал неплохие результаты.

Китайскому методу (старого типа) подражали в свое время столько наций, что немногие помнят теперь о его происхождении. Метод сводится к письменным испытаниям. Во времена династии Мин экзамен для самых способных устраивали каждые три года и включал он три трехдневные сессии. В первую сессию соискатель писал три сочинения и поэму в восьми четверостишиях. Во вторую он писал пять сочинений на издавна установленные темы. В третью он писал пять сочинений об искусстве управления. Тех, кто все сдал успешно (процента два), допускали к последнему экзамену, который проходил в столице. Длился он один день и включал одно сочинение на тему из текущей политики. Выдержавшие этот экзамен могли стать чиновниками, и чем выше была отметка, тем выше было и место. И эта система работала вполне успешно.

Европейцы изучили ее где-то между 1815 и 1830 годами и применили в 1832 году в Ост-Индской компании. В 1854 г. эффективность метода проверила комиссия с Маколеем во главе и ввела его в Англии на следующий же год. В китайских испытаниях была особенно важна их литературная основа. Соискатель доказывал знание классиков, легкость слога (и в стихах, и в прозе) и редкую выносливость. Предполагалось, что классическое образование и литературные

способности свидетельствуют о годности к любой чиновничьей службе. Предполагалось далее (без сомнения, правильно), что знания научные не нужны нигде, кроме науки. Предполагалось, наконец, что выбор практически невозможен, если соискатель экзаменуется по разным предметам. Никто не в силах решить, сильнее ли один соискатель в геологии, чем другой в физике, и потому удобно, когда есть возможность сразу их провалить. А вот когда все пишут греческие или латинские стихи, достойнейшего выбрать нетрудно. Знатоков классической словесности отправляли править Индией. Тех, кто послабее, оставляли править Англией. Самых слабых отсеивали вообще или посылали в колонии. Систему эту нельзя назвать негодной, но она гораздо хуже тех, о которых мы уже рассказали. Во-первых, нельзя гарантировать, что лучший знаток классиков не окажется ненормальным: нередко так и случалось. Во-вторых, могло оказаться, что способности соискателя ограничивались писанием греческих стихов. Бывало и так, что экзамен сдавал кто-нибудь другой, а сам соискатель в случае надобности не мог написать стишка по-гречески. Таким образом, система больших плодов не принесла.

Однако при всех своих недостатках она была плодотворней любой из сменивших ее систем. Современные методы сводятся к проверке умственного уровня и психологической беседе. Недостаток вышеозначенной проверки в том, что победители не знают совершенно ничего. Они тратят столько времени на подготовку к тесту, что ничего больше не успевают выучить. Психологическая беседа приняла в наши дни форму так называемого «испытания в гостях». Соискатель проводит приятный уик-энд, а за ним наблюдают. Когда он, споткнувшись о коврик, вскрикнет: «А, черт!» — наблюдатели, притаившиеся поблизости, заносят в записные книжки «Неуклюж» или «Несдержан». Вряд ли стоит описывать подробно этот метод, но результаты его очевидны и весьма пла-

чевны. Наблюдателям могут угодить лишь скрытные, мелочные субъекты себе на уме, которые мало говорят и ничего не делают. При таком методе нередко из пятисот человек выбирают именно того, кто через несколько недель окажется абсолютно непригодным. Без всякого сомнения, этот метод хуже всех.

Какой же метод применять нам в будущем? Чтобы его найти, рассмотрим один малоизвестный вид современной техники отбора. Переводчиков-китаистов для министерства иностранных дел приходится искать так редко, что метод их найма не получил широкой огласки. Предположим, понадобился переводчик и отбирает его комиссия из пяти человек. Трое из них — чиновники, двое — крупные ученые. На столе перед ними лежат горой 483 заявления с рекомендациями. Все соискатели — китайцы, все, как один, окончили университет в Пекине или Амое и совершенствовались по философии в американских университетах. Большинство из них служило какое-то время на Формозе. Некоторые приложили фотографии, другие осмотрительно воздержались. Председатель комиссии обращается к тому из ученых, который покрупнее: «Не скажет ли нам доктор Ву, какой соискатель наиболее пригоден для нас?» Д-р Ву загадочно улыбается и говорит, указывая на гору бумаг: «Ни один». — «Как же так, — удивляется председатель. — Почему?» — «Потому что хороший специалист заявления не подаст. Побоится позора». — «Что ж нам делать?» — спросит председатель. — «Я думаю, — ответит д-р Ву, — надо уговорить доктора Лима. Как по-вашему, доктор Ли?» — «Да, — отвечает Ли, — он подошел бы. Но мы, конечно, не можем его сами просить. Мы спросим доктора Тана, не считает ли он, что доктор Лим согласится». — «Я не знаю доктора Тана, — говорит Ву, — но я знаком с его другом, доктором Воном». К этой минуте председатель уже не понимает, кто кого будет просить. Но суть

тут в том, что все заявления выбрасывают в корзину, а речь пойдет лишь о человеке, который заявления не подавал.

Мы отнюдь не советуем повсеместно принять описанный метод, но делаем из него полезный вывод: прочие методы плохи обилием соискателей. Конечно, существуют простейшие способы уменьшить их количество. Сейчас широко применяется формула: «Не старше 50, не моложе 20, и никаких ирландцев», что несколько сокращает число претендентов. Но все же их остается много. Нет никакой возможности выбрать одного из трехсот умелых людей, снабженных прекрасными характеристиками. Приходится признать, что система неверна изначально. Незачем привлекать такую массу народу. Но никто об этом не знает, и объявления составлены так, что они неизбежно приманят тысячи. Например, сообщают, что освободился высокий пост, так как занимавшее его лицо теперь в Палате лордов. Платят много, пенсия большая, делать не придется ничего, привилегий масса, побочные доходы огромны, на службу ходить не надо, предоставляется служебная машина, командировки можно брать в любое время. Соискатель должен представить, когда сможет, копии (не оригиналы) трех справок. Что же выйдет? Дождем посыплются заявления, в основном — от умалишенных и от майоров в отставке, наделенных, по их словам, административными способностями. Остается сжечь их все и начинать сначала. Легче и выгодней было бы подумать сразу.

Если же подумать, увидишь, что идеальное объявление привлечет одного человека, и того именно, кто нужен. Начнем с предельного случая:

Требуется акробат, который может пройти по проволоке на высоте 200 м над бушующим пламенем. Ходить придется дважды в день, по субботам — трижды. Плата — 25 фунтов в неделю. Ни пенсии, ни компенсации за увечье не будет. Явиться лично в цирк «Дикий Кот» от 9 до 10.

Быть может, слог и не очень хорош, но цель ясна: нужно так уравновесить риском денежную выгоду, чтобы не явилось больше одного соискателя. О мелочах тут спрашивать не придется. Тех, кто не очень ловко ходит по проволоке, объявление не привлечет. Незачем указывать, что претендент должен быть здоровым, непьющим и не подверженным головокружению. Это поймут без слов. Незачем и говорить, что не годятся люди, страдающие высотобоязнью. Они и так не придут. Искусство тут в том, чтобы плата соответствовала опасности. 1000 фунтов в неделю может приманить человек десять, 15 фунтов не приманят никого. Где-то посередине — нужная сумма, которая и привлечет того, кто годится. Если придут двое, это значит, что мы завысили цифру.

Теперь возьмем для сравнения менее редкостный случай:

> Требуется археолог высокой квалификации, готовый провести пятнадцать лет на раскопках инкских захоронений в поселке Геенна, на Аллигаторовой реке. По окончании работ обеспечен титул или орден. Пенсия полагается, но ни разу не понадобилась. Оклад — 2000 фунтов в год. Заявление в трех экземплярах подавать директору Норокопательного института, Гроб, Иллинойс, США.

Здесь и дурные и хорошие стороны строго уравновешены. Нет нужды уточнять, что от соискателя требуются терпение, упорство и смелость. Сами условия отсекают всех, не обладающих этими свойствами. Нет нужды писать, что нужен одинокий человек. Нет нужды оговаривать, что он должен быть помешан на раскопках — никто, кроме помешанных, и не откликнется. Их может быть трое, но для двоих оплата окажется слишком низкой. Третьего привлечет награда. По-видимому, если мы предложим орден Св. Михаила, заинтересуются двое, а если предложим орден Британской империи, не заинтересуется никто. В нашем же случае заявле-

ние будет одно. Соискатель не в своем уме, но это неважно. Именно он нам и требуется.

Вы скажете, что не так уж часто нужны акробаты и археологи, обычно приходится искать людей для менее странных занятий. Это верно, но принципа это не меняет, только применять его труднее. Предположим, нам потребовался премьер-министр. В наше время тут прибегнут к выборам, и результат будет ужасен. Если же мы обратимся к сказкам нашего детства, то узнаем, что в сказочные времена применялись более эффективные методы. Когда король выбирал мужа для старшей или единственной дочери, а тем самым — своего преемника, он придумывал систему препятствий, которые преодолеет лишь достойный. И лишь достойный останется живым. У королей той трудно определимой поры было все нужное для таких испытаний. Волшебники, бесы, феи, вампиры, оборотни, гиганты и карлики входили в число их подданных, земли их были усеяны заколдованными горами и рощами, изрезаны огненными реками, начинены кладами. Казалось бы, нынешним правителям приходится труднее. Но это еще вопрос. Психологи, психиатры, психопатологи, статистики и эксперты не хуже (хотя и не лучше) злых ведьм и добрых фей. Кино, телевидение, радио и рентген не хуже (хотя и не лучше) волшебных палочек, хрустальных шаров, скатертей-самобранок и плащей-невидимок. Во всяком случае, одно другого стоит. Нужно лишь заменить сказочную технику современной, что, как мы убедимся, несложно.

Первым делом мы устанавливаем, какими свойствами должен обладать премьер-министр. В разных случаях свойства эти разные, но все же их надо записать и на их счет договориться. Предположим, вам кажется, что свойства эти: 1) энергия, 2) смелость, 3) патриотизм, 4) опыт, 5) популярность и 6) красноречие. Однако любой соискатель найдет их у себя. Конечно, можно осложнить дело, уточнив требования: 4) *опыт в укрощении львов* и 6) *умение красноречиво гово-*

рить по-китайски, но это не наш путь. Мы хотим, чтобы нужные качества проявлялись не в особой форме, а в высшей степени, другими словами, чтобы лучший соискатель был *самым* энергичным, смелым, патриотичным, опытным, популярным и красноречивым в стране. Такой человек — один, и он-то нам и нужен. Значит, надо составить объявление так, чтобы всех других исключить. Выйдет примерно следующее:

Требуется премьер-министр Руритании. Рабочие часы — с 4 утра до 11.59 вечера. Соискатель должен выдержать три раунда с чемпионом в тяжелом весе (в перчатках). По достижении пенсионного возраста (65 лет) — мучительная смерть во имя родной страны. Если соискатель знает парламентскую процедуру лишь на 95%, он будет физически уничтожен. Если он соберет меньше 75% голосов при проверке популярности по методу Гэллапа, он также будет уничтожен. Кромс того, соискатель должен обратиться с речью к съезду баптистов и склонить их к изучению рок-н-ролла. В случае провала будет уничтожен. Явиться в спортклуб (с черного хода) 19 сентября в 11.15. Перчатки предоставляются; кеды, майка и шорты — свои.

Заметьте, что это объявление разом освобождает от хлопот, связанных с анкетами, справками, фотографиями, рекомендациями и списком. Если все написать как следует, придет только один соискатель и сможет сразу или почти сразу приступить к работе. А если не придет никто? Значит, надо написать иначе, в чем-то мы завысили требования. То же самое небольшое объявление предложим в измененном виде. Например, 95% заменим на 85, 75 — на 65, а три раунда — на два. И так далее, пока соискатель не придет.

Предположим, однако, что придут двое или трое. Это покажет, что мы допустили промах в научных расчетах. Быть может, мы слишком занизили проценты — их должно быть 87 и 66. Как бы то ни было, дело плохо. В приемной два, а то

и три соискателя. Надо выбирать, а мы не вправе тратить на это все утро. Можно, конечно, начать испытания и отсеять менее достойных. Но есть и более быстрый путь. Примем, что у всех троих есть все нужные качества. Остается прибавить еще одно и провести простейшую проверку. Мы спрашиваем какую-нибудь девицу (машинистку или секретаршу): «Который вам больше нравится?» Она тут же отвечает, и вопрос решен. Нам возразят, что мы полагаемся здесь на чистую случайность, как бы бросаем монету. Это не так. Мы просто ввели новое качество — мужскую привлекательность.

ПРЕДСЕДАТЕЛИ И КОМИТЕТЫ,
или Коэффициент бесполезности

Для нашей темы очень важно изучить жизненный цикл комитета, и поистине удивительно, что наука комитетология так мало разработана. Первый простейший ее принцип гласит, что комитет принадлежит к царству живой природы — он не кристалл, а растение. Комитет пускает корни, растет, цветет, вянет и умирает, а из семени его в свой черед вырастают другие комитеты. Без этого принципа не поймешь структуры и истории современного управления.

Все знают теперь, что комитеты бывают двух видов: а) те, которые что-то дают своим членам, и б) те, которые от них только берут. Второй вид не слишком важен для нас, и вообще многие сомневаются, причислять ли его к комитетам. Первый же, более жизнеспособный, дает нам возможность выявить принципы, свойственные комитету как таковому. Корни комитета тем глубже и сам он тем солидней, чем больше весу и власти дает он своим членам. Почти во всем мире такие комитеты зовутся кабинетами. В этой главе мы

внимательно рассмотрим кабинеты разных стран и разных времен.

Взглянувши на кабинеты в микроскоп, комитетоведы, историки и даже те, кто кабинеты формирует, единодушно установили, что идеальное число членов — пять человек. При таком численном составе кабинет непременно приживется. Два его члена смогут всегда отсутствовать по болезни или по иной причине. Пятерых легко собрать, а собравшись, они способны действовать быстро, умело и тихо. Четверым из них можно поручить финансы, иностранные дела, оборону и правосудие. Пятый, не сведущий в этих предметах, станет председателем или премьером.

Однако, как ни удобно число пять, мы видим, что нередко в кабинет входит семь, а то и девять человек. Так бывает почти везде, кроме разве Люксембурга и Гондураса, и объясняют это тем, что областей управления не четыре, а больше. На самом деле есть и другая причина. В кабинете из девяти человек трое вершат политику, двое поставляют сведения, один напоминает о финансах. Со свободным от дела председателем получается семь человек. Остальные двое, по-видимому, нужны для красоты. Такое распределение обязанностей впервые обнаружено в Англии около 1639 года, но нет сомнения в том, что безумная мысль втиснуть в один комитет более трех говорунов пришла людям в голову намного раньше. Мы практически ничего не знаем о назначении двух молчаливых членов, но у нас есть основания полагать, что на этой, второй, стадии развития кабинет без них работать не может.

На свете есть кабинеты, застрявшие на второй стадии. В них по девять человек. Однако таких кабинетов мало (мы вспоминаем лишь Коста-Рику, Эквадор, Северную Ирландию, Либерию, Уругвай и Панаму). В странах побольше кабинеты разрослись. Туда вошли новые члены, иногда они вроде бы знают еще что-то нужное, но чаще просто очень вредят, если

их в кабинет не ввести. Чтобы их утихомирить, приходится непрестанно с ними советоваться. По мере их включения (и успокоения) число членов ползет от десяти к двадцати. На этой, третьей стадии дела идут много хуже.

Прежде всего, очень трудно собрать столько народу. Один уезжает 18-го, другой не вернется до 21-го, третий занят по вторникам, четвертый — по утрам. Но это еще не все. Когда их соберешь, большинство окажется дряхлыми, усталыми, косноязычными и глухими. Лишь немногие из членов отбирались с расчетом на то, что они будут или могут приносить пользу. Большую часть скорее всего ввели, чтобы угодить какой-нибудь внешней группировке, и задача их — сообщать своим, как идут дела. С секретностью покончено, и самое скверное то, что членам теперь приходится готовить свои выступления. Докладчик произносит речь, а потом рассказывает друзьям то, чего в речи не было. Чем крепче утверждаются ненужные члены, тем громче требуют обойденные группы, чтобы ввели их представителей. Число членов переползает в третий десяток. И кабинет вступает в четвертую, последнюю стадию.

Когда в кабинете от 20 до 22 членов, он внезапно претерпевает особое химическое или органическое превращение, природу которого нетрудно понять и описать. Пять полезных членов встречаются отдельно и что-то решают. Кабинету практически делать нечего, тем самым в него можно ввести сколько угодно народу. Лишним членам не понадобится лишнее время, ибо все заседания теперь — пустая трата времени. Внешние группы довольны, их ставленников принимают всех беспрепятственно, и не скоро поймут они, что победа их призрачна. Двери открыты, число членов приближается к 40, растет дальше. Может оно дорасти и до тысячи. Это уже не важно. Кабинет больше не кабинет, и прежние его функции выполняет другое, малое сообщество.

За историю Англии такой жизненный цикл проворачивался пять раз. У нас нет доказательств, что первый кабинет — Королевская Курия, именуемый ныне Палатой лордов, — включал когда-то всего пять человек. Мы впервые узнаем об этом кабинете, когда он уже утратил свою малочисленность и наследственных членов в нем — от 20 до 50. По мере того как он рос, сила его убывала. В 1601 году в нем было около 60 членов, в 1661-м — около 140, в 1760-м — около 220, в 1850-м — около 400, в 1911-м — около 650 и в 1952-м — около 850.

Когда же другой, меньший комитет зародился в его утробе? Примерно в 1257 году. Члены его назывались лордами Королевского Совета, и было их меньше десяти. В 1378 г. их было всего 11, и столько же в 1410-м. В правление Генриха V они вдруг стали плодиться. В 1433 г. их 20, в 1504-м — 41, а когда дело дошло до 172, Совет собираться перестал.

Однако внутри него образовался кабинет третьего воплощения — Тайный Совет о девяти членах. В 1540-м их стало 20, в 1547-м — 29, в 1558-м — 44. Тут польза его прекратилась, хотя он рос и дальше. В 1679-м в нем было 47 членов, в 1723-м — 67, в 1902-м — 200, в 1951-м — 300.

В Тайном Совете в свою очередь образовался т. н. Совет кабинета, с успехом перенявший его функции около 1615 года. Поначалу он состоял из 8 членов, в 1700 году — из 12, в 1725-м — из 20. Около 1740 года его сменила выросшая в его лоне группа лиц, именуемая просто кабинетом. Его развитие будет нагляднее в виде таблицы (см. ниже).

С 1939 года, как мы видим, идет борьба за его спасение, подобная той, которую вели при Елизавете I, чтобы спасти Тайный Совет. В 1940 г. кабинет еле дышал, а в нем вырисовывался кабинет поменьше (из 5, 7 или 9 членов), готовый занять его место. Однако не совсем ясно, чем это кончилось. Вполне возможно, что британский кабинет и сейчас приносит пользу.

Год	1740	1784	1801	1841	1885	1900	1915
Число членов	5	7	12	14	16	20	22

Год	1935	1939	1940	1945	1949	1954
Число членов	22	23	16	20	17	18

По сравнению с британским кабинет США проявил исключительную устойчивость и развиваться не желал. В нем было как раз 5 членов в 1789 году, всего 7 около 1840-го, 9 к 1901-му, 10 к 1913-му, 11 к 1945-му и — против всех обычаев — снова 10 к 1953-му. Мы не знаем, продержится ли тенденция к сокращению, возникшая в 1947 году. Судя по опыту, все пойдет, как прежде. Но пока что США, подобно Гватемале и Сальвадору, отличаются редкой малочисленностью кабинета, в котором меньше министров, чем в кабинетах Никарагуа или Парагвая.

Что же творится в прочих странах? В большинстве государств число членов колеблется от 12 до 20. Мы взяли 60 с небольшим стран, и средняя цифра оказалась 16; самые же любимые цифры — 15 (встречается семь раз) и 9 (снова семь). Интереснее всего дело обстоит в Новой Зеландии, где министр земледелия, министр лесного хозяйства и министр по делам маори — один человек, отвечающий к тому же за маорийское Кредитное общество и за охрану природы. На новозеландском банкете распорядитель порой призывает собравшихся выслушать застольную речь «заместителя премьер-министра, министра здравоохранения, в ведении которого также государственные ссуды, перепись населения, реклама, информация и статистика». К счастью, в других странах эта восточная пышность встречается редко.

Изучение британской истории показало нам, что кабинет становится бесполезным, когда число его членов доходит до

20 или 21. И Королевская Курия, и Королевский Совет, и Тайный Совет достигли этой цифры, когда начался их упадок. Нынешний кабинет до этого числа не дошел, удержавшись на краю пропасти. Отсюда, казалось бы, можно вывести, что кабинеты или комитеты, в которых больше 21 члена, теряют реальную власть. Ряд комитетоведов разделяет эту точку зрения. Другие полагают, что без вдумчивого исследования нельзя принимать за рубеж число 21. Однако все согласны в том, что коэффициент бесполезности должен лежать между 19 и 22.

Попытаемся обосновать эту гипотезу. Чтобы это сделать, необходимо четко различать факт и теорию, симптом и заболевание. Главный симптом ясен: известно, что, если собралось больше 20 человек, все меняется. На разных концах стола идут разные разговоры, и, чтобы привлечь внимание, выступающий вынужден встать. А вставши, он, хотя бы по инерции, произнесет длинную речь. «Господин председатель, — начнет он, — надеюсь, я могу утверждать, не страшась возражений — ведь опыт мой насчитывает двадцать пять, а если быть абсолютно точным, все двадцать семь лет, — что мы должны отнестись к делу исключительно серьезно. Огромная ответственность лежит на нас, и я лично...»

Тем временем люди полезные (если они присутствуют) пишут друг другу записочки: «Позавтракаем завтра вместе, все обсудим».

А что ж им делать? Голос жужжит и жужжит. Оратор с таким же успехом мог бы говорить во сне. Комитет, чьим бесполезнейшим членом он теперь оказался, значения больше не имеет. Его как бы нет. Он исчез.

Это ясно. Но причина глубже и нуждается в дальнейшем исследовании. Нам неизвестно слишком многое. Какого размера стол и какой формы? Сколько в среднем лет членам комитета? В котором часу они собрались? В статье, предназначенной неспециалистам, незачем воспроизводить расче-

ты, которые дали возможность вывести в первом приближении коэффициент бесполезности. Достаточно указать, что долгие исследования в Институте комитетоведения позволили ученым вывести формулу, одобренную ныне почти повсеместно крупнейшими специалистами. Заметим, что авторы ее приняли как условия умеренный климат, кожаные кресла и высокий уровень трезвости. Итак, формула:

$$x = \frac{p^v(w - r)}{l + t\sqrt{d}},$$

где p — среднее число присутствующих; v — число членов, находящееся под влиянием внешних групп; w — средний возраст; r — наибольшее расстояние (в сантиметрах) между членами; l — число лет, прошедшее со дня образования кабинета (комитета); t — терпение председателя, измеренное по шкале Пибоди; d — среднее кровяное давление трех старших по возрасту членов, измеренное незадолго до собрания. Тогда x — число членов, при котором эффективная работа кабинета (комитета) становится практически невозможной. Это и есть коэффициент бесполезности, и величина его, как выяснилось, лежит между 19,9 и 22,4 (десятые доли показывают частичное присутствие, т. е. тех, кто посидел и ушел).

Не следует думать, однако, что наука комитетоведения находится на высокой стадии развития. Комитетоведы и подкомитетоведы на это не претендуют, разве что испугаются остаться без работы. Они всячески подчеркивают, что исследования их лишь начались, но в скором времени дадут огромные результаты. С поправкой на личную заинтересованность (т. е. вычитая из всего ими сказанного 90%) мы можем все же смело признать, что работы еще много.

Так, нужно установить оптимальное число членов. Искомая величина лежит где-то между тремя (когда невозможно собрать кворум) и 21 (когда организм начинает гибнуть). Одна небезынтересная теория предлагает число 8. Почему же?

Потому что все существующие страны единодушно его избегают. Как ни привлекательна эта теория на первый взгляд, против нее имеется серьезное возражение. Именно 8 членов было в Совете кабинета у Карла I. А чем это для него кончилось!

ВОЛЯ НАРОДА,
или Ежегодное общее собрание

Все мы знаем, чем отличаются друг от друга английские и французские парламентские учреждения и соответственно учреждения, происходящие от них. Все мы видим, что разница эта никак не связана с национальным характером, но проистекает непосредственно от расположения мест. Англичане приучены к спортивным играм и, входя в свою Палату общин, рады бы заняться чем-нибудь другим. Им нельзя сыграть в гольф или в теннис, но они могут притвориться, что политика — такая же игра. Если бы не это, парламент был бы для них еще скучней, чем он есть. И вот британцы, ведомые привычкой, образуют две команды (каждая — с судьей) и дают им биться до изнеможения. Палата общин устроена так, что отдельный ее член вынужден принять ту или иную сторону, еще не зная доводов или даже не зная, в чем дело. Он приучен с младенчества играть за своих, что спасает его от излишних умственных усилий. Тихо пробравшись на свое место к концу какой-нибудь речи, он знает доподлинно, как надо подыграть. Если выступающий из его команды, он выкрикнет: «Слушайте, слушайте!», если из чужой, он смело воскликнет: «Позор!» или просто «О!». Попозже, улучив момент, он может спросить у соседа, о чем речь. Но строго говоря, это не нужно. Те, кто сидит по ту сторону,

абсолютно не правы, и все их доводы — чистый вздор. Те же, кто сидит с ним, преисполнены государственной мудрости, и речи их блещут убедительностью, умеренностью и красотой.

Совершенно неважно, в Хэрроу или охотясь за богатыми невестами учился он житейской ловкости, — и в той, и в другой школе учат, когда надо бурно поддерживать, а когда возмущаться. Однако главное в британской системе — расположение мест. Если бы скамьи не располагались с двух сторон зала, никто не отличил бы истину от лжи и мудрость от глупости, разве что стал бы слушать. Но слушать поистине смешно, ибо половина речей неизбежно окажется полной чушью.

Во Франции сразу совершили ошибку, рассадив народ полукругом, лицом к председателю. Нетрудно представить, что вышло, но представлять и незачем — это и так все знают. Команд образовать нельзя, и нельзя сказать, не слушая, чей довод убедительней. Есть еще одно неудобство: все говорят по-французски; к счастью, Соединенные Штаты мудро отказались это перенять. Но французская система достаточно плоха и без этого. Вместо того чтобы образовать две стороны — плохую и хорошую и сразу знать, что к чему, французы наплодили множество отдельных команд. Когда на поле такая неразбериха, играть нельзя. Конечно, здесь есть правые (справа) и левые (слева), что прекрасно. Все же и французы не дошли до того, чтобы сажать всех по алфавиту. Но при полукруглом расположении образуются тончайшие оттенки правизны и левизны. Нет и следа нашей четкой разницы между правдой и неправдой. Один депутат левее, чем мосье Такой, но правее, чем мосье Сякой. Что это нам дает? Что с этим делать, даже если говорить по-английски? Что дает это французам? Ответ один: «Ничего».

Это известно и без нас. Однако не все знают, что расположение мест чрезвычайно важно и для других собраний и

3-2089

заседаний, как международных, так и простых. Возьмем, к примеру, конференции круглого стола. Сразу ясно, что стол квадратный резко изменил бы дело, а прямоугольный стол — и подавно. Разница не только в продолжительности и в пылкости споров — форма стола влияет и на результаты, если они вообще есть. Как известно, итог голосования редко зависит от самого дела. На него влияет множество факторов, большая часть которых не входит сейчас в наше рассмотрение. Отметим, однако, что окончательный исход зависит от голосов центра (конечно, это не относится к Палате общин, где центра нет). Центральный блок состоит из следующих элементов:

1) тех, кому не досталось ни одной из разосланных заранее памятных записок. Они уже за неделю пристают ко всем, кто, по их мнению, придет;

2) тех, кто слишком глуп, чтобы следить за ходом дела. Их легко опознать, так как они часто спрашивают: «О чем это он?»;

3) глухих. Они сидят, приставив ладонь к уху, и ворчат себе под нос: «А погромче нельзя?»;

4) тех, кто недавно напился, но пришел (неизвестно, зачем), хотя у них страшно болит голова и им все безразлично;

5) престарелых, которые особенно горды своей свежестью и полагают, что этим, молодым, до них далеко. «А я пешком пришел, — шамкают они. — Недурно для восьмидесяти двух, а?»;

6) слабых духом, которые обещали поддержку и тем и другим и теперь не знают, как быть: воздержаться или сказаться больными.

Чтобы завоевать голоса центра, надо прежде всего опознать и пересчитать его членов. Все остальное зависит от мест. Лучше всего сделать так, чтобы заведомые ваши сторонники завели с ними беседу до начала собрания. В беседе этой поборники вашего дела тщательно избегают упомина-

ния о теме будущих дебатов. Зато они знают наизусть ключевые фразы, каждая из которых соответствует одной категории центрального блока:

1) «Только время потратим! Я вот свои бумажки просто выбросил».

2) «Укачают они нас... Меньше бы слов, а больше дела! Очень уж они умны, по-моему».

3) «Акустика тут ужасная. И что инженеры смотрят? Я почти ничего не слышу. А вы-ы?»

4) «Нашли помещеньице! Вентиляция испортилась, что ли... Прямо худо становится. А вы как?»

5) «Нет, просто не верится! Скажите, в чем ваш секрет? Что вы едите на завтрак?»

6) «И те правы, и эти... Не знаю, кого и поддерживать. А вы что думаете?»

Если хорошо разыграть гамбит, у каждого вашего поборника завяжется оживленная беседа, которая поможет ему ненавязчиво отвести подопечного к месту сборища. Тем временем другой поборник идет в зал прямо перед ними. Проиллюстрируем их путь примером. Предположим, что поборник x ведет центриста y к месту, расположенному впереди. Перед ними идет поборник z и садится, как бы их не замечая. (Назовем x'а м-р Нагл, y'а м-р Пил, а z'а м-р Тверд.) М-р Тверд поворачивается в другую сторону и кому-то машет. Потом наклоняется к кому-то и что-то говорит. И лишь когда Пил уселся, он поворачивается к нему и восклицает: «Рад вас видеть!» Немного погодя он замечает и Нагла и удивляется: «О, Нагл! Вот уж не думал, что вы придете!» — «Я уже здоров, — поясняет Нагл. — Это была простуда». Тем самым становится ясно, что это случайная и дружеская встреча. Здесь заканчивается первая фаза операции, в общем одинаковая для всех групп центра.

Фаза вторая варьируется в зависимости от категории. В нашем случае (четвертая категория) объект воздействия

должен быть всецело отстранен от дискуссии, для чего нужно внушить ему исподволь, что все уже решено. Сидя впереди, Пил почти никого не видит и потому может думать, что собрание единодушно.

— Прямо не знаю, — говорит Нагл, — зачем я пришел. По пункту IV явно все решено. С кем ни поговори, все «за» (или «против»).

— Удивительно! — говорит Тверд. — Как раз хотел это сказать. Да, о результатах спорить не приходится...

— Сам я еще не решил, — говорит Нагл. — У каждой стороны есть свои резоны. Но возражать просто глупо. А вы как считаете, Пил?

— Дело нелегкое, конечно, — говорит Пил. — С одной стороны, вроде бы они правы... С другой стороны... А как, по-вашему, пройдет это дело?

— Дорогой мой Пил, вам виднее! Вы же сами сейчас сказали, что все ясно заранее.

— Да? Что ж, вроде бы большинство... То есть я имею в виду...

— Спасибо, Пил, — говорит Тверд. — Я и сам так думаю, но мне особенно дорого ваше мнение. Я его в высшей степени ценю.

Нагл тем временем беседует вполголоса с кем-то сидящим сзади него. «Как ваша жена? Вышла уже из больницы?» — спрашивает он. Но, повернувшись снова к своим, сообщает, что и сзади все единодушны. Можно считать, что дело сделано. И так оно и есть, если все пройдет по плану.

Пока противник готовит речи и поправки, сторона, оснащенная более высокой техникой, позаботится о том, чтобы каждый центрист оказался между двумя ее поборниками. Когда наступит критический миг, оба они поднимут руки и он просто не сможет не поднять свою. Если же он к тому времени заснет, что случается с центристами четвертой и пятой категории, руку его поднимет сосед справа. Мы уточня-

ем детали лишь затем, чтобы ему не подняли обе руки сразу, ибо это, как показал опыт, производит плохое впечатление. Обеспечив таким образом центральный блок, вы легко проведете свой проект (или провалите проект противника). Почти во всех спорных вопросах, решаемых волей народа, исход определяют члены центра. Поэтому незачем тратить время на произнесение речей. Противник с вами не согласится, а свои и так согласны. Остается центр, члены которого речей не слышат, а и услышат — не поймут. Чтобы не беспокоиться об их голосах, надо, чтобы соседи показали им пример. Голосами их может править случай. Насколько же лучше, чтобы ими правил замысел!

ИССЛЕДОВАНИЕ ПРИГЛАШЕННЫХ,
или Гостевая формула

Современную жизнь нельзя вообразить без приема. От него зависят международные, научные и индустриальные конгрессы. Как известно, если хотя бы раз не устроить прием, конгресс работать не сможет. До сих пор Наука почти не занималась ни функциями, ни возможным использованием этого установления. Пора наверстать упущенное.

Чего мы, строго говоря, хотим, приглашая сразу так много гостей? Ответов на этот вопрос немало, так как один и тот же прием может служить разным целям. Возьмем наудачу одну из граней проблемы и посмотрим, насколько ускоряется и совершенствуется ее исследование с применением научных методов. Скажем, надо определить, кто из гостей важнее. Официальный их статус и вес нам известны. Но истинная их ценность не связана со службой. Сплошь и рядом самые важные люди занимают не такое уж высокое положе-

ние. Влияние их обнаружится лишь к концу конференции. А как бы хорошо знать его сразу, сначала! Этому и поможет прием, назначаемый, как правило, на вечер второго дня.

Для простоты исследования примем, что: 1) пространство, занятое гостями, находится на одном уровне и вход туда один; 2) в приглашениях сказано, что прием длится два часа, а на самом деле — два часа двадцать минут; 3) напитки разносят или передают из рук в руки (при наличии бара исследование много трудней). Как определить при всех этих данных действительное, а не официальное значение гостей?

Мы знаем ряд фактов, необходимых для создания нашей теории. Прежде всего, нам известно направление потока. Прибывших гостей относит к левой стене. Эта тенденция имеет интересное (отчасти биологическое) объяснение. Сердце, по-видимому, расположено слева. Поэтому в старину воины прикрывали щитом левую часть груди, а оружие соответственно держали в правой руке. Сражались тогда мечом, носили его в ножнах. Если меч в правой руке, ножны — слева; а если ножны слева, невозможно влезть на лошадь справа, разве что вам надо сесть лицом к хвосту. Садясь же слева, вы, естественно, захотите, чтобы конь ваш стоял по левой стороне дороги и вы видели, влезая, что творится впереди. Таким образом, левостороннее движение сообразно природе, а правостороннее (принятое в некоторых отсталых странах) противоречит глубочайшим человеческим инстинктам. Когда не навязывают правил движения, вас непременно отнесет влево.

Кроме того, нам известно, что человек предпочитает стены помещения его середине. Посмотрите, например, как заполняется ресторан. Сперва занимают столики у левой стены, потом в конце зала, потом справа, а потом, с большим скрипом, в центре. Неприязнь к центру столь сильна, что администрация, не надеясь его заполнить, иногда не ставит

там столиков вообще, создавая, таким образом, место для танцев.

Конечно, этот навык можно перешибить каким-нибудь внешним фактором, например видом на водопад, собор или снежную вершину в глубине зала. Но если ничего этого нет, ресторан неукоснительно будет заполняться так, как мы указали, — слева направо. Неприязнь к центру помещения восходит к первобытным временам. Входя в чужую пещеру, троглодит не знал, рады ли ему, и хотел в случае чего тут же опереться спиной о стену, а руками действовать. В центре пещеры он был слишком уязвим. И вот он крался вдоль стен, глухо рыча и сжимая дубинку. Человек современный, как мы видим, ведет себя примерно так же, только рычит он потише и дубинки у него нет. Во время приема помещение заполняется по тем же правилам: гостей относит к стене, которой они, правда, не касаются.

Если мы соединим теперь два известных нам факта — крен влево и шараханье от центра, — мы получим биологическое объяснение всем известного феномена, т. е. поймем, почему людской поток движется по часовой стрелке. Конечно, случаются и водовороты (дамы кидаются прочь от тех, кто им неприятен, или устремляются к тем, кого совсем не терпят), но в основном движение идет именно так. Люди важные, те, кто в буквальном смысле слова «на плаву», находятся в самой середине русла. Они не вырываются ни в сторону, ни вперед, ни назад. Те, кто присох к стене и беседует с хорошим знакомым, интереса не представляют. Те, кто забился в угол, робки и слабы духом. Те, кого вынесло на середину зала, чудаки или дураки.

Изучим теперь время прибытия. Есть все основания полагать, что люди стоящие придут когда надо. Они не окажутся среди тех, кто, преувеличив длительность пути, явился за десять минут до начала. Они не окажутся среди тех, кто забыл завести часы и вбежит, задыхаясь, к концу. Нет. Те, кто

нам нужен, придут именно тогда, когда надо. Когда же надо прийти? Время это определяется двумя факторами. Во-первых, нечего являться, пока некому на вас смотреть. Во-вторых, нечего являться, когда другие важные люди уже ушли (а они непременно уходят еще куда-нибудь). Отсюда следует, что отрезок времени начинается, по меньшей мере, через полчаса после срока, указанного в приглашении, и завершается, по меньшей мере, за час до конца приема. Границы эти позволяют нам вывести формулу: оптимальный момент отстоит от указанного в билете времени ровно на сорок пять минут (к примеру, это будет 7.15, если прием назначен на 6.30). Казалось бы, дело сделано, проблема решена. Ученый вправе сказать: «Возьмите хронометр, смотрите на двери и собирайте материал». Однако опытный исследователь отнесется к такому решению с незлобивой иронией. Кто может поручиться, что гость, прибывший в 7.15, стремился именно к этому? А вдруг он хотел прийти в 6.30, но долго плутал? А вдруг он думал, что уже 8? А вдруг его вообще не приглашали и шел он не сюда? Итак, хотя люди ценные действительно явятся между 7.10 и 7.20, из этого не следует, что всякий явившийся в это время ценен.

Именно здесь нам надо прибегнуть к эксперименту. Наиболее уместна техника, принятая в гидравлических лабораториях. Желая узнать, как будет течь вода у быков проектируемого моста, ученый возьмет большое стекло, установит на нем модель моста и пустит по стеклу воду, подкрашенную красным. Затем он снимает все это на кинопленку, видит, как идут цветные потоки. Нам бы тоже было удобно пометить как-то заведомо ценных людей и снимать их с галереи. Казалось бы, это нелегко. Однако выяснилось, что в одной из британских колоний гостей уже переметили.

Дело в том, что какой-то губернатор, лет сто назад, хотел, чтобы мужчины носили на балах не белые, а черные фраки. Это ему не удалось, как ни подбадривал он их своим приме-

ром, — купцы, банкиры и юристы не согласились, но правительственным чиновникам согласиться пришлось. Так родилась тенденция, живая по сей день. Люди, занимающие высокий правительственный пост, — в черном, все прочие же — в белом. Там, в колонии, чиновники еще играют большую роль, и ученым нетрудно было проследить с галереи за их движением. Более того, удалось их снять, причем пленка подтвердила нашу теорию и помогла нам сделать еще одно открытие. Внимательное наблюдение непреложно доказало, что черные являлись от 7.10 до 7.20 и шли по часовой стрелке, избегая углов, не касаясь стены и чуждаясь середины — все по теории. Но было замечено и новое, неожиданное явление. Достигнув дальнего правого угла примерно за полчаса, они топтались там минут десять, а потом стремительно шли к выходу. Мы долго и пристально рассматривали пленки и поняли наконец, в чем дело. Мы пришли к заключению, что заминка нужна для того, чтобы прочие важные лица успели прийти, другими словами, явившийся в 7.10 просто поджидает тех, кто явится к 7.20. Важные лица остаются вместе недолго. Им надо одно: чтобы их увидели. Доказав таким образом свое присутствие, они начинают исход, который заканчивается полностью к 8.15.

Результаты наших наблюдений применимы, по-видимому, к любому сообществу, и формулой пользоваться очень легко. Чтобы найти поистине важных людей, разделим (мысленно) пространство зала на равные квадраты и обозначим их, слева направо, буквами от *A* до *F*, а от входа до конца — цифрами от 1 до 8. Час начала обозначим через Н. Как известно, длительность приема = Н + 140. Теперь найти поистине важных людей ничего не стоит. Ими будут те, кто собрался в квадрате Е7 между Н + 75 и Н + 90. Самый важный стоит посреди квадрата.

Само собой разумеется, правило это ценно лишь до тех пор, пока никто о нем не знает. Поэтому считайте данную

главу секретной и никому не показывайте. Люди, изучающие нашу науку, должны держать все это при себе, а простой публике ее читать незачем.

ВЫСОКАЯ ФИНАНСОВАЯ ПОЛИТИКА,
или Точка безразличия

В высокой финансовой политике разбирается два типа людей: те, у кого очень много денег, и те, у кого нет ничего. Миллионер прекрасно знает, что такое миллион. Для прикладного математика или профессора-экономиста (живущих, конечно, впроголодь) миллион фунтов так же реален, как тысяча, ибо у них никогда не было ни того, ни другого. Однако мир кишит людьми промежуточными, которые не разбираются в миллионах, но к тысячам привыкли. Из них и состоят в основном финансовые комиссии. А это порождает широко известное, но еще не исследованное явление — т. н. закон привычных сумм: время, потраченное на обсуждение пункта, обратно пропорционально рассматриваемой сумме.

В сущности, нельзя сказать, что закон этот не исследован. Исследования были, но принятый метод себя не оправдал. Ученые придавали излишнее значение порядку обсуждаемых вопросов и почему-то решили, что больше всего времени тратится на первые семь пунктов, а дальше все идет само собой. Годы исследований ушли впустую, так как основная посылка была неверна. Теперь мы установили, что порядок пунктов играет в лучшем случае подсобную роль.

Чтобы добиться полезных результатов, забудем обо всем, что до сих пор делалось. Начнем с самого начала и постара-

емся разобраться в том, как же работает финансовая комиссия. Чтобы простому читателю было понятней, представим это в виде пьесы.

П р е д с е д а т е л ь. Переходим к пункту 9. Слово имеет наш казначей мистер Мак-Дуб.

М-р М а к - Д у б. Перед вами, господа, смета на строительство реактора, представленная в приложении Н доклада подкомиссии. Как видите, профессор Мак-Пуп одобрил и план, и расчеты. Общая стоимость — до 10 млн. долларов. Подрядчики Мак-Фут и Мак-Ярд считают, что работу можно закончить к апрелю 1963 года. Наш консультант инженер Мак-Вор предупреждает, однако, что строительство затянется по меньшей мере до октября. С ним согласен известный геофизик доктор Мак-Грунт, который полагает, что на дне строительной площадки придется подсыпать земли. Проект главного корпуса — в приложении IX, чертежи реактора — на столе. Если члены комиссии сочтут нужным, я с удовольствием дам более подробные разъяснения.

П р е д с е д а т е л ь. Спасибо вам, мистер Мак-Дуб, за исключительно ясное изложение дела. Попрошу членов комиссии высказать свое мнение.

Тут остановимся и подумаем, какие у них могут быть мнения. Примем, что в комиссии одиннадцать человек, включая председателя, но не секретаря. Четверо из них (включая председателя) не знают, что такое реактор. Трое не знают, зачем он нужен. Из тех же, кто это знает, лишь двоим хоть в какой-то степени понятно, сколько он может стоить, — м-ру Ною и м-ру Брусу. Оба они способны что-нибудь сказать. Позволим себе предположить, что первым выскажется м-р Ной.

М - р Н о й. М-да, господин председатель... Что-то я не очень верю нашим подрядчикам и консультантам. Вот если бы мы спросили профессора Сима, а подряд заключили с фирмой «Давид и Голиаф», было бы как-то спокойней. Мистер Дан не стал бы отнимать у нас время, он сразу определил бы, насколько затянутся работы, а мистер Соломон сказал бы нам прямо, надо ли подсыпать земли.

П р е д с е д а т е л ь. Все мы, конечно, ценим рвение мистера Ноя, но уже поздно приглашать новых консультантов. Правда, главный контракт еще не подписан, но уже израсходованы очень крупные суммы. Если мы не согласимся с оплаченными советами, нам придется платить еще столько же. (*Одобрительный гул.*)

М - р Н о й. Я прошу все же внести мои слова в протокол.

П р е д с е д а т е л ь. Конечно, конечно! Кажется, мистер Брус хочет что-то сказать?

Как раз м-р Брус — чуть ли не единственный — разбирается в вопросе. Он мог бы многое сказать. Ему подозрительна цифра 10 млн. — слишком она круглая. Он сомневается в том, что нужно сносить старое здание, чтобы расчистить место для подъезда к участку. Почему так много денег отпущено на «непредвиденные обстоятельства»? И кто такой, в сущности, этот Грунт? Не его ли год назад привлекала к суду нефтяная компания? Но Брус не знает, с чего начать. Если он сошлется на чертежи, прочие в них не разберутся. Придется объяснить, что такое реактор, а все на это обидятся. Лучше уж ничего не говорить.

М - р Б р у с. Мне сказать нечего.

П р е д с е д а т е л ь. Кто-нибудь еще хочет выступить? Так, хорошо. Значит, можно считать, что проект и смета

приняты? Спасибо. Вправе ли я подписать контракт от вашего имени? *(Одобрительный гул.)* Спасибо. Перейдем к пункту 10.

Не считая нескольких секунд, когда все шуршали бумагами и чертежами, на пункт 9 ушло ровно две с половиной минуты. Собрание идет хорошо. Однако некоторым как-то не по себе. Они беспокоятся о том, не очень ли они сплоховали при обсуждении реактора. Сейчас уже поздно вникать в проект, но хорошо бы показать, пока все не кончилось, что и они не дремлют.

П р е д с е д а т е л ь. Пункт 10. Сарай для велосипедов наших служащих. Фирма «Кус и Черви», подрядившаяся выполнить работу, предполагает, что на это уйдет 350 фунтов. Планы и расчеты перед вами, господа.

М - р Т у п. Нет, господин председатель, это много. Я вот вижу, что крыша тут — алюминиевая. А не дешевле ли будет толь?

М - р Г р у б. Насчет цены я согласен с мистером Тупом, но крыть, по-моему, надо оцинкованным железом. На мой взгляд, можно уложиться в 300 фунтов, а то и меньше.

М - р С м е л. Я пойду дальше, господин председатель. Нужен ли вообще этот сарай? Мы и так слишком много делаем для сотрудников. А им все мало! Еще гаражи потребуют...

М - р Г р у б. Нет, я не согласен с мистером Смелом. По-моему, сарай нужен. А вот что касается материалов и расценок...

Дебаты идут как по маслу. 350 фунтов всем легко представить, и всякий может вообразить велосипедный сарай. Обсуждение длится пять минут, причем иногда удается сэкономить полсотни фунтов. Под конец участники удовлетворенно вздыхают.

Председатель. Пункт 11. Закуски для собраний Объединенного благотворительного комитета. 35 шиллингов в месяц.

М-р Туп. А что они там едят?

Председатель. Кажется, пьют кофе.

М-р Груб. Значит, в год выходит... Так, так... 21 фунт?

Председатель. Да.

М-р Смел. Бог знает что! А нужно ли это? Сколько они времени заседают?

Споры разгораются еще сильней. Не в каждой комиссии есть люди, отличающие толь от жести, но все знают, что такое кофе, как его варить, где купить и покупать ли вообще. Этот пункт займет час с четвертью, к концу которых собравшиеся потребуют у секретаря новых данных и перенесут обсуждение вопроса на следующее заседание.

Уместно спросить, займет ли еще больше времени спор о меньшей сумме (скажем, в 10 или в 5 фунтов). Этого мы не знаем. Однако осмелимся предположить, что ниже какой-то суммы все пойдет наоборот, так как члены комиссии снова не смогут ее представить. Остается установить величину этой суммы. Как мы видели, переход от двадцатифунтовых споров (час с четвертью) к десятимиллионным (две с половиной минуты) очень резок. Исключительно интересно определить границу перепада. Более того, это важно для дела. Представим, например, что нижняя точка безразличия находится на уровне 15 фунтов. Тогда докладчик, представляя на обсуждение цифру «26», может подать ее собравшимся в виде двух сумм: 14 фунтов и 12 фунтов, что сохранит комиссии и время и силы.

Мы еще не решаемся делать окончательные выводы, но есть основания полагать, что нижняя точка равняется сумме, которую рядовому члену комиссии не жаль проиграть или

отдать на благотворительность. Исследования, проведенные на бегах и в молельнях, помогут полнее осветить проблему. Много труднее вычислить верхнюю точку. Ясно одно: на 10 млн. и на 10 фунтов уходит равное количество времени. Мы не можем считать совершенно точной указанную длительность (две с половиной минуты), но и та и другая сумма действительно занимают в среднем от двух до четырех с половиной минут.

Предстоит еще много исследований, но результаты их, по опубликовании, вызовут огромный интерес и принесут практическую пользу.

ХИЖИНА РАДИ «ПАККАРДА»,
или Формула преуспеяния

Читателям, знакомым с популярными статьями по антропологии, будет интересно узнать, что в недавнее время исследования охватили совершенно новую область. Обычно антропологом зовется тот, кто проводит шесть недель или шесть месяцев (а порой и шесть лет) среди, скажем, племени бу-бу, проживающего на озере Гад, а вернувшись к цивилизации, немедленно пишет книгу о половой жизни и суевериях дикарей. Когда в твои дела вечно лезут, жить очень трудно, и все племя крестится, надеясь, что антропологи утратят к нему интерес. Обычно так оно и бывает. Но племен пока что достаточно. Книги множатся, и, когда последние дикари займутся покоя ради пением гимнов, на растерзание останутся еще жители городских трущоб. К ним тоже непрестанно суются с вопросами, камерами и диктофонами, а что о них пишут, все мы знаем. Новое направление в науке отличается не техникой исследования, но его объектом. Антро-

пологи новейшей школы не интересуются дикими, а на бедных у них нет времени. Они работают среди богачей.

Экспедиция, о которой мы сейчас расскажем и в которую входил сам автор, провела предварительные исследования среди греческих судовладельцев, а потом несколько подробней ознакомилась с нравами и бытом арабских шейхов, по землям которых проходит нефтепровод. Прервав эту работу по политическим и иным причинам, экспедиция отправилась в Сингапур к китайским миллионерам. Там мы и столкнулись с так называемой «проблемой лакея», там услышали и о «китайском собачьем барьере». На ранних стадиях опроса мы не знали, что это такое. Мы не знали даже, одно это явление или два. Однако мы удачно воспользовались первым же ключом к решению загадки.

Ключ этот попал нам в руки, когда мы находились во дворце самого Дай День-гу. Обернувшись к дворецкому, который показывал нам коллекцию изделий из нефрита, д-р Лезли воскликнул: «А говорят, он раньше был простым кули!» На что загадочный китаец ответил:

«Только кули может стать миллионером. Только кули может быть кули. Только очень богатый человек может позволить себе жить, как богатый». Эти таинственные, скупые слова и послужили нам отправной точкой. Результаты исследования изложены в докладе Лезли и Терзайля (1956), но мы считаем возможным популярно сообщить о них читателю. Опуская чисто технические подробности, приступим к рассказу.

До определенной черты, как выяснилось, проблема кулимиллионера достаточно проста. Китайский кули живет в хижине из пальмовых листьев и съедает чашку риса в день. Когда он вырывается наверх — скажем, начинает торговать вразнос орехами, — он живет все так же и там же. Поднявшись еще выше — скажем, продавая ворованные велосипедные части, — он жизни не меняет. Благодаря этому у него

остаются деньги и он может пустить их в ход. Девять кули из десяти пустят их не туда и прогорят. Десятому повезет или он окажется умнее. Однако хижины он не покинет и есть он будет рис. Рассмотрим это подробнее, чтобы изучить технику успеха.

В Америке рано или поздно будущий миллионер наденет галстук. По его словам, без этого ему не станут доверять. Придется ему и переехать, исключительно (по его же словам) для престижа. На самом же деле галстук он надевает для жены, а переезжает для дочери. У китайцев женщин держат в строгости, и богатеющий кули как был, так и останется при хижине и рисе. Факт этот общеизвестен и допускает два толкования. Во-первых, дом его, как он ни плох, принес ему удачу. Во-вторых, дом получше привлечет сборщика налогов. Итак, богатеющий китаец живет, где жил. Часто он сохраняет свою хижину до самой смерти, хотя бы как контору. Он так с ней связан, что переезд знаменует глубочайшую перемену в его жизни.

Переезжая, он прежде всего спасается от тайных обществ, шантажистов и гангстеров. Скрыть богатство от сборщика налогов не так уж трудно, но скрыть его от тех, с кем ведешь дела, практически невозможно. Как только разнесется слух о его преуспеянии, люди начнут гадать, на какую именно сумму его можно растрясти. Все это известно, но прежние исследователи поспешно решали, что такая сумма — лишь одна. На самом деле их три: одну он заплатит, если его похитить и потребовать выкуп; другую — если пригрозить позорящей статьей в газете; и третью — если попросить на благотворительность (не дать он постесняется).

Мы решили установить, каких размеров (в среднем) должна достигнуть первая сумма, чтобы исследуемый переселился из хижины в дом с высоким забором и свирепой собакой. Именно это и называется «преодоление собачьего

барьера». По мнению социологов, наступает оно тогда, когда выкуп превысит расходы на собаку.

Примерно в это же время преуспевающий китаец покупает «Шевроле» или «Паккард». Нередко, однако, он покупает машину, еще живя в хижине. Народ привык видеть дорогой автомобиль перед лачугой и особенно не волнуется. Явление это до сих пор полностью не объяснено. Если понадобилась машина, казалось бы, купи такую же плохую, как дом. Однако по еще неизвестным причинам китайское преуспеяние выражается прежде всего в никеле, обивке и модели. А машина уже вызовет к жизни колючую проволоку, решетку, засов и собаку. Перелом произошел. Если собаковладелец еще не платит налогов, он должен хотя бы объяснить, почему у него для этого слишком мало денег. Предположим, он сумеет не дать гангстерам миллионного выкупа, но от шантажистов он уже не отвертится. Он должен приготовиться к тому, что журналисты будут угрожать ему позорными статьями в сомнительных газетах. Он должен приготовиться к тому, что те же журналисты придут к нему через неделю собирать на каких-нибудь сирот. Он должен привыкнуть к визитам профсоюзных деятелей, предлагающих, и не безвозмездно, предотвратить нежелательные для него беспорядки среди рабочих. В сущности, он должен смириться с тем, что доходы его уменьшатся.

В задачи наши входило собрать подробные сведения о собаковладельческой фазе китайской деловой карьеры. В определенном отношении это было трудней всего. Некоторые виды знаний приобретаются лишь ценою порванных брюк и разбитых локтей. Теперь, когда все позади, мы гордимся тем, что бестрепетно шли на любой риск. Однако сумму выкупа удалось установить без полевых исследований. Ее знают все и часто с немалой точностью упоминают в прессе. Примечательно, что разница между максимумом и минимумом довольно мала. Сумма эта не ниже 5000 долларов и не

выше 200 000. Она никогда не опускается до 2000 и не поднимается до 500 000. Несомненно, чаще всего амплитуда ее много меньше. Дальнейшие исследования покажут, что следует считать средней суммой.

Если мы принимаем, что нижний предел выкупа равняется побочным доходам, мы имеем такое же право принять, что верхний его предел — все, что можно вытянуть из самого богатого похищенного. Однако самых богатых не похищают никогда. По-видимому, есть предел, за которым китаец обретает иммунитет к шантажу. На этой, последней фазе он не скрывает, а подчеркивает свое богатство, показывая всем, что он уже достиг иммунитета. Ни одному участнику нашей экспедиции не удалось узнать, как достигают этого предела. Нескольких ученых просто вывели из клуба миллионеров, где они пытались собрать сведения. Установив, что вопрос как-то связан с количеством слуг, лакеев, секретарей и помощников (которых на этой стадии очень много), они окрестили его «проблемой лакея» и успокоились.

Однако не надо думать, что нет надежд на решение проблемы. Мы знаем, например, что выбирать придется между двумя объяснениями, а быть может, оба принять. Одни полагают, что у слуг есть оружие и пробиться сквозь них нельзя. Другие склоняются к мнению, что миллионер покупает целиком тайное общество, против которого не посмеет выступить ни одна шайка. Проверить первую теорию (организовав хороший налет) сравнительно нетрудно. Ценою жизни-другой можно точно доказать, верна она или нет. Чтобы проверить вторую, нужно больше ума и больше смелости. После всего, что претерпели от собак наши сотрудники, мы не считали себя вправе заняться этими исследованиями. У нас не хватало для этого людей и денег. Однако теперь мы получили пособие от одного треста и надеемся вскоре добиться истины.

В предварительном сообщении мы не коснулись и другой

загадки: как спасаются китайцы от сборщика налогов. Все же нам удалось узнать, что западные методы применяются здесь очень редко. Как известно, на Западе прежде всего стараются установить примерный срок обычной проволочки (или ОП, как мы говорим в своем кругу), то есть узнать, сколько времени проходит между тем, как управление получит письмо, и тем, как оно им займется. Точнее говоря, речь идет о времени, за которое ваша бумага пробьется со дна ящика на самый верх. Примем, что ОП = 27 дням. Западный человек для начала напишет письмо и спросит, почему он не получил извещения о размере налога. В сущности, писать он может что угодно. Главное для него знать, что его бумажка окажется внизу всей кучи. Через двадцать пять дней он напишет снова, спрашивая, почему нет ответа на первое письмо, и дело его, чуть не выплывшее наверх, снова отправится вниз. Через 25 дней он напишет снова... Таким образом, его делом не займутся никогда. Поскольку всем нам известен этот метод и его успехи, мы решили было, что он известен и китайцам. Но обнаружили, что здесь, на Востоке, невозможно предсказать ОП. Погода и степень трезвости так меняются, что в государственных учреждениях не установился наш мерный ритм. Следовательно, китайский метод не может зависеть от ОП.

Подчеркнем: решения проблемы еще нет. У нас есть только теория, о ценности которой судить рано. Выдвинул ее один из наших лучших исследователей, и пока что это лишь гениальная догадка. По этой теории, китайский миллионер не ждет извещения, а сразу посылает сборщику налогов чек, скажем, на 329 долларов 83 цента. В сопроводительной записке он скупо ссылается на предыдущее письмо и на деньги, выплаченные наличными. Маневр этот выводит из строя налогосборочную машину, а когда приходит новое письмо, где миллионер извиняется и просит вернуть 23 цента, наступает полный развал. Служащие так измучены и сму-

щены, что не отвечают ничего восемнадцать месяцев, а тут приходит новый чек, на 167 долларов 42 цента. При таком ходе дел, гласит теория, миллионер, в сущности, не платит ничего, а инспектор по налогам попадает в лечебницу. Хотя доказательств еще нет, теория заслуживает внимания. Во всяком случае, можно проверить ее на практике.

НОВОЕ ЗДАНИЕ,
или Жизнь и смерть учреждений

Всякий, кто изучает устройство учреждений, знает, как определить вес должностного лица. Сосчитаем, сколько к нему ведет дверей, сколько у него помощников и сколько телефонов, прибавим высоту ворса на ковре (в сантиметрах) и получим формулу, годную почти повсеместно. Однако мало кто знает, что, если речь идет об учреждении, числа эти применяются иначе: чем они больше, тем оно хуже.

Возьмем, к примеру, издательство. Известно, что издатели любят работать в развале и скудости. Посетителя, ткнувшегося в двери, попросят обогнуть дом сзади, спуститься куда-то вниз и подняться на три пролета. Научный институт помещается чаще всего в полуподвале чьего-то бывшего дома, откуда шаткий дощатый переход ведет к железному сараю в бывшем саду. А кто из нас не знает, как устроен обычно международный аэропорт? Выйдя из самолета, мы видим (слева или справа) величественное здание в лесах и идем за стюардессой в крытый толем сарай. Мы и не ждем ничего иного. Когда строительство закончится, аэродром перенесут в другое место.

Вышеупомянутые учреждения при всей своей пользе и активности прозябают в таких условиях, что мы бываем ра-

ды прийти туда, где все удобно и красиво. Входная дверь, стеклянная с бронзой, окажется в самом центре фасада. Ваши начищенные ботинки тихо ступят на блестящий линолеум и пройдут по нему до бесшумного лифта. Умопомрачительно тонная секретарша проговорит что-то алыми губками в снежно-белую трубку, усадит вас в хромированное кресло и улыбнется, чтобы скрасить неизбежные минуты ожидания. Оторвав взор от глянцевитых страниц журнала, вы увидите широкие коридоры, уходящие к секторам А, В и С, и услышите из-за всех дверей мерный гул упорядоченного труда. И вот, утопая по щиколотку в ковре, вы долго идете к столу, на котором в безупречном порядке разложены бумаги. Немигающий директорский взгляд завораживает вас, Матисс на стене устрашает, и вы понимаете, что здесь-то наконец работают по-настоящему.

И ошибаетесь. Наука доказала, что административное здание может достичь совершенства только к тому времени, когда учреждение приходит в упадок. Эта, казалось бы, нелепая мысль основана на исторических и археологических исследованиях. Опуская чисто профессиональные подробности, скажем, что главный метод заключается в следующем: ученые определяют дату постройки особенно удачных зданий, а потом исследуют и сопоставляют эти данные. Как выяснилось, совершенное устройство — симптом упадка. Пока работа кипит, всем не до того. Об идеальном расположении комнат начинают думать позже, когда главное сделано. Совершенство — это завершенность, а завершенность — это смерть.

Например, туристу, ахающему в Риме перед собором Св. Петра и дворцами Ватикана, кажется, что все эти здания удивительно подходят к всевластию пап. Здесь, думает он, гремели анафемы Иннокентия III, отсюда исходили повеления Григория VII. Но, заглянувши в путеводитель, турист уз-

нает, что поистине могущественные папы властвовали задолго до постройки собора и нередко жили при этом совсем не здесь. Более того, папы утратили добрую половину власти еще тогда, когда он строился. Юлий II, решивший его воздвигнуть, и Лев X, одобривший эскизы Рафаэля, умерли за много лет до того, как ансамбль принял свой сегодняшний вид. Дворец папской канцелярии строился до 1565 года, собор освятили в 1626-м, а колоннаду доделали к 1667-му. Расцвет папства был позади, когда планировали эти совершенные здания, и мало кто помнил о нем, когда их достроили.

Нетрудно доказать, что это не исключение. Так обстояло дело и с Лигой Наций. На Лигу возлагали большие надежды с 1920 по 1930 г. Году в 33-м, не позже, стало ясно, что опыт не удался. Однако воплощение его — Дворец Наций — открыли только в 1937-м. Дворец хорош, все в нем продумано — здесь есть и секретариат, и большие залы, и малые, есть и кафе. Здесь есть все, что может измыслить мастерство, кроме самой Лиги. К этому году она практически перестала существовать.

Нам возразят, что Версальский дворец действительно воплотил в камне расцвет царствования Людовика XIV. Однако факты воспротивятся и тут. Быть может, Версаль и дышит победным духом эпохи, но достраивали его к ее концу и даже захватили немного следующее царствование. Дворец строился в основном между 1669 и 1685 гг. Король стал наезжать туда с 1682 г., когда работы еще шли. Прославленную спальную он занял в 1701-м, а часовню достроили еще через девять лет. Постоянной королевской резиденцией дворец стал лишь с 1756 года. Между тем почти все победы Людовика XIV относятся к периоду до 1679 года, наивысшего расцвета его царствование достигает к 1682-му, а упадок начинается с 1685-го. Как выразился один историк, король, переезжая сюда, «уже подписал приговор своей династии». Другой ис-

торик говорит, что «дворец... был достроен именно к той поре, когда власть Людовика стала убывать». А третий косвенно поддерживает их, называя 1685—1713 годы «годами упадка». Словом, ошибется тот, кто представит себе, как Тюренн мчится из Версаля навстречу победе. С исторической точки зрения вернее вообразить, как нелегко было здесь, среди всех этих символов победы, тем, кто привез весть о поражении при Бленхейме. Они буквально не знали, куда девать глаза.

Упоминание о Бленхейме естественно переносит наши мысли к другому дворцу, построенному для прославленного Мальборо. Он тоже идеально распланирован, на сей раз — для отдохновения национального героя. Его героические пропорции, пожалуй, говорят скорее о величии, чем об удобствах, но именно этого и хотели зодчие. Он поистине воплощает легенду. Он поистине создан для того, чтобы старые соратники встречались здесь в годовщину победы. Однако, представляя себе эту встречу, мы должны помнить, как ни жаль, что ее быть не могло. Герцог никогда не жил во дворце и даже не видел его достроенным. Жил он в Холивелле, неподалеку от Сент-Олбена, а в городе у него был особняк. Умер он в Виндзор Лодже. Соратники его собирались в палатке. Дворец долго строили не из-за сложности плана (хотя в сложности ему не откажешь), но потому, что герцог был в беде, а два года и в изгнании.

А как обстоят дела с монархией, которой он служил? Когда археолог будет рыскать по раскопкам Лондона, как рыщет нынешний турист по садам и галереям Версаля, развалины Бэкингемского дворца покажутся ему истинным воплощением могущества английских королей. Он проведет прямую и широкую улицу от арки Адмиралтейства до его ворот. Он воссоздаст и двор, и большой балкон, думая при этом о том, как подходили они монарху, чья власть прости-

ралась до самых дальних уголков земли. Да и современный американец вполне может поахать при мысли о гордом Георге III, у которого была такая пышная резиденция. Однако мы снова узнаем, что поистине могущественные монархи обитали не здесь, а в Гринвиче, Кенилворте или Уайтхолле, и жилища их давно исчезли. Бэкингемский дворец строил Георг IV. Именно его архитектор, Джон Наш, повинен в том, что звалось в ту пору «слабостью и неотесанностью вкуса». Но жил Георг IV в Брайтоне или Карлтон-хаузе и дворца так и не увидел, как и Вильгельм IV, приказавший завершить постройку. Первой переехала туда королева Виктория в 1837 году и вышла там замуж в 1840-м. Она восхищалась дворцом недолго. Мужу ее больше нравился Виндзор, она же сама полюбила Бэлморал и Осборн. Таким образом, говоря строго, великолепие Бэкингемского дворца связано с позднейшей, чисто конституционной монархией — с тем самым временем, когда власть была передана парламенту.

Тут естественно спросить, не нарушает ли правила Вестминстерский дворец, где собирается Палата общин. Без сомнения, спланирован он прекрасно, в нем можно и заседать, и совещаться, и спокойно готовиться к дебатам, и отдохнуть, и подкрепиться, и даже выпить чаю на террасе. В этом удобном и величественном здании есть все, чего может пожелать законодатель. Казалось бы, уж оно-то построено во времена могущества парламента. Но даты и тут не утешат нас. Парламент, в котором, один другого лучше, выступали Питт и Фоке, сгорел по несчастной случайности в 1854 году, а до того славился своими неудобствами не меньше, чем блеском речей. Нынешнее здание начали строить в 1840-м, готовую часть заняли в 1852-м. В 1860 году умер архитектор и строительство приостановилось. Нынешний свой вид здание приняло к 1868 году. Вряд ли можно счесть простым совпадением то, что с 1867 г., когда была объявлена реформа избиратель-

ной системы, начался упадок парламента, и со следующего, 1868 года, законы стал подготавливать кабинет министров. Звание члена парламента быстро теряло свой вес, и «только депутаты, не занимавшие никаких государственных постов, еще играли хоть какую-то роль». Расцвет был позади.

Зато по мере увядания парламента расцветали министерства. Исследования говорят нам, что министерство по делам Индии работало лучше всего, когда размещалось в гостинице. Еще показательнее сравнительно недавние изменения в министерстве колоний. Британская империя крепла и ширилась, когда министерство это (с тех пор, как оно вообще возникло) ютилось на Даунинг-стрит. Начало новой колониальной политики совпало с переездом в специальное здание. Случилось это в 1875 году, и удобные помещения оказались прекрасным фоном для бед англо-бурской войны. Во времена Второй мировой войны министерство обрело новую жизнь. Перебравшись во временное и очень неудобное помещение на Грэйт-Смит-стрит, где должно было находиться что-то церковное, оно развило бурную деятельность, которая, несомненно, закончится, как только для него построят здание. Одно хорошо — строить его еще не начали.

Однако всем этим случаям далеко до Нового Дели. Никогда еще нашим архитекторам не доводилось планировать такой огромной столицы для управления таким огромным народом. О том, что ее решено создать, сообщили на имперском дурбаре в 1911 году, когда на престол Великого Могола взошел Георг V. Сэр Эдвин Латьенс начал работать над проектом британского Версаля. Замысел был прекрасен, детали — умны и уместны, чертежи — блестящи, размах — грандиозен. Но по мере воплощения проекта власть наша над Индией слабела. За Актом об управлении Индией 1909 года последовало многое: покушение на жизнь вице-короля в 1912 году, Акт 1917 года, отчет Монтегю — Челмсфорда

(1918) и реализация их предложений (1920). Лорд Ирвин переехал в свой дворец в 1929 году — именно тогда, когда партия Индийский национальный конгресс потребовала независимости и открылась конференция круглого стола, и за год до того, как началась кампания Гражданского Неповиновения. Можно, хотя и утомительно, вести рассказ до самого ухода англичан, показывая, как точно каждая фаза их поражения совпадала с очередной архитектурной победой. В конце концов удалось построить не столицу, а мавзолей.

Упадок британского империализма начался со всеобщих выборов 1906 года, на которых победили либеральные и полусоциалистические идеи. И потому вас не удивит, что именно эта дата высечена в нетленном граните над дверями военного министерства. Битвой при Ватерлоо удавалось руководить из тесных комнаток на Хорс-Гардз-Парад. План захвата Дарданелл был принят в красивых и просторных залах. Неужели прекрасно распланированное здание Пентагона в Арлингтоне, штат Вирджиния, подтвердит наше правило? Не хотелось бы усматривать особый смысл в том, что здание это — у кладбища; но подумать об этом стоит.

Конечно, влиятельный читатель не может продлить дни умирающего учреждения, мешая ему переехать в новое здание. Но у него есть шансы спасти тех, кто только еще встает на путь погибели. Теперь то и дело возникают учреждения с полным набором начальства, консультантов и служащих и со специально построенным зданием. Опыт показывает, что такие учреждения обречены. Совершенство убьет их. Им некуда пустить корни. Они не могут расти, так как уже выросли. Они и цвести не могут, а плодоносить — тем более. Когда мы встречаем такой случай — например, здание ООН, — мы умудренно и печально качаем головой, прикрываем простыней труп и неслышно выходим на воздух.

НЕПРИЗАВИТ,
или Болезнь Паркинсона

Куда ни взгляни, мы видим учреждения (административные, торговые и научные), где высшее начальство изнывает от скуки, просто начальство оживляется, только подсиживая друг друга, а рядовые сотрудники тоскуют или развлекаются сплетнями. Попыток тут мало, плодов — никаких. Созерцая эту печальную картину, мы думаем, что сотрудники бились до конца и сдались по неизбежности. Однако недавние исследования показали, что это не так. Большинство испускающих дух учреждений долго и упорно добивалось коматозного состояния. Конечно, это результат болезни, но болезнь, как правило, не развивается сама собой. Здесь, заметив первые ее признаки, ей всячески помогали, причины ее углубляли, а симптомы приветствовали. Болезнь эта заключается в сознательно взлелеянной неполноценности и зовется непризавитом. Она встречается гораздо чаще, чем думают, и распознать ее легче, чем вылечить.

Как и велит логика, опишем ее ход с начала до конца. Затем расскажем об ее симптомах и научим ставить диагноз. В завершение поговорим немного о лечении, о котором, однако, знают мало и вряд ли что-нибудь узнают в ближайшем будущем, ибо английская медицина интересуется не этим. Наши ученые врачи довольны, если опишут симптомы и найдут причину. Это французы начинают с лечения, а потом, если зайдет речь, спорят о диагнозе. Мы же будем придерживаться английского метода, который куда научней, хотя больному от этого не легче. Как говорится, движение — все, цель — ничто.

Первый признак опасности состоит в том, что среди со-

трудников появляется человек, сочетающий полную непригодность к своему делу с завистью к чужим успехам. Ни то, ни другое в малой дозе опасности не представляет, эти свойства есть у многих. Но, достигнув определенной концентрации (выразим ее формулой N_3Z_5), они вступают в химическую реакцию. Образуется новое вещество, которое мы назовем непризавитом. Наличие его определяется по внешним действиям, когда данное лицо, не справляясь со своей работой, вечно суется в чужую и пытается войти в руководство. Завидев это смешение непригодности и зависти, ученый покачает головой и тихо скажет: «Первичный, или идиопатический, непризавит». Симптомы его, как мы покажем, не оставляют сомнения.

Вторая стадия болезни наступает тогда, когда носитель заразы хотя бы в какой-то степени прорывается к власти. Нередко все начинается прямо с этой стадии, так как носитель сразу занимает руководящий пост. Опознать его легко по упорству, с которым он выживает тех, кто способнее его, и не дает продвинуться тем, кто может оказаться способней в будущем.

Не решаясь сказать: «Этот Шрифт чересчур умен», он говорит: «Умен-то он умен, да вот благоразумен ли? Мне больше нравится Шифр». Не решаясь опять-таки сказать: «Этот Шрифт меня забивает», он говорит: «По-моему, у Шифра больше здравого смысла». Здравый смысл — понятие любопытное, в данном случае противоположное уму, и означает оно преданность рутине. Шифр идет вверх, Шрифт — еще куда-нибудь, и штаты постепенно заполняются людьми, которые глупее начальника, директора или председателя. Если он второго сорта, они будут третьего и позаботятся о том, чтобы их подчиненные были четвертого. Вскоре все станут соревноваться в глупости и притворяться еще глупее, чем они есть.

Следующая, третья стадия наступает, когда во всем учре-

ждении, снизу доверху, не встретишь и капли разума. Это и будет коматозное состояние, о котором мы говорили в первом абзаце. Теперь учреждение можно смело считать практически мертвым. Оно может пробыть в этом состоянии лет двадцать. Оно может тихо рассыпаться. Оно может и выздороветь, хотя таких случаев очень мало. Казалось бы, нельзя выздороветь без лечения. Однако это бывает, подобно тому как многие живые организмы вырабатывают нечувствительность к ядам, поначалу для них смертельным. Представьте себе, что учреждение опрыскали ДДТ, уничтожающим, как известно, все живое. Какие-то годы, действительно, все живое гибнет, но некоторые индивиды вырабатывают иммунитет. Они скрывают свои способности под личиной как можно более глупого благодушия, и опрыскиватели перестают узнавать способных. Одаренный индивид преодолевает внешнюю защиту и начинает продвигаться вверх. Он слоняется по комнатам, болтает о гольфе, глупо хихикает, теряет нужные бумаги, забывает имена и ничем ни от кого не отличается. Лишь достигнув высокого положения, он сбрасывает личину и является миру, словно черт в сказочном спектакле. Начальство верещит от страха: ненавистные качества проникли прямо к ним, в святая святых. Но делать уже нечего. Удар нанесен, болезнь отступает, и вполне возможно, что учреждение выздоровеет лет за десять. Однако такие случаи редки. Обычно болезнь проходит все вышеописанные стадии и оказывается неизлечимой.

Такова болезнь. Теперь посмотрим, по каким симптомам можно ее распознать. Одно дело — описать воображаемый очаг заразы, известной нам изначально, и совсем другое — выявить ее на фабрике, в казарме, в конторе или в школе. Все мы знаем, как рыщет по углам агент по продаже недвижимости, присмотревший для кого-нибудь дом. Рано или поздно он распахнет чулан или ударит ногой по плинтусу и воскликнет: «Труха!» (Если он дом продает, он постарается

отвлечь вас прекрасным видом из окна, а тем временем обронит ключи от чулана.) Так и во всяком учреждении — специалист распознает симптомы непризавита на самой ранней его стадии. Он помолчит, посопит, покачает головой, и всем станет ясно, что он понял. Как же он понял? Как узнал, что зараза уже проникла? Если присутствует носитель заразы, диагноз поставить легче, но он ведь может быть в отпуске. Однако запах его остался. А главное, остался его след во фразах такого рода: «Мы на многое не замахиваемся. Все равно за всеми не угонишься. Мы тут, у себя, между прочим, тоже делаем дело, с нас довольно». Или: «Мы вперед не лезем. А этих, которые лезут, и слушать противно. Все им работа да работа, уж не знают, как выслужиться». Или, наконец: «Тут кое-кто из молодых выбился вперед. Что ж, им виднее. Пускай продвигаются, а нам и тут неплохо. Конечно, обмениваться людьми или там мыслями — дело хорошее. Только вот к нам оттуда, сверху, ничего стоящего не перепало. Да и кого нам пришлют? Одних уволенных. Но мы ничего, пусть присылают. Мы люди мирные, тихие, а свое дело делаем, и неплохо...»

О чем говорят эти фразы? Они ясно указывают на то, что учреждение сильно занизило свои возможности. Хотят тут мало, а делают еще меньше. Директивы второсортного начальника третьесортным подчиненным свидетельствуют о мизерных целях и негодных средствах. Никто не хочет работать лучше, так как начальник не смог бы управлять учреждением, работающим с полной отдачей. Третьесортность стала принципом. «Даешь третий сорт!» — начертано золотыми буквами над главным входом. Однако можно заметить, что сотрудники еще не забыли о хорошей работе. На этой стадии им не по себе, им как бы стыдно, когда упоминают о передовиках. Но стыд этот недолговечен. Вторая стадия наступает быстро. Ее мы сейчас и опишем.

Распознается она по главному симптому: полному само-

довольству. Задачи ставятся несложные, и потому сделать удается, в общем, все. Мишень в десяти ярдах, и попаданий много. Начальство добивается того, что намечено, и становится очень важным. Захотели — сделали! Никто уже не помнит, что и дела-то не было. Ясно одно: успех полный, не то, что у этих, которым больше всех надо. Самодовольство растет, проявляясь во фразах: «Главный у нас — человек серьезный и, в сущности, умный. Он лишних слов не тратит, зато и не ошибается». (Последнее замечание верно по отношению ко всем тем, кто вообще ничего не делает.) Или: «Мы умникам не верим. Тяжело с ними, все им не так, вечно они что-то выдумывают. Мы тут трудимся, не рыпаемся, а результаты — лучше некуда». И наконец: «Столовая у нас прекрасная. И как они ухитряются так кормить буквально за гроши? Красота, а не столовая!» Фразы эти произносятся за столом, покрытым грязной клеенкой, над несъедобным безымянным месивом, в жутком запахе мнимого кофе. Строго говоря, столовая говорит нам больше, чем само учреждение. Мы вправе быстро судить о доме, заглянув в уборную (есть ли там бумага); мы вправе судить о гостинице по судочкам для масла и уксуса; так и об учреждении мы вправе судить по столовой. Если стены там темно-бурые с бледно-зеленым; если занавески малиновые (или их просто нет); если нет и цветов; если в супе плавает перловка (а быть может, и муха); если в меню одни котлеты и пудинг, а сотрудники тем не менее в восторге — дело плохо. Самодовольство достигло той степени, когда бурду принимают за еду. Это предел. Дальше идти некуда.

На третьей, последней стадии самодовольство сменяется апатией. Сотрудники больше не хвастают и не сравнивают себя с другими. Они вообще забыли, что есть другие учреждения. В столовую они не ходят и едят бутерброды, усыпая столы крошками. На доске висит объявление о концерте четырехлетней давности. Табличками служат багажные ярлы-

ки, фамилии на них выцвели, причем на дверях Брауна написано «Смит», а на Смитовых дверях — «Робинсон». Разбитые окна заклеены неровными кусками картона. Из выключателей бьет слабый, но неприятный ток. Штукатурка отваливается, а краска на стенах пузырится. Лифт не работает, вода в уборной не спускается. С застекленного потолка падают капли в ведро, а откуда-то снизу доносится вопль голодной кошки. Последняя стадия болезни развалила все. Симптомов так много, и они так явственны, что опытный исследователь может обнаружить их по телефону. Усталый голос ответит: «Алло, алло...» (что может быть беспомощней!) — и дело ясно. Печально качая головой, эксперт кладет трубку. «Третья стадия, — шепчет он. — Скорее всего случай неоперабельный». Лечить поздно. Можно считать, что учреждение скончалось.

Мы описали болезнь изнутри, а потом снаружи. Нам известно, как она начинается, как идет, распространяется и распознается. Английская медицина большего и не требует. Когда болезнь выявлена, названа, описана и заприходована, английские врачи вполне довольны и переходят к другой проблеме. Если спросить у них о лечении, они удивятся и посоветуют колоть пенициллин, а потом (или прежде) вырвать все зубы. Сразу ясно, что это не входит в круг их интересов. Уподобимся мы им или подумаем о том, можно ли что-нибудь сделать? Несомненно, еще не время подробно обсуждать курс лечения, но небесполезно указать в самых общих чертах направление поиска. Оказывается, возможно установить некоторые принципы. Первый из них гласит: больное учреждение излечить себя не может. Мы знаем, что иногда болезнь исчезает сама собой, как сама собой появилась, но случаи эти редки и, с точки зрения специалиста, нежелательны. Любое лечение должно исходить извне. Хотя человек и может удалить у себя аппендикс под местным наркозом, врачи этого не любят. Тем более не рекомендуется са-

мим делать другие операции. Мы смело можем сказать, что пациент и хирург не должны совмещаться в одном лице. Когда болезнь в учреждении зашла далеко, нужен специалист, иногда — крупнейший из крупных, сам Паркинсон. Конечно, они много берут, но тут не до экономии. Дело идет о жизни и смерти.

Другой принцип гласит, что первую стадию можно лечить уколами, вторая чаще всего требует хирургического вмешательства, а третья пока неизлечима. В былое время прописывали капли и пилюли. Но это устарело. Позднее поговаривали о психологических методах, но это тоже устарело, так как многие психоаналитики оказались сумасшедшими. Век наш — век уколов и операций, и науке о болезнях учреждений нельзя отставать от медицины. Установив первичное заражение, мы автоматически наполняем шприц, и решить нам надо одно: что в нем будет, кроме воды. Конечно, что-нибудь бодрящее, но что именно? Очень сильно действует Нетерпимость, но ее нелегко достать, и опасность в ней большая. Добывают ее из крови армейских старшин, и содержит она два элемента:

1) «а можно и получше» (МП) и 2) «никаких оправданий» (НО). Введенный в больное учреждение носитель Нетерпимости сильно встряхивает его, и под его влиянием оно может пойти войной на источник заразы. Способ этот хорош, но не обеспечивает стойкого выздоровления. Иными словами, не дает гарантии, что зараза будет извергнута. Собранные сведения показывают, что лекарство это просто пришибет болезнь, зараза затаится и будет ждать своего часа. Некоторые видные специалисты полагают, что курс надо повторять, но другие опасаются, как бы это не вызвало раздражения, почти столь же вредоносного, как сама болезнь. Таким образом, Нетерпимость надо применять с осторожностью.

Есть лекарство и помягче — так называемое Вышучивание. Однако применение его туманно, действие — нестойко,

а эффект мало изучен. Вряд ли есть основания его опасаться, но излечение не гарантировано. Как известно, у больного неприазивитом сразу образуется толстая шкура, которую смехом не пробьешь. Быть может, укол изолирует инфекцию, и то хорошо.

Отметим в завершение, что некоторую пользу приносило такое простое лекарство, как Выговор. Но и здесь есть трудности. Лекарство это действует сразу, но может вызвать потом обратный эффект. Приступ активности сменится еще большим безразличием, а зараза не исчезнет. По-видимому, лучше всего смешивать Выговор с Нетерпимостью, Вышучиванием и еще какими-то не известными нам субстанциями. К сожалению, такая смесь до сих пор не изготовлена.

Вторая стадия болезни, на наш взгляд, вполне операбельна. Читатели-медики, вероятно, слышали об операциях Катлера Уолпола. Этот замечательный хирург просто удалял пораженные участки и тут же вводил свежую кровь, взятую от схожих организмов. Иногда это удавалось, иногда — скажем честно — и нет. Оперируемый может не выйти из шока. Свежая кровь может не прижиться, даже если ее смешать со старой. Однако, что ни говори, лучшего метода нет.

На третьей стадии сделать нельзя ничего. Учреждение практически скончалось. Оно может обновиться, лишь переехав на новое место, сменив название и всех сотрудников. Конечно, людям экономным захочется перевезти часть старых сотрудников, хотя бы для передачи опыта. Но именно этого делать нельзя. Это верная гибель — ведь заражено все. Нельзя брать с собой ни людей, ни вещей, ни порядков. Необходим строгий карантин и полная дезинфекция. Зараженных сотрудников надо снабдить хорошими рекомендациями и направить в наиболее ненавистные вам учреждения, вещи и дела немедленно уничтожить, а здание застраховать и поджечь. Лишь когда все выгорит дотла, можете считать, что зараза убита.

ПЕНСИОННЫЙ ВОЗРАСТ,
или Пора отставки

Из проблем, рассмотренных в этой книге, проблему ухода в отставку надо оставить напоследок. Многие комиссии пытались выяснить, что думают люди об этой проблеме, но ответы были удручающе сварливыми, а советы — расплывчатыми, путаными и туманными. Возраст вынужденной отставки варьируется от 55 до 75 лет, причем все решения одинаково произвольны и ненаучны. Любую цифру, подброшенную вам обычаем или случайностью, можно защищать с одинаковым успехом. Там, где на пенсию увольняют в 65 лет, поборники этой системы всегда докажут, что ум и силы начинают иссякать в 62. Казалось бы, вот и ответ, если бы там, где на пенсию уходят в 60, вам не сообщили, что люди теряют хватку годам к 57. Те же, кто увольняется в 55, начинают идти под гору в 52. Словом, если мы обозначим пенсионный возраст через Р, точка перелома исчисляется по формуле Р — 3 независимо от числового значения Р. Явление это примечательно, но никак не помогает установить пенсионный возраст.

Однако величина Р — 3 показывает нам, что ученые шли до сих пор по неверному пути. Нередко говорят, что люди стареют в разное время, кто — в 50, а кто — и в 90. Это так, но и это не дает нам ничего. Истина же в том, что при исчислении пенсионного возраста надо исходить не из возраста того человека, о чьей отставке идет речь (лица x), а из возраста его преемника (лица y). Как всем известно, на своем славном служебном пути x пройдет следующие фазы:

1. Пору готовности (G)
2. Пору благоразумия (B) = G + 3
3. Пору выдвижения (V) = B + 7

4. Пору ответственности (0) = V + 5
5. Пору авторитета (A) = 0 + 3
6. Пору достижений (D) = A + 7
7. Пору наград (N) = D + 9
8. Пору важности (VV) = N + 6
9. Пору мудрости (M) = VV + 3
10. Пору тупика (T) = M + 7

Вся шкала определяется числовым значением G. Этот чисто технический термин ни в коей мере не означает, что человек в возрасте G действительно готов к своей работе. Архитекторы, например, держат что-то вроде экзамена, но редко обнаруживают знания, необходимые для первой фазы (не говоря уже о всех последующих). G — это возраст, в котором данное лицо начинает свой профессиональный путь после долгих лет учения, принесших пользу только тем, кто преподавал ему за деньги. При G=22 лицо *x* достигнет T лишь к 72 годам. Исходя из его собственных возможностей, нет оснований выгонять его до 71. Но дело, как мы уже знаем, не в нем, а в лице *y*, его преемнике. Как соотносятся их возрасты? Точнее, сколько лет должно быть лицу *x*, когда *y* поступит на службу?

Всесторонне изучив проблему, мы пришли к выводу, что возрастная разница между *x* и *y* равна пятнадцати годам. (Таким образом, сын редко бывает прямым преемником отца.) Если исходить из этой цифры, при G=22 *y* достигнет D (поры достижений) к 47 годам, когда *x*'у еще только 62. Именно тут и происходит перелом. Доказано, что *y*, зажимаемый *x*'ом, вместо фаз 6—10 проходит иные, новые фазы, как то:

6. Пору краха (K) = A + 7
7. Пору зависти (Z) = K + 9
8. Пору смирения (S) = Z + 4
9. Пору забвения (ZZ) = S + 5

Другими словами, когда x'у исполняется 72, 57-летний y входит в пору смирения. Если x уйдет, он не сможет его заменить, так как смирился (отзавидовав свое) с жалкой участью. Случай опоздал ровно на десять лет.

Пора краха наступает в разное время (это зависит от фактора G), но распознать ее легко. Тот, кому не дали права принимать важные решения, начинает считать важными все свои решения. Он вечно проверяет, так ли подшиты бумаги, очинены ли карандаши, открыты ли (или закрыты) окна, и пишет чернилами разных цветов. Пору зависти узнают по настойчивым напоминаниям о себе. «В конце концов, я еще что-то значу!», «Со мной никогда не посоветуются», «z ничего не умеет». Но пора эта сменяется смирением. «Мне почести не нужны...», «z'а зовут в правление, а мне и тут хорошо, хлопот меньше», «Если бы меня повысили, когда бы я в гольф играл?». Существует мнение, что эта пора характеризуется также интересом к местной политике. Однако теперь доказано, что местной политикой занимаются исключительно при несчастном браке. Но и по другим симптомам ясно, что человек, не ставший начальством к 46 годам, никогда уже ни на что не пригодится.

Таким образом, необходимо убрать x'а к 60, когда он еще прекрасно работает. Поначалу будет хуже, но, если этого не сделать, его некем будет заменить, когда наступит истинная пенсионная пора. И чем ценнее x как работник, чем дольше он останется на посту, тем безнадежней эта задача. Непосредственные его подчиненные будут слишком стары и прочно привыкнут повиноваться. Они смогут только не пускать тех, кто помоложе, и это удастся им так хорошо, что преемника не будет долгие годы, пока непредвиденный кризис не породит его. Итак, делать нечего. Если x не уйдет вовремя, учреждение сильно пострадает. Как же его убрать?

В этом вопросе, как и во многих, современная наука не подкачала. Мы отказались от грубых методов прошлого. Прежде члены правления начинали, например, беззвучно переговариваться на заседании — один шевелит губами, другой издалека кивает — и председатель вскорости решал, что он глохнет. Но теперь у нас новая, более эффективная техника. Метод зиждется на дальних перелетах и заполнении т. н. «форм». Исследования показали, что нервное истощение, свойственное современному человеку, обусловлено именно этими занятиями. Если загрузить ими в достаточной мере важного чиновника, он очень скоро заговорит об уходе. Африканские племена уничтожали своих вождей по истечении должного срока или при первых признаках дряхлости. В наши дни крупному деятелю предлагают поехать в июне на конференцию в Хельсинки, в июле — на конгресс в Аделаиду и в августе — на съезд в Оттаву, причем каждое из мероприятий длится недели три. Его убеждают, что престиж министерства или фирмы зависит от этой поездки, а если послать кого-нибудь другого, прочие участники смертельно обидятся. Ему дадут возможность вернуться в промежутках на службу, и всякий раз ящик его будет набит бумагами («формами»), которые непременно надо заполнить. Одни формы связаны с самим путешествием, другие — с визами и квотами, прочие — с налогами. Когда, вернувшись из Оттавы, он ставит последнюю подпись, ему вручают программу новых конференций: в Маниле (сентябрь), в Мексике (октябрь) и в Квебеке (ноябрь). К декабрю он заметит, что годы дают себя знать. В январе сообщит, что собрался в отставку.

Суть этой техники в том, чтобы конференции происходили как можно дальше одна от другой и с большими перепадами климата. Тихое морское путешествие абсолютно исключается. Во всех случаях должен быть только самолет! О маршрутах думать не надо: все они планируются так, что-

бы удобно было почте, а не пассажирам. Можно смело положиться на то, что вылет будет назначен на 2.50 утра (посадка в 1.30, сдать багаж к 0.45), а прибытие — на 3.10 утра через день. Однако самолет непременно задержится и приземлится не раньше 3.57, так что пассажиры пройдут таможню и бюро по иммиграции лишь к 4.35. Когда летишь на запад, приходится завтракать раза три. Когда же летишь в обратную сторону, есть вообще не дадут и только к концу, когда вам станет плохо, принесут рюмочку хереса. Почти все время полета уйдет, конечно, на заполнение форм о валюте и о здоровье. Сколько у вас долларов (амер.), фунтов (англ.), франков, гульденов, иен, лир, фунтов (австрал.), аккредитивов, чеков, почтовых переводов и почтовых марок? Где вы спали прошлую ночь и позапрошлую? (На это ответить легко, так как обычно путешественник не спит уже неделю.) Когда вы родились и как девичья фамилия вашей бабушки? Сколько у вас детей и почему? Сколько дней вы пробудете и где? Какова цель вашей поездки, если у нее есть цель? (Как будто вы помните!) Была ли у вас ветрянка, а если не было, почему? Получили ли вы визу в Патагонию и право въезда в Гонконг? За представление неверных сведений — пожизненное заключение. Закрепите ремни. Самолет прибывает в Рангун. 2.47 по местному времени. Температура воздуха за бортом минус 43. Стоянка около часа. Завтрак получите в самолете через пять часов после вылета. Спасибо. (За что бы это?) Напоминаем: не курить.

Вы видите, что перелет как ускоритель отставки хорош еще и тем, что связан с заполнением множества форм. Однако формы — испытание особое, и оно может применяться самостоятельно. Искусство составления форм определяется тремя моментами: 1) непонятностью, 2) недостатком места и 3) самыми страшными угрозами за неверные ответы. Там, где их составляют, непонятность обеспечивают отделы, спе-

циализирующиеся на двусмысленности, ненужных вопросах и канцелярском жаргоне. Впрочем, простейшие приемы стали автоматическими. Например, для начала неплохо поместить в правом верхнем углу такую штуку:

Возвратить не позднее месяца

Поскольку форма послана вам 16 февраля, вы не можете понять, какой месяц имеется в виду — нынешний, прошлый или будущий. Знает об этом один отправитель, но он обращается к вам. Тут в дело вступает специалист по двусмысленности в тесном сотрудничестве с консультантом по недостатку места, и выходит вот что:

Ненужное зачеркнуть	Имя и фамилия	Адрес	Место жительства	Когда и почему натурализовались	Положение
М-р					
М-с					
Мисс					

Такая анкета, конечно, рассчитана на полковника, лорда, профессора или доктора с фамилией из дюжины слов. Слова «место жительства» после слова «адрес» понятны разве что специалисту по международному праву, а намеки о натурализации не понятны никому. Наконец, над графой «положение» заполняющий анкету будет долго ломать голову, не зная, написать ли ему «адмирал» (в отставке), «женат», «гражданин США» или «директор-распорядитель».

Здесь специалиста по двусмысленности сменит специалист по ненужным вопросам, которому поможет консультант по недостатку места.

№ удостоверения личности или паспорта	Имя и фамилия дедушки	Девичья фамилия бабушки	Какие прививки сделаны? Когда? Почему?	Подробности (все)

Примечание. За представление неверных сведений — штраф до 5000 фунтов, или год каторжных работ, или то и другое.

Завершит это произведение специалист по жаргону:

Укажите, какими особыми обстоятельствами[253] обосновано получение разрешения, в отношении которого сделан запрос в связи с периодом квоты, к которому относится предыдущее заявление[143], а также когда, как и почему отклонены какие бы то ни было заявления стороны (сторон) какими бы то ни было инстанциями на основании подраздела VII[35] или же по иной причине, а также подвергалось ли обжалованию данное или предыдущее решение, и если да, то почему и с каким результатом.

Наконец анкета переходит к техническому сотруднику, который оформляет место для подписи, венчающее общий труд.

Я/МЫ (прописными буквами). .
. .заявляю/ем под страхом кары, что указанные сведения абсолютно верны, и заверяю/ем это моей/нашими/ подписью/ями

. числа. месяца 19. года
(подпись).

СВИДЕТЕЛИ:
Фамилия
Адрес
Род занятий

Фотография паспортного образца

Печать

Отпечаток большого пальца

Здесь все ясно, кроме того, чья именно нужна фотография и отпечаток пальца — самого Я/МЫ или свидетелей. Но так ли это важно?

Опыты показали, что при должном количестве хороших перелетов и форм немолодое ответственное лицо вскоре уйдет в отставку. Нередко такие люди уходили до начала процедур. Заслышав о конференции в Стокгольме или Ванкувере, они понимают, что час их настал. Суровые меры приходится применять чрезвычайно редко. Последний раз, насколько нам известно, их применяли в первые послевоенные годы. Начальник, подвергавшийся обработке, отличался особым упорством, так что пришлось отправить его в Малайю, на каучуковые плантации и оловянные рудники. Лучшее время для этого — январь, лучший вид транспорта — реактивный самолет, чтобы климат изменялся порезче. Приземлился испытуемый в 17.52 по малайскому времени, и его немедленно повезли на прием, потом на другой (в 15 милях от первого), а потом на обед (11 миль в обратную сторону). Лег он в 2.30, а в 7 часов утра был уже в самолете. Приземлился в Ипо как раз к завтраку, посетил две плантации, один рудник, еще одну плантацию (масличных пальм) и консервный завод. После званого обеда в деловом клубе осмотрел школу, клинику и английский сеттльмент. Вечером был на двух приемах и на китайском банкете из двадцати блюд, где пили стаканами бренди. Деловые переговоры начались на следующее утро и продолжались три дня, а оживляли их официальные приемы и ежевечерние банкеты в восточном стиле. Уже на пятый день стало ясно, что курс тяжеловат, так как гость не мог ходить, если его не вели под руки секретарь и личный помощник. На шестой день он умер, подтвердив тем самым разговоры о том, что ему не по себе. В наше время такие методы не рекомендуются, да они и не нужны. Народ научился уходить вовремя.

Однако остается серьезная проблема. Что делать нам са-

мим, когда придет пора отставки, установленная нами для ближних? Само собой разумеется, наш случай — особый. Мы не претендуем на особую ценность, но так уж получилось, что нас совершенно некому заменить. Как нам ни жаль, придется подождать несколько лет, исключительно ради общества. И, когда старший из наших подчиненных предложит нам лететь в Тегеран или в Тасманию, мы, мягко отмахнувшись, скажем, что конференции — пустая трата времени. «Да и вообще, — скажем мы, — я уезжаю на рыбную ловлю. Приеду месяца через два, а вы тут пока что заполните все формы». Мы знаем, как выжить на пенсию наших предшественников. А как выжить нас, пусть наши преемники придумывают сами.

ЗАКОН
И ПОРОКИ

THE LAW AND THE PROFITS
1960

Перевод Н. Трауберг

ОТ АВТОРА

Книга эта прежде всего призвана показать, что доходу от налогов есть предел и забвение его чревато бедами. Государственные расходы всегда и всюду подчиняются определенному закону, и увернуться от него почти невозможно. Напротив, его надо повсеместно признать, и тогда финансовая жизнь страны решительно изменится.

Кроме того, эта книга покажет, что большое сокращение дохода от налогов пойдет на пользу, а не во вред общественным благам. Административной деятельности присуще одно парадоксальное свойство: чем меньше служащих, тем меньше у них дела и соответственно больше времени на обдумывание дел. А когда денег сколько угодно, чтобы сэкономить, нужно именно думать. Крупнейшие нелепости и невзгоды рождаются не от отсутствия средств, а от того, что с самого начала неправильно поставлена цель. Неразбериха в мыслях ведет к убыткам, нередко огромным. Чтобы деньги не бросали в стране на ветер, надо прежде всего сократить бюджет. Чиновники не слишком склонны тратить то, чего нет. Если знать закон, правящий расходами, доходы от налогов не уйдут впустую.

Я хотел бы поблагодарить всех, кто снабжал меня фактами и помогал мне работать. Но как это ни жаль, я решил их не называть. Всех назвать нельзя, ибо некоторые, не без причины, хотят сохранить инкогнито. А имена остальных заняли бы целый лист. К тому же настоящие помощники чередовались с теми, кто только сочувствовал мне, но выделять од-

них и забывать других было бы несправедливо. В общем, трудностей так много, что я решил, никого не именуя, поблагодарить всех. Без великодушной помощи многих людей, часто со мною незнакомых, у меня, когда я писал эту книгу, было бы гораздо меньше наблюдений и сведений. Помощники мои ни в коей мере не повинны в моих неточностях, тем более — в моих выводах. Словом, я благодарен всем, а назову из них только моих американских издателей, безотказно мне помогавших, Роберта Осборна, рисовавшего иллюстрации, м-с Сайке, печатавшую рукопись, и мою жену, которой я, как всегда, обязан очень многим.

ВТОРОЙ ЗАКОН ПАРКИНСОНА

Очень известный хирург делал очень сложную операцию очень богатому человеку. Через десять дней хирург спросил, как чувствует себя пациент. «Хорошо, — сказала сестра. — Уже пытается ухаживать за нашей сиделкой Одри. Значит, выздоравливает».

— Одри? — живо переспросил хирург. — Это беленькая, из Иллинойса?

— Нет, — отвечала сестра. — Это рыжая, из Миссури.

— Если так, пациенту нужно успокоиться, — решил хирург. — Скажу ему, сколько стоит операция.

Больной немедленно пришел в себя и стал что-то быстро высчитывать на оборотной стороне температурного листка.

— Ваш гонорар в 4000, — сказал он наконец, — это как раз то, что у меня останется от последних 44 500 моего годового дохода после уплаты налогов. Чтобы это покрыть, мне надо заработать на 44 500 больше, чем в прошлом году, а это нелегко.

— Сами понимаете, — ответил хирург, — с вас я так много беру, чтобы с других брать мало или совсем не брать.

— Разумеется, — сказал больной. — Но все-таки ваш гонорар — это, в сущности, мои 44 500; сумма немалая. Позвольте узнать, сколько у вас останется от четырех тысяч?

На сей раз высчитывать стал хирург и обнаружил, что после уплаты налогов ему останется 800 долларов.

— Получается, — сказал больной, — что мне надо заработать 44 500, чтобы дать вам 800. Разница идет государству. Вроде бы невыгодно и вам и мне.

81

— Честно говоря, вы правы, — признал хирург. — Выходит как-то глупо. Хотя, с другой стороны, что мы можем сделать?

— Во-первых, мы можем убедиться, что нас никто не слышит. За дверью никого нет? А под кроватью? Ни осведомителя, ни магнитофона? В общем, вы уверены, что это останется между нами?

— Абсолютно, — заверил хирург, выглянув сначала в коридор. — Так что же вы предлагаете?

— Идите сюда, я скажу на ухо. Может, я дам вам ящик виски — и дело с концом?

— Мало, — просипел хирург. — Вот если вы дадите два ящика...

— Да? — прошептал больной.

— ...и одолжите мне в сентябре на три недели вашу яхту...

— Да?

— Тогда я согласен.

— Очень хорошо. А знаете, как я до этого додумался? Я изучил закон Паркинсона и обнаружил, что большие налоги все обессмыслили.

— Ну что вы, голубчик! Закон Паркинсона никак не связан с налогами. Он касается раздутых штатов. Кстати, у нас в больнице есть хорошие примеры. Вот в отделении паразитологии...

— Вы, медики, всегда отстаете от времени. То первый закон, а я говорю о втором...

— Признаюсь, не слыхал. Это что, про налоги?

— Да. И про вас. Ну, слушайте... слушайте внимательно. Расходы растут с доходами.

Расходы растут с доходами. Второй закон Паркинсона, как и первый, знают на практике все, его нетрудно понять, он ясен и прост. Когда человеку повышают жалованье, и сам он и его жена спешат решить, на что пойдут лишние деньги — столько-то за страховку, столько-то в банк, столько-то

отложат на будущее, для детей. Однако они зря стараются, ибо лишних денег не бывает. Прибавка разойдется, как будто ее и не было, и денег при этом останется не больше, а меньше. Быть может, семье придется залезть в долги. Частные расходы не только растут с доходами, но стараются их перегнать, и обычно им это удается.

Однако не все знают, что это касается и расходов государственных. Сколько бы денег у государства ни было, их всегда понадобится растратить. Правда, в отличие от частных лиц государство редко интересуется величиной доходов. Если кто-нибудь из нас вздумает ему подражать, он должен думать не о том, сколько у него денег, а о том, сколько он хотел бы истратить. Он вправе решить, что ему непременно надо приобрести моторную лодку, яхту, дачу, еще одну машину, надстроить дом и прокатиться на Бермуды. В сущности, скажет он жене, без этого не обойтись. Останется выкроить на все это деньги, а сэкономить, если можно, на налогах. Если бы, с другой стороны, правительство захотело подражать частным лицам, ему пришлось бы прикинуть сперва, сколько оно получит на самом деле, а потом подсчитать, сколько пустить на что. Правительство США, решившись на такой, новый подход к делу, произвело бы истинный переворот в финансовой жизни страны. Наша книга прежде всего призвана показать, что переворот этот (проблески которого мы видели в Калифорнии) давно назрел.

Так уж сложилось, что государственные доходы в отличие от частных связаны с войной. Всюду и везде большие деньги расходуются в случае вооруженного конфликта. В эту тяжелую пору, когда под угрозой наши выгоды, взгляды, честь или сама жизнь, мы готовы отдать за победу почти все. Но война кончается, а с ней — и те временные расходы, которые все мы считали более или менее неизбежными. Казалось бы, бюджет станет прежним. На самом деле это бывает редко. Доходы в мирное время остаются примерно такими,

как во время войны, а расходы увеличиваются. В старину, правда, этому хоть немного мешало, во-первых, то, что люди понимали: в мирное время надо уменьшить налоги, чтобы в военное было что поднять. Но в век, когда каждую войну считают последней, теория эта непопулярна. Во-вторых, у некоторых видов роскоши есть естественный предел. Пиры или плясуньи не могут умножаться до бесконечности, скорей их станет меньше. К несчастью, это не касается роскошеств бюрократии и техники. Экономические и культурные консультанты могут множиться сколько угодно, достигая тех пределов, когда наложницы бы прискучили и даже когда они уморили бы своего повелителя. Да, в наши дни все стало и уродливей и накладней.

В таких странах, как Англия или Америка, инициатива в финансовых делах исходит от государственных учреждений, вернее — от их отделов, определяющих каждый год, сколько им на что надо. Высчитав нынешние и будущие расходы, опытный чиновник прибавляет 10%, предполагая (не всегда обоснованно), что где-нибудь «наверху» смету ему срежут. Эти 10% действительно срезают, но сразу, еще в самом учреждении, когда сводят воедино запросы всех отделов. Зато начальник прибавляет 10% от себя, предполагая (не всегда обоснованно), что министерство даст меньше. После всех предусмотренных препирательств смета в окончательном виде попадает к министру финансов (в Англии — канцлер казначейства), а он приплюсовывает один к другому все запросы и, получив в итоге огромную сумму, думает, как свести доходы с расходами. С согласия своих коллег он предъявляет стране счет, в котором указано, сколько нужно государству и сколько народ должен на это дать.

Неужели, спросите вы, с этим никто не борется? Разве представители народа не видят счетов и смет? Разве министерство финансов не бдит, как пес, над государственным карманом? Разве законы не ограничивают расточительства?

Конечно, все это есть. Однако по плодам видно, что толку от всех этих мер очень мало. Поскольку не совсем ясно, почему от них мало толку, мы рассмотрим вопрос подробнее, так как это и само по себе любопытно, и может принести пользу. Говоря коротко, разгадка в том, что счета бессмысленны, министерство финансов бессильно, а ограничить расточительство не столько трудно, сколько невозможно.

Начнем со счетов и смет, представляемых в Палату общин, где все могут с ними ознакомиться. Небезынтересно то, что сама процедура их представления, введенная около 1129 года (в ней среди других участвовали кассир, ревизор, писец и несколько казначеев), додержалась до 1826 г. Важно отметить, что первоначальная система проверки счетов реально была применена во время второй Голландской войны в 1666 году, чтобы Карл II не отдал все ассигнования на флот герцогине Портсмутской. Цель, прямо скажем, была узкая, но делу это не помогло. Систему пересмотрели, а в 1689 году она стала такой, как теперь, и немного помешала Вильгельму III растратить деньги на своих друзей, которые даже не принадлежали к прекрасному полу.

Публичная проверка счетов, оберегавшая по замыслу государственную казну, появилась в те времена, когда двойной бухгалтерии не знал ни один человек, кроме смутьянов вроде Дефо. Она появилась, когда мало кто знал арабские цифры, и на часах в конном дворе стояли цифры римские, которые могли разобрать лишь люди с классическим образованием. Естественно, что она немного устарела. Конечно, ее в какой-то мере меняли и после 1689 года — например, после пересмотра 1828—1829 гг., но тогда доклад небольшой группы бухгалтеров-экспертов был отвергнут и приняты рекомендации государственных чиновников, которые не жаловали двойной бухгалтерии и оставили в неприкосновенности прежнюю путаницу между активом и пассивом и между основным и оборотным капиталом. В 1904 г. член парламента

Томас Гибсон Боулс с полным правом описывал государственные счета как «запутанные, безграмотные, сложные и составленные так, чтобы скрыть и даже исказить факты». В 1957 году Джон Эпплби сказал, что лица, ответственные за эти счета, только сбивают с толку и себя, и других.

В общем, приходится признать, что система финансовой отчетности у нас в Англии не вполне соответствует современным методам. Она не помогает контролю, ни о чем не сообщает — проку от нее не больше, чем от бумаги, на которой все эти счета написаны. Стране каждый год важно преподносят отчеты, которых постыдился бы самый завалящий клуб собаководства, между тем как их авторы прекрасно понимают, что к чему. Отчеты эти никто не пытается улучшить, и они становятся все запутанней по мере того, как множатся и пухнут обозначенные в них суммы. Правды в них нет, и концы не сходятся с концами. Казалось бы, составитель должен описать финансовое положение по-деловому, то есть конкретно говорить о деньгах. Он должен сказать правду, и не частичную, а всю. Однако те, кто представляет отчеты стране, об этом уже не думают. Им удается лишь отобразить картину застарелой и неприкосновенной путаницы.

А как же министерство финансов, страж общего блага? Заведено так, что новые статьи расхода проверяет оно, а старые — другие министерства сами. Но как проверяют? Разделение это бессмысленно — экономить ведь надо всем вместе. При таких порядках берут новых служащих там, где их и без того много. Нигде и никогда не признают, что какое-нибудь учреждение лишнее: а вдруг оно снова понадобится и у министерства финансов придется просить денег на его воскрешение? Если же упраздняется та или иная должность в одном департаменте, ничуть не бывает легче создать новую в другом, ибо вопросы эти рассматривают разные инстанции, и никакой связи между ними нет. В результате всего этого те, кому возбраняется рассматривать проблему в целом, те-

ряют всякое чувство ответственности. А опыт учит нас, что, если считать взрослых детьми, они и ведут себя как дети.

Что же до ограничений, навязанных чиновнику, то они лишь прибавляют к расточительству косность. Вся система ассигнований годится только для бухгалтерских расчетов; контролю она не помогает. Начнем с того, что ассигнования на министерства не показывают, сколько же расходуется в действительности. Ассигнования на армию не включают канцелярских расходов, которые оплачивает специальное ведомство; ассигнования на это ведомство в свою очередь не включают строительства (их оплачивает еще одно ведомство), и так далее. Кроме того, по ассигнованиям не видно, как они расходуются на самом деле. Например, ассигнования на флот подразделяются на пункты, от пункта 1 (жалованье) до пункта 15 (особые казармы для женатых моряков), причем отпускаются еще и отдельные суммы на кораблестроение, оружие и Адмиралтейство. Точно так же ассигнования на армию включают пункт 1 (жалованье), пункт 7 (снабжение), пункт 9 (материальная часть) и т. д. Однако это не отражает структуры флота и армии. Флот подразделяется на морские и сухопутные части, армия — на батальоны, батареи, склады, училища, на которые не отведены отдельные статьи. Наша система ассигнований добивается лишь того, чтобы деньги, отпущенные на транспорт, не ушли на оружие. А почему бы им и не уйти? Какая, в сущности, разница? Законодателям не надо бы этим заниматься. Лучше бы им посмотреть, во сколько обходятся чиновники и во сколько сама армия. На деньги, которые поглощает финансовый отдел военного министерства, можно бы снарядить немало батальонов. Что важней в час опасности — смета или штык, гроссбух или винтовка? Этим бы и заняться государственным деятелям, а исчисление сумм, необходимых на обмундирование, можно препоручить узким специалистам. Все наши строгости и

правила приводят лишь к трате времени, денег и сил. Пользы от них нет.

В общем, хватит рассуждать об официальном контроле и надзоре. Поскольку от них пользы нет, остается уповать на прессу и народ. Казалось бы, они помогут — пресса бюрократии не любит, а налогоплательщикам просто выгодно, чтобы денег уходило меньше. Почему же пресса и народ оказываются бессильны там, где речь идет об их кровных интересах? Ответ несложен: нельзя навязать экономию извне, она должна возникнуть изнутри, сама собой. Время от времени пресса начинает громить расточительство государственных денег, но по незнанию дела приводит примеры, которые нетрудно опровергнуть. Еще чаще нападки эти просто оставляют без внимания — чиновники знают, что дня через два газета займется чем-нибудь другим. Однако предположим, что в результате газетных воплей сделан запрос в парламенте и некоторые факты удалось доказать. Что будет? А вот что: назначат комиссию для расследования (чтобы затянуть дело до окончания предстоящих выборов), и она приступит к своей многотрудной задаче. Но даже если все члены этой комиссии опытны, умны и рьяно стремятся вскрыть причины расточительства, они не добьются ничего. Почему же? Потому, что все неверно с самого начала.

Предположим, что расследование ведется в порту и члены комиссии беседуют буквально с каждым. Комиссия состоит из адмиралов в отставке и хороших, знающих инженеров. Она выслушивает мнения, она задает меткие вопросы: «Что эти все тут делают?», «А это что навалено?», «Куда вы деваете отходы и стружки?», «Зачем держать на зарплате столько бездельников?». Однако вскоре члены комиссии замечают, что столкнулись с явлением, которое лучше всего пояснить примером из зоологии. Когда появляются волки, овцы сбиваются в кучу, выставив рога, причем самые слабые всегда оказываются в середине. Так и чиновники. Перед лицом общей опасности они ни в чем не признаются, все отри-

цают и все скрывают. Против этого явления, хорошо известного нам из науки, любая комиссия бессильна. Отчет, когда он наконец появится, с таким же успехом можно использовать вместо туалетной бумаги. Что бы с ним дальше ни было, работа комиссии на этом заканчивается.

Простому налогоплательщику легче узнать о лишних тратах, чем политику или газетчику. Начнем с того, что он может служить в порту. Тогда теоретически он и должен и хочет изобличать непорядки. Однако он этого не сделает по двум причинам. Во-первых, сам он только наживет неприятности: в лучшем случае его сочтут психом, в худшем — осведомителем. Во-вторых, он прекрасно знает, что деньги, сэкономленные в одном месте, все равно разойдутся в другом. Что бы он ни делал, налоги не уменьшатся. И он резонно молчит, а сослуживцы его ценят. Народ, как таковой, не поможет сократить траты, если мы не предложим вознаграждения каждому осведомителю и не заверим его, что налоги, которые он платит, уменьшатся пропорционально сэкономленным суммам.

Словом, считается, что государственным доходам предела нет, и траты растут бесконечно, а попытки их уменьшить не удаются, ибо в основе их лежат ошибочные предпосылки. Проблема достаточно серьезна и, по-видимому, достойна внимания. Что же нужно сделать? Теперь любят создавать новые правила и законы, которых и без того больше, чем надо. Полезней, хотя это не принято в наши дни, подействовать прямо на служащих, наказывая их за растраты, за которые сейчас награждают, и награждая за экономию, за которую наказывают. Министры должны исходить не из того, сколько нужно их министерствам, а из того, сколько может потратить страна. Строя свой личный бюджет, мы ведь исходим не из того, к чему нас приучили прежние траты, а из того, сколько мы надеемся заработать. Короче, мы не собираемся тратить денег, которых у нас нет. Этот принцип надо бы применить и к государственным финансам. Прежде всего

надо определить, как соотносится доход от налогов с валовым национальным продуктом. Какую часть национального дохода может требовать правительство на свои нужды? Какую часть личного дохода граждан вправе оно взять? Что бывает, если оно берет больше? Экономисты (за одним исключением) робели перед этой проблемой и не спорили с тем, что государственные расходы можно увеличивать сколько угодно. Цель нашей книги — показать, что это не так. Налоги, превысившие некий предел, нежелательны; налоги, превысившие более высокий предел, опасны; налоги, превысившие самый высокий предел, гибельны. Пределы же эти ясно указаны нам и экономической теорией, и историческими фактами.

Зная эти опасности, правительство призвано решить, каким же должно быть соотношение между государственными расходами и валовым национальным продуктом. Когда оно это решит, определятся рамки расходов, и министерства волей-неволей в них улягутся. То же правительство решит, какому ведомству сколько выделить, а начальники их распределят эту сумму между отделами. Каждому министру придется взять на себя ответственность и разделить деньги между подчиненными ему учреждениями. Смет от учреждений не потребуют — им просто предложат укладываться в отпущенную сумму. Палате общин останется лишь утвердить общую сумму расходов и распределение ее по министерствам и ведомствам. Законодатели не будут решать, сколько выделить на бензин и смазку, на мастику и сапоги. Они смогут решать, насколько оправданны ассигнования на авиацию или на Британский совет, на школы или на больницы. А для контроля им придется всего лишь выяснить, сколько действительно уходило прежде. Пока что эти сведения им доступны не были.

Изложенная нами система хороша тем, что расходам кладется предел. Кроме того, очень важно (хотя и не так заметно), что каждое министерство и учреждение сможет решать

свои финансовые дела внутри, само для себя. Сами чиновники будут отвечать за экономию, и годовой отчет покажет, насколько это им удалось. Одни лишь «строевые офицеры» способны решить, как и что можно сэкономить. Как только они поймут, что деньги на новые расходы надо как-то выгадать, все в порядке; они с этим справятся без посторонней помощи, если, конечно, поощрять и продвигать тех, кто помогает сэкономить. Есть и еще одно преимущество, совсем уж незаметное на первый взгляд: министерство финансов перестанет во все вмешиваться и тем самым исчезнут разнобой, несогласованность и пустая трата времени. Вместо того чтобы с обидной недоверчивостью копаться в чужих делах, ревизор займется своим делом — проверкой бухгалтерских книг. А это и будет держать чиновника в узде. Ему придется привыкать к ответственности, он сможет проявить инициативу, и, наконец, он поневоле поймет, что цена и стоимость — разные стороны одного явления.

Когда мы решим подойти правильно к финансовым вопросам, мы сможем попросить поддержки, и общественность охотно поможет нам бороться с пустыми тратами. Для этого прежде всего понадобится независимая комиссия, которая будет рассматривать все предложения, связанные с экономией. Войдут в нее, предположим, три человека, один из них — представитель правительства. Комиссия будет рассматривать предложения частных лиц и доводы критикуемых учреждений и решать, возможно или невозможно сэкономить в данном случае. Если окажется, что возможно, учреждению прикажут сократить намеченные расходы на определенную сумму, а тому, кто внес удачное предложение, — налоги соответственно размерам экономии. Кроме того, комиссия эта проследит за тем, чтобы все сэкономленные деньги шли не другому учреждению и не министерству финансов, но исключительно на погашение национального долга. И наконец, в ее функции войдет представлять к высшим наградам лиц, чьи предложения помогли сэкономить

особенно много, и тех служащих, которым удалось значительно сократить учрежденческие расходы. Когда чиновники поймут, насколько экономить почетнее, чем тратить, это будет пусть маленький, но переворот.

Не надо думать, что никто ему не воспротивится — реформатора встретят сомкнутые ряды чиновников, самая косная сила на свете. Сопротивление их пассивно, но они не отступят ни на шаг. В ответ на любое предложение они сострадательно улыбнутся, скажут, что в военном министерстве уже попытались так сделать, чуть не сели в лужу и одумались, и скроются за дымовой завесой таинственной техники дела, бормоча на прощание, что финансовая жизнь страны сложнее, чем кажется. Цифры не лгут, но лжецы могут прикрываться цифрами.

Жреческие повадки министерства финансов выразились в особом явлении: запугивании непонятностью. В XVIII веке приверженцы его скрывали казначейские тайны за средневековой латынью и замысловатым начертанием букв (которое в судах не употреблялось с 1733 года), пока само казначейство (но не его канцлер) не было упразднено при Вильгельме IV. Непонятность лелеяли не только в казначействе: попытка проверить конторские книги Лондонской таможни в 1570 году провалилась, ибо чиновники вели их «излишне темным слогом». В 1691 году один член парламента воскликнул:

«Не хочется верить, что в лучший из веков, при лучшем из правительств возможна такая путаница!»

В 1829 году специальная комиссия заявила, что «годовые отчеты не объясняют нам, куда ушли миллионы фунтов». Так же обстояло дело в 1844 году, так же обстоит оно и теперь. Тьма, если это возможно, сгустилась, ибо к прежней запутанности слога прибавилось косноязычие консультантов и жаргон Лондонского экономического училища. Прежде непонятность просто мешала, теперь ей поклоняются.

Твердыни ее неприступны со времен Гладстона. За про-

волочными заграждениями — могилы нападавших на нее Флоренс Найтингейл, сэра Джона Кина и лорда Рандольфа Черчилля. Там же и разбитая могильная плита сэра Чарльза Харриса, который чуть было не ворвался в крепость. В годовщину его смерти ведущие запугиватели все еще обновляют колючую проволоку. Не думайте, что цитадель падет при первой же атаке. Но и не сомневайтесь, что она падет при атаке последней.

НАЛОГИ В СТАРОЕ И НОВОЕ ВРЕМЯ

«В те дни вышло от кесаря Августа повеление сделать перепись по всей земле», чтобы легче было собирать налоги. По-видимому, повеление это исправно исполняют именно с той поры. Правда, Август не первый это выдумал. Налоги взимают с незапамятных времен, а начались они с того, что человек, обладающий мало-мальской властью, перегораживал устье реки или ущелье в горах и требовал плату с путников и торговцев. Этот способ всегда был самым легким, и зовется он сбором пожертвований, таможенной пошлиной или шантажом, как кому нравится. Торговцу нет смысла прокладывать путь силой; убыток можно восполнить за счет покупателя, и торговец знает, что конкуренты именно так и сделают. Сумма, которую слезно или грозно запрашивает хозяин положения, примерно равна тому, что потратит жертва, если двинется обходным путем, и непомерна лишь тогда, когда такого пути нет. Словом, заплатить налог не труднее, чем от него увернуться.

Потом возник налог земельный. Собирать его довольно легко. Он сродни откупным, которые платят гангстеру, чтобы он вас не грабил, а защищал (как известно, на этой идее и зиждется феодализм). Земледельцу очень важно, чтобы все

знали размеры его участка и его имущества. Если этого не будет, он тут же потеряет землю, и ему не жалко потратиться на то, чтобы признали его границы и не пасли на его земле скот. Сумма, которую он заплатит, примерно равна тому, что он израсходует, перебравшись подальше от гангстера. Непомерна она лишь тогда, когда перебраться некуда. Разновидность земельного налога — оброк. Его собирать труднее. Последняя же трансформация этого установления — налог подоходный, который технически возможен лишь при городской цивилизации, когда мало кому удается жить обработкой земли, а люди послушны законам и обучены грамоте. Собирать его очень сложно, но до сих пор считалось, что расти он может беспредельно, так как жертвам, как правило, деться некуда. В одной из следующих глав мы постараемся все же определить его разумные пределы.

Изучая историю налогов, мы вскоре обнаруживаем, что они подразделяются на две большие категории: те, которые люди накладывают сами на себя, и те, которые они накладывают на других. Налог первого типа как-то стараются удержать в пределах минимума, зато для второго пределов нет, и он никак не связан с волей налогоплательщиков. Налоги обеих категорий, как мы видели, увеличиваются во время войны, но не уменьшаются в дни мира. Таким образом, налоги растут и тяжелеют, повинуясь соответствующему закону, пока данное общество не рухнет под их тяжестью. Сейчас мы увидим, что это случалось нередко и может случиться снова, причем много скорее, чем обычно думают.

Одна из первых хорошо известных нам налоговых систем — халдейская. Халдеи взимали обычно 10% продукта, а часто и больше. Дарий же, царь персидский, ухитрялся выжать 28 млн. фунтов (около 133 млн. долларов) на наши деньги (по курсу 1904 г.), а дополнительный налог добирал натурой, конкретно — евнухами. К сожалению, мы не знаем, сколько это составляло процентов национального продукта и личного дохода граждан, но все же ясно, что больше десяти.

Вряд ли возможно не упомянуть в ученом труде о налогах в Ниневии[1], тем более что обнаруженные там документы дают о них любопытные сведения. Какой-то замученный службой чиновник написал несколько писем Тиглатпаласару III (745 — 727 до н. э.), жалуясь на то, как трудно собирать налоги в Тире и в Сидоне. Платили их вином и кедрами ливанскими, но однажды вместо этого жители Тира убили сборщика, а его сидонский собрат спасся лишь благодаря заступничеству стражей порядка.

Принято в ученых трудах ссылаться (рано или поздно) и на Афины. Сошлемся на них и мы, хотя нелегко сохранить надолго уважение к ним, свойственное гуманитариям. Афины, которыми восхищаются в старших классах, конечно, чистейшая выдумка филологов, почти напрочь лишенных чувства истории (или чувства реальности). Однако ссылка на этот город придает книге весомость и ненавязчиво сообщает, что автор (как оно и есть) получил классическое образование. Итак, Афины дают нам ранний пример т. н. Демократии[2]. Это не значит, что афинский государственный доход слагался только из налогов, которые были согласны платить афинские граждане. Совсем напротив; он в основном состоял из сумм, которые удавалось вымогать в других частях Гре-

[1] Ниневия, столица Ассирийской империи, — один из первых городов, где встала проблема уличного движения. По словам пророка Ионы, там было «более ста двадцати тысяч человек, не умеющих отличить правой руки от левой» (Иона, 4, II). Можно себе представить, что творилось на улицах. Чтобы их разгрузить, городскую стену (100 футов высотой) превратили в надземку с односторонним движением в три ряда. Как все это сделали, см. у Диодора (кн. 2,3). — *Прим. автора.*

[2] Афины сделались образцовым примером демократического государства где-то в середине XIX века, когда такая форма правления входила в моду в Англии и Америке. Афинской демократии посвящена всего одна строка в «Классическом словаре» Ламприера, перепечатанном Баркером с седьмого американского издания. — *Прим. автора.*

ции. Археологические данные не оставляют сомнений на этот счет. Из надписей времен войны с Архидамом мы знаем, что налоги взимались на празднествах в честь Диониса, собирали их аподекты, а потом передавали выше — эллинотамиям. Одна из надписей очень ясно описывает эту процедуру.

Продвигаясь вперед, мы должны осветить налоговую политику Птолемея Филадельфа, правившего Египтом примерно с 284 по 246 г. до н. э. Сведения мы черпаем из так называемого Налогового папируса, обнаруженного в 1893 г. профессором Флиндерсом Петри. Прежде всего мы узнаем, что налоги с виноградников, садов и оливкового масла не превышали 1/6 (то есть около 17%) продукта. Кроме того, мы узнаем, что главный откупщик, заключивший двухлетний контракт на сбор налогов на масло, начиная с месяца горпиаэя (или месори — по египетскому календарю, который, возможно, лучше знаком читателю), получал деньги лишь в присутствии эконома и антиграфевса и подавал об этом отчет в трех экземплярах. Отсюда явствует, что в древнем мире методы взимания налогов стояли на высоком уровне. К таким же выводам приводит нас изучение Сирии эпохи Селевкидов. Налоги были там вполне сносные — не больше 7% общего продукта.

Прежде чем обратить взор к другим, более поздним обществам, мы должны упомянуть хотя бы вскользь о налогах в Римской, Индийской и Китайской империях. О римских налогах мы знаем сравнительно мало. Известно, что при Августе граждане платили 5% с наследственных земель. Платили они и муниципальные налоги, о которых нет точных сведений, и таможенные пошлины на границах провинций, по-видимому небольшие. Завоеванным ими народам приходилось похуже, но мы не знаем насколько. Ко времени падения империи налоги в провинциях настолько возросли, что собирать их стало, в сущности, невозможно. Историки согласны в том, что это и погубило империю. О временах послед-

них императоров известно доподлинно только то, что налоги взимались нерегулярно, но часто и в огромных размерах — всякий раз, как в государстве бывал прорыв. Землевладельцам и тем, кто землю обрабатывал, не было смысла заботиться об урожае, и они, забросив хозяйство, старались укрыться кто где мог, а земли приходили в запустение.

Изучая историю Индии, мы видим, как разнятся индуистское и мусульманское представление о государственной казне. Согласно законам Ману налоги в пользу царя с разных отраслей хозяйства не должны превышать соответственно 1/6, 1/8, 1/12 и 1/15 части продукта. При мусульманских же правителях из династии Моголов считалось, что вся земля — царская, а подданным принадлежит только их жизнь, да и то пока царь не распорядился иначе. Когда землевладелец умирал, земля его переходила к царю, так что никакого землевладения, в сущности, не было. Как видим, налог на наследство составлял 100%. С подданных по мусульманскому закону полагалось взимать одну пятую продукта, на практике это оборачивалось одной третью, а из индусов Моголы выжимали и половину. Налоговая политика менялась, но кончилось все это катастрофой. Огромные земли пришли в запустение, торговля и ремесла захирели. Именно крах могольских методов правления проложил путь англичанам после 1707 года.

В Китае все обошлось. О налоговой системе, принятой там при династии Цин (1644—1911), написал специальную книгу Чжоу Куанчу. Налог на землю был установлен, по-видимому, в 770 г. н. э., государственный доход складывался в дальнейшем, кроме этого налога, из налога на скот, таможенных пошлин и особой подати, которая шла на содержание почтовой службы. Иногда налоги эти составляли 20% национального дохода. Однако это противоречило идеям Конфуция, который некоторое время сам был сборщиком налогов и обнаружил, к своему огорчению, что правители Лу, у которых он служил, удвоили налоги, т. е. увеличили их

от 1/10 до 1/5 продукта. Как пишет биограф, Конфуций считал, что «одной десятой с лихвой достанет на все государственные нужды... Один из первых властителей Золотого Века нашей страны повелел сбирать одну десятую, и все сочли это весьма справедливым, а всякую иную долю неправедной».

В неправедность эту иногда впадали, но, хотя бы в теории, бремя налогов не было в Китае особенно тяжким.

Переходя к современным странам, мы обнаруживаем, что великой империей первыми вознамерились стать Испания, Нидерланды и Франция. Каждая из этих империй пала, и рост налогов сыграл в ее падении значительную роль. Пример Испании учит нас немногому: хотя Филипп II и положил начало современной бюрократической системе, налоговая политика при нем ничем особенным не отличалась. Два главных косвенных налога именовались «алькабала» и «мильонес», причем первый — это 10% с торговой сделки, а второй — налог на уксус, вино и оливковое масло. Кроме того, облагались налогом соль, табак и карточные игры. Несмотря на эти попытки увеличить доход казны, Испания обанкротилась примерно к 1693 году, но не одни налоги были тому виной. Религиозная нетерпимость и национализация разных отраслей промышленности повредили стране не меньше, чем рост налогов. Выразительнее всего об испанских налогах говорится в книгах, повествующих о том, как их взимали в Нидерландах при герцоге Альбе. В то время брали 1/100 со всего имущества, 1/20 с продажи земли и 1/10 с любого товара.

«Было очевидно, — пишет Могли, — что налог в одну десятую нанесет торговле смертельный удар. Приверженцы короля первыми попытались отвратить правителя от меры, столь же безрассудной, сколь и бессмысленной».

Об этом налоге больше говорить не стоит. На самом деле торговлю Нидерландов подорвало и многое другое.

Следующей после Испании агрессивной империей была Голландская республика. За короткий период своего возвы-

шения она претерпела немалые финансовые трудности. Как нам известно, там существовали налоги на зерно, муку, хлеб и рыбу, и к 1672 году налоги эти стали непомерно тяжелы. В 1678 году они вызвали бунты, и Ренье, повествуя о войне за испанское наследство, пишет, что «Голландская республика была вконец истощена». Однако налоги не уменьшились и после войны, голландский капитал во французских и английских банках все увеличивался. В 1751 году крупные купцы вручили штатгальтеру Вильгельму IV доклад о состоянии торговли, которая приходит в упадок по вине налогов. Они советовали попытаться «снизить налоги и воспрепятствовать хищению, мотовству, небрежению, беспечности, неумеренной роскоши в частных домах и прочим дурным вещам». Попытка такая сделана была. Борьба с мотовством, небрежением и излишними тратами не помешала бы и в других странах, в другие, позднейшие времена.

Последний пример гибельных налогов мы видим во Франции. Каждому школьнику пришлось хоть раз вызубрить причины Французской революции. Многое из того, что застревает в его памяти, относительно верно, а фон составляют яркие, хотя и не совсем совпадающие с учебниками впечатления, почерпнутые из Диккенса и баронессы Орчи. В конце концов, он остается в убеждении, что налоги как-то со всем этим связаны, и не ошибается. Правда, ему нелегко разобраться, до чего же эти налоги доросли, но нелегко это и ученым. Чтобы хоть как-то представить, что же там происходило, надо уяснить себе разницу между налогами, которые взимались государством по всей стране, и податью, которую крестьяне платили помещикам за пользование землей. Если вас неприятно поразит этот пережиток феодализма, вспомните, что и у нас, в Англии, она отменена лишь Актом 1935 года, который лет десять не мог по-настоящему вступить в силу; арендную же плату за разработку недр платили у нас землевладельцу до тех пор, пока шахты не национализирова-

ли. Французские феодальные налоги (как и английские) не надо путать с церковной десятиной (на самом деле — от 1/12 до 1/20 урожая). Подать помещику соответствовала нашему земельному налогу, а церковная десятина — налогам муниципальным. Добрую часть остальных поборов составляли налоги в королевскую казну. Туда входили т. н. taille, подушная подать, т. н. dixieme и множество косвенных налогов, из которых самым значительным был налог на соль. Taille взимали с тех, кто не отбывал военной службы; дворяне, духовенство и чиновники от этой подати были освобождены. Подушную подать, введенную в 1695 году, и dixieme, введенную в 1710-м, платили поначалу все, но потом они стали просто добавкой к taille. До чего же доросла сама taille? По-видимому, размер ее менялся от года к году и от места к месту, но в среднем она составляла 33—36% личного дохода. Вообще же все налоги составляли, по всей вероятности, от 38 до 41%.

Пример дореволюционной Франции полезен нынешним финансовым властям в двух отношениях. Во-первых, он показывает, каков последний предел налога, т. е. когда именно дальше идти нельзя, если не хочешь восстания. Во-вторых, он показывает, что опасно путать капитал с доходами. Начнем с первого. В определенный момент, вероятно, когда налоги достигают 45%, расходы на их сбор уже превышают саму собранную сумму. В этот же момент возникает опасность мятежа. Все это показывает, что есть предел, выше которого налоги подняться не могут.

Читатель возразит, что беда была в ином: налоги во Франции взимали только с тех, кто победней. Отчасти это верно и тем самым иллюстрирует наш второй вывод. Чтобы выкрутиться, французское государство закладывало свои будущие доходы. Почти все те, кто не платил прямых налогов, просто выкупили себя, и заплатили немало. Именно так поступили города Бордо и Гренобль. Многие знатные семьи купили свои дворянские свидетельства и освободились от налогов при Людовике XV и даже раньше. Свободны от на-

логов были и многие должностные лица, но и они купили свои должности за немалую цену. Словом, нельзя сказать, что свобода от налогов была у французских правящих классов наследственной привилегией. Все, кроме самых древних родов, просто платили вперед.

Нынешней верхушке повезло меньше — и в Англии, и в Америке. Однако еще не доказано, что современные правительства оказались прозорливей. Налог на наследство приводит примерно к тем же результатам, что и продажа дворянских титулов. Наследник поместья после уплаты налога не получает, в сущности, ничего, а государство соответственно заложило свои будущие доходы. Внешних признаков знатности теперь нет (а они хоть радовали взор), но финансовая ошибка все та же: капитал путают с доходами. Когда мы изучаем дореволюционную Францию, мы вправе, не обращая особого внимания на частности произвола, сосредоточиться на главном. Старый режим погиб не потому, что он был тираничен или жесток, и не потому, что он выдохся. Он просто обанкротился.

ВОЕННЫЕ РАСХОДЫ

Расточительность, как и налоги, порождается войной. Те, кто не надеется долго прожить, по-своему смотрят на траты и убытки. Моряк, запускающий торпеду, артиллерист, разрушающий здание, которое стоит между ним и целью, летчик, бросающий бомбы, не могут слишком много думать о цене и стоимости. Экономия теряет смысл для тех, кому, быть может, никогда уже не придется оплачивать расходы. Разрушать — убыточно, но без разрушения нет войны. Тот, кто не надеется дожить до рассвета, естественно, пустит на дрова дорогой рояль. Это удалое и легкое отношение к соб-

ственности и тратам начинается на поле боя, но переходит во второй эшелон, потом в тыл, переплывает моря, достигает военных ведомств, где удачно сочетается с расточительством иного рода — с той широтой в раздувании штатов, о которой мы говорили в предыдущей книге.

Не думайте, что разбухание штатов — новая проблема. В Британском музее хранится послание, написанное на папирусе в 288 г. до н. э., в котором некий Сервий Африкан жалуется местному начальству Среднего Египта.

«Из одних лишь отчетов видно, — пишет он, — что люди, желающие поживиться за счет казначейства, измыслили сами для себя звания проверщиков, помощников и управляющих, пользы от них нет, а деньги на них уходят» (папирус 752).

Благородный римлянин уловил самую суть. Поистине, лучше не скажешь. Уайтхолл грешит и чисто военной расточительностью, и этой, другой, которая, очевидно, заражает всех вокруг. Обе они существуют издавна и повсюду. Личным вкладом Англии и Америки можно считать лишь то, как ловко они умеют именно с помощью огромных военных расходов в мирное время сделать страну совершенно не подготовленной к войне. Особенно ловка в этом Англия, жители которой куда воинственней, чем думают чужеземные правители. В Англии на удивление ярок контраст между бессилием власти и обилием побед.

Прежде всего англичане, по-видимому, способны к воинским подвигам много больше, чем к чему-либо другому. Часто (но не всегда) они в случае опасности являют миру весьма полезное сочетание решительности, упорства, предприимчивости и находчивости. К тому же доблести эти дополняются тем умением ничего не делать, которое так свойственно военным. Как же тут не удивляться, что наша подготовка к войне часто оказывается столь несостоятельной! Правительство, как известно, готовится всегда к позапрошлой войне. Так, перед самой Второй мировой войной бри-

танская армия упражнялась в военных искусствах, которые, несомненно, принесли бы ей победу в войне англо-бурской. Военная форма была как раз такая, какую не заметишь в бурских степях или в горах Афганистана, только кожа и пуговицы слишком сверкали. Офицеры упражнялись в верховой езде, и почти все перевозочные средства были на конной тяге. Когда разгорался учебный бой и огонь противника с ярким реализмом изображали флаги, командир полка взлетал на белом коне на подходящий холм в сопровождении адъютанта и начальника разведки и, взглянувши в бинокль, возглашал: «Перед нами враг!» Ротные командиры с полевыми картами наголо возникали на горизонте, он давал приказ: «Ты, Браверн, атакуешь там, а ты, Смелинг, остаешься в резерве», и они послушно скакали кто куда. Некоторые сомневались, будут ли лошади играть большую роль в предстоящей войне, так как они и в прошлой особой роли не играли, но маловеров поставили на место. Не нашли они понимания и в Штатах, где на маневрах применялись орудия на конной тяге (скажем, 75-миллиметровая пушка), созданные в свое время для франко-прусской войны, и будущим артиллеристам приходилось серьезно заниматься наукой о лошадях.

Сторонники такой системы считают, что к войне все равно не приготовишься. По их мнению, мы, англичане, должны просто ждать, когда война начнется, и в зависимости от того, как все пойдет, решать, какой техникой пользоваться. Конечно, поначалу не обходится без трудностей, ибо противник-то знает, когда война начнется, и соответственно вооружается. Но на это нам скажут, что быть всегда готовым к какой-нибудь войне слишком накладно; лучше подождать и посмотреть, что понадобится — тропический шлем или лыжи, а тем временем экономить и на том и на другом. Заниматься же, пока суд да дело, можно воспитанием мужества и порядочности, благо это и полезно, и дешево. Победа нам

обеспечена все равно — ведь в учебниках написано, что мы поражений не знаем.

Все эти доводы — в пользу экономии в мирное время — были бы неплохи, если бы основывались на фактах. В действительности же, как это ни прискорбно, Англия всегда тратила очень много на подготовку к войне, а противники ее и готовились лучше, и тратили гораздо меньше, чем нам кажется. Особенно это верно, если говорить о немцах перед Второй мировой войной. Теперь мы знаем точно, что в 1939 году германская промышленность ни в коей мере не работала только на войну. Этого не случилось даже в 1943 г. Когда английская авиация вчистую разбомбила Гамбург, она как раз помогла немецкой военной промышленности: многим рабочим, изготовлявшим, скажем, глиняные пивные кружки, пришлось пойти на военный завод, так как их мастерские были разрушены. Разница между Англией и Германией не в том, сколько кто тратил в мирное время на подготовку к войне, но в том, что мы и они тратили деньги по-разному. Они их тратили на танки и винтовки, изготовлявшиеся в основном частными фирмами. Мы же просаживали их на жалованье несметному количеству военных инженеров и чиновников. О том, как давит на армию бремя бюрократии, можно рассказать немало, и написано об этом немало. Сейчас отметим, что существуют и бюрократы в мундирах, тоже весьма тяжелые на подъем. На писанину уходили деньги, которые можно было потратить на артиллерию и противотанковое оружие. Денег шло все больше, а силы не прибавлялось.

Последнее обстоятельство мы рассмотрим подробнее. Все мы слышали в юности, что немцы долго готовились к Первой мировой войне, а нас, англичан, застали врасплох, ибо мы ни о какой войне не помышляли. Это не совсем верно. К сожалению, англичане потратили на военные нужды больше, чем немцы, но с явно меньшим толком. Например, вот данные за 1911 год (в фунтах):

	Армия	Флот	Всего
Англия	27 760 300	40 603 700	68 364 000
Германия	39 930 100	22 431 000	62 361 100

Разница в размещении сумм дала нам небольшое преимущество на море, а немцам — огромное преимущество на суше. Ради экономии личный состав нашей армии сократили на 30%. Подготовка ее была ниже всякой критики. Англия держала под ружьем в 1911 г. 254 000 солдат, включая территориальные войска, которые У. Р. Лоусон назвал «колышущейся бахромой армии». Немцы же при затратах, меньших, чем наши в 1903 г., имели в это время армию в 622 000 человек. Когда война началась, Германия выставила 98 дивизий (11 кавалерийских и 87 пехотных), а мы наскребли всего 7 (1 кавалерийскую и 6 пехотных) да 14 территориальных, не полностью укомплектованных и недостаточно обученных. Даже если мы предположим, что германский ландсвер был не лучше нашей армии, и приравняем колониальные войска еще к 6 дивизиям (1 кавалерийская, 5 пехотных), у немцев все равно остается перевес (98 дивизий против 27, 4; 400 000 солдат против 417 000). Конечно, и денег у них ушло больше, но никак не в такой пропорции. Кроме того, у них были пулеметы, а у нас в основном винтовки. Правда, мы, англичане, разбирались в военном деле лучше всех своих союзников и противников, так как воевали совсем незадолго до того; но этим наши преимущества исчерпывались. Денег мы ухлопали много, а больше не сделали толком ничего. Военные фонды уходили на писанину, на чернила и чиновников. Английская система финансовой отчетности обходилась нам во столько же, во сколько немцам содержание армейского корпуса; такой она остается и поныне.

Поскольку Первая мировая война не научила британцев

ничему, они вступили во Вторую в таком же виде: силы у них было меньше, а ненужных расходов — больше, чем у немцев. При Гитлере Германия не обнародовала военных расходов, и мы можем о них только гадать. Те, кто гадал, считают, что в 1938 г. Германия потратила на военные нужды 1 333 000 000 фунтов, Англия же — это известно — потратила 391 000 000. Но и эта немалая сумма не помогла ей побить свой рекорд 1914 года. Вместо 7 дивизий она выставила всего лишь 4 и еще 5 противовоздушной обороны и 13 территориальных, которые позднее фигурировали в документах как 26. При самом заинтересованном подсчете это составляет 22 дивизии, почти все из которых оказались плохо обучены и все плохо экипированы, но они хотя бы были в наличии. Германия, потратив втрое больше, должна была бы выставить дивизий 75, а она мобилизовала целых 105, из них 6 танковых и 4 моторизованных.

Нет никаких оснований полагать, что после войны все изменилось к лучшему. По-видимому, стало еще хуже. Во флоте на 1958 г. 60% состава — чиновники, до войны их было все же меньше, хотя флот был больше; этот процент на самом деле выше, но флотские счета и сметы не дают возможности выяснить, сколько же их в действительности. Сократить их число мешают и профсоюзы: как же, только старый корабел вправе выкрасить флагшток! В самом Адмиралтействе на 6000 чиновников больше, чем в 1933 году. Из 300 000, расписывающихся в платежных ведомостях, на кораблях служит всего 15%. Для сравнения укажем, что в армии США не менее 1 180 000 чиновников. Ах, если бы войны выигрывала писанина!

До сих пор мы говорили об английских военных расходах не потому, что Англия особенно расточительна, а потому, что траты США выше нашего понимания. Сенатор Бридж высчитал, что из каждой сотни долларов, собранной с американских налогоплательщиков, 59,50 идет на оборону, 10,50 — на покрытие национального долга (возникшего

главным образом в результате войны) и 6,60 — на ветеранов. Траты на оборону значительно увеличивают государственные расходы, которые в 1938 году составляли 20% валового национального продукта (85 миллиардов долл.), а в 1957-м — 26% (440 миллиардов). Кроме того, после Второй мировой войны на руках у государства остались 700 крупных и 19 000 небольших предприятий, на которые уходит около 1 миллиарда в месяц. Когда каждый пятый гражданин страны — на жалованье у государства, страна неизбежно тратит много; но тратить столько на оборону!

Мы знаем, как часто готовят проект, а потом он проваливается. «Не годится, — гласит окончательный приговор. — Надо попробовать иначе». В такие времена, как наши, без этого не обходится. Удивительно только одно: как много денег успевают ухлопать до окончательного приговора. В 1958 г. Пентагон отпустил около 7,5 млрд. долларов на лишнюю технику. Флот израсходовал 68 млн. на совершенно ненужные авиационные моторы, 78 млн. — на ракеты «Регулус» класса «земля — воздух», вскоре снятые с вооружения, 200 млн. — на опыты с гидросамолетами, которые не удались. Не сплоховала и авиация, потратив 60 млн. на запасные части к истребителю Ф-100, которые не понадобились, 70 — на управляемые ракеты «Гуз», позже снятые с производства, 374 — на ракеты «Раскэл» класса «воздух — воздух», снятые с вооружения, и, наконец, 750 млн. на ракеты «Навахо», тоже снятые с вооружения. Быть может, было бы выгодней сначала подумать, а потом тратиться? Но это не в духе правительств. Если деньги есть (а они есть) — трать и не стесняйся! Когда после этого мы узнаем, что Генеральному штабу понадобилось 400 новых служащих (в том числе — 31 младший секретарь вместо 13) и 70 000 кв. футов дополнительной площади, а ремонт новых помещений и мебель для них обошлись в 350 000, все это кажется нам пустяками — сравнительно со всем прочим. Когда идут под откос миллиарды, стоит ли налогоплательщику беспокоиться о том, что в министерстве

обороны откроют новый отдел для рассмотрения ненужных патентов? Вправе ли он сетовать на то, что к счету на 13,94 долл. по министерству авиации прилагается накладная в 28 страниц, которую должны подписать два подполковника, три майора, один капитан, один лейтенант и тринадцать гражданских начальников? Вправе ли он роптать, да и что толку от его ропота? Его дело — платить деньги.

Все знают, как убыточна бюрократия, но не всем известно, что и технократия не дешева. Многие считают, что в отличие от чиновников технократы хотя бы делают дело. Более вдумчивое изучение фактов откроет нам, что английское воинство технических начальников всегда делу мешало. Изобретения и мысли идут снизу, от строевых офицеров и инженеров, работающих в промышленности. Техническое же начальство ищет повод отвергнуть за бесполезностью то или иное новое оружие. Судя по тому, какое оружие оно принимает, мы вправе подумать, что отвергает оно что-то уж совсем несообразное. Но, к несчастью, это не так. Когда танки фон Рундштедта давили в 1939 г. польскую пехоту, изобретатель реактивного противотанкового ружья уже два года обивал пороги нашего военного министерства, пытаясь заинтересовать его оружием, которое могло бы остановить блицкриг в самом начале. Таких случаев много; лучшие виды оружия всегда появлялись откуда угодно, только не из государственных арсеналов.

Кулеврины, из которых обстреливали Великую Армаду, были сделаны сассекскими оружейниками. Оружие пехотинцев Мальборо изготовила мастерская Брука в Бирмингеме. Ружья для солдат Веллингтона поставлял Эзекисль Бэкер, а картечь, которой стреляла артиллерия Веллингтона, изобрел лейтенант Шрапнель. При Виктории и позже чиновничьи заслоны стали прочнее, и изобретателям пришлось худо. Такие люди, как Метфорд, Миллс, Стоке, Помрой, Льюис, Ле-Мезюрье, Берни и Блекер, терпели одно поражение за другим. Последний из них хорошо это описал; по

его словам, такие танки, как сейчас, могли у нас быть в 1937-м, полевая артиллерия 1930-го как раз подошла бы для 1914-го, полевая пушка 1914-го была на самую капельку лучше, чем пушки нашего противника в битве при Колензо в 1899-м, так же как орудия времен англо-бурской войны были чуть лучше афганских времен Мейвенда. Самое удивительное в этой эпопее, что англичан превосходили не только армии таких технически передовых стран, как Франция или Германия, но и те, кто смастерил или достал свое оружие буквально накануне боя. Нам причинили много бед ружья американских мятежников, самодельные винтовки полудиких афганцев, оружие суданских племен и даже пулеметы Ирландской республиканской армии.

В общем, без военных технических властей мы бы обошлись. Лучшее оружие всегда изобретали и производили частные фирмы. Ученым же, находящимся на государственной службе, лучше бы перейти в БСО[1] или к Викерсу — Армстронгу. В 1928 г. именно эта фирма дала стране лучшие танки в мире. Позже нас выручили не технократы, а «Крайслер моторс корпорейшн» (Детройт) и фирма Браунинга (Юта). Сейчас, в 1959-м, нашим пехотинцам выдают винтовки, изготовленные не в Вулидже, а в Бельгии, тогда как американцы двенадцать лет назад пользовались самозарядной винтовкой Гаранда, а мексиканцы винтовкой Мондрагона — сорок лет назад. Лучшее стрелковое оружие всегда изготовлялось для спортсменов, а военные технократы плелись позади.

Если бы плохое оружие было единственным результатом системы, мы и то вполне могли бы бить тревогу. Но кроме того, масса средств тратится впустую из-за никому не нужного многообразия конструкций. Несколько лет назад вдруг обратили внимание на то, что холостые втулки для снарядов и бомб, производившиеся миллионами, — двухсот с лишним видов и делают их из чего угодно, от литого железа до пла-

[1] Фирма «Бирмингемское стрелковое оружие». — *Прим. перев.*

стика, хотя каждый нужный диаметр можно изготовлять по стандарту. А недавно на одной базе военно-воздушных сил сменили все отопление не потому, что трубы износились — они были в полном порядке, — а потому что их положено менять каждые двадцать лет. Не улучшает дела и то, что в армии пользуются устаревшей бухгалтерской системой, а новую, лучшую, испробовали и отменили.

Покойный Э. Хаббард вполне резонно говорил, что истинная экономия прямо противоположна скупости. Экономить, по его словам, не значит обходиться без чего-нибудь. Экономит тот, кто «предупреждает расточительство, хорошо использует все нужные силы и средства и не допускает неразберихи». Он прав; но к прежним видам расточительства, о которых мы только что говорили, мы прибавили новый вид, неуклонно развивающийся с 1924 года. Чтобы понять его, перескажем историю о военном министре одной страны, которую для вящей секретности назовем Малотитанией. Когда министр спросил сержанта, все ли есть у его солдат, тот ответил, что им не хватает магазинов. Министр ужасно огорчился и тут же приказал открыть универмаг, не догадавшись, что речь идет о магазинах для патронов. Суть тенденции в том, что вместо оружия солдатам дают ненужные и дорогие вещи. Упомянутого сержанта вполне могли потом убить в бою, так как у него не было противотанкового ружья. Он мог пережить ту пору и позже вступить в единоборство с устаревшей винтовкой или допотопной пушкой. Но ни лавка, ни универмаг спасти его не могли.

Теперь все это стало не лучше, а хуже. Палуба нынешнего военного корабля выстлана мягким пластиком, изоляция на нем — из стекловолокна, а тона подобраны опытным психологом так, чтобы ничто не резало глаз. Умывальные облицованы фарфоровым кафелем, койки отделаны мореным дубом. Читая описание корабля в газете, мы не знаем лишь одного: есть там орудия или нет, и выводим, что скорее есть, из сообщения о том, что матросы смогут спокойно спать во

время боя. Без этого могло бы показаться, что новая модель предназначена исключительно для развлечений. Предоставим экспертам решать, так ли хорош моряк, которого привлекает надежда на комфорт и отдых. Однако флот наш явно станет хуже, если мы роскоши ради будем экономить на оружии или хотя бы на численности кораблей. <u>Мягкая койка не так нужна моряку, когда эскадра противника и больше и сильнее.</u>

Как это ни печально, но попытки армейских и флотских чиновников экономить обычно кончаются новыми тратами. Правда, между 1860 и 1871 гг. государственные расходы были значительно сокращены, но то, что так резко обличил Рандольф Черчилль в 1887 г., стало потом нормой. Сэр Рандольф обратил внимание страны на то, что армия поглощает массу средств, но толку от этого мало. Крепости никуда не годятся, пушки устарели, винтовки не стреляют, штыки ломаются, военные суда плохи, а орудия на этих судах взрываются и при неполном заряде. Он доказал, что Адмиралтейство переправляет австралийские мясные консервы в Австралию, ром — на Ямайку, рис — в Индию. Один из отделов военного министерства стоит стране 5000 фунтов в год, а занимается проверкой годовых расходов, не превышающих 250 фунтов. Как ему удалось показать, проект государственного бюджета по расходам составляется так, что парламенту невозможно выяснить, каковы издержки на бюрократию — а они исчислялись миллионами. Однако борьба за сокращение расходов, как и следовало ожидать, переродилась в борьбу за увеличение эффективности. Уинстон Черчилль заверяет нас, что так бывает всегда. «Правительство и его советники в нужную минуту меняют курс с ловкостью опытных стратегов. Они признают прискорбные факты, которые уже нельзя скрыть, и объясняют, что всему причиной — небрежность или бездарность их предшественников. Они соглашаются, что стране действительно нужно оружие получше. Они заявляют, что выполнят свой долг (не то, что некоторые!), наверстают

упущенное, пресекут вскрытые злоупотребления и по всей форме представят законопроект министру финансов...»[1]

Поэтому все попытки провести в парламенте какие бы то ни было меры по борьбе с лишними тратами обречены на провал. Однако надо признать, что сам парламент кое-что в этом отношении делал. В сущности, он постоянно что-то делает, и попытки его облекаются в одну из трех форм. Он пытается сэкономить на укреплениях, на обмундировании и на военных оркестрах. Выбраны эти формы не случайно, а по глубоким психологическим причинам. Англичане не любят укреплений года с 1715-го, и этому их научил печальный опыт. Укрепления успевали устареть прежде, чем враг к ним подходил (иногда и прежде, чем мы кончали их строить), а нередко они смиренно сдавались после битвы, происходившей где-нибудь в другом месте. Что же до мундиров и музыки, то многие англичане считают войну греховной, а связанный с ней церемониал — еще греховнее. Барабанный бой и яркие цвета раздражают их больше, чем битвы и раны. Предложение сэкономить на чем-нибудь звонком и блестящем всегда найдет отклик у тех, для кого театральность — синоним безнравственности.

В бывших колониях первый вид экономии принял чрезвычайно странную форму: мы пытаемся сохранить стратегически те страны, которым предоставили (или навязали) политическую независимость. Хотя в зоне Суэцкого канала это не удалось, мы повторили то же самое на Кипре, в Сингапуре и (поколебавшись немного) на Мальте. Дать колонии свободу и выгодно, и благородно. Народу это нравится, а денег уходит мало — много меньше, скажем, чем на постройку университета или техническую помощь. К тому же это удобный повод резко повысить налоги. Но, хотя войска практически выведены, считается, что страна в наших руках.

[1] **Уинстон Черчилль.** Лорд Рандольф Черчилль. Лондон, 1907, с. 680 — 681. — *Прим. автора.*

Ошибка тут в том, что мы верим, будто власть все еще у нас, когда водоснабжение и государственные учреждения уже под контролем чужой отныне страны. Даже когда войска остаются, теперь они состоят только из штабных офицеров, ординарцев, писарей, интендантов, психологов, техников, врачей и продавцов военного магазина. Считается, что в случае необходимости пехоту можно перебросить обратно. Конечно, ее можно (хотя это и дорого) доставить в Малайю или на Кипр, но не надо думать, что оттуда ее легко перебросить в Гибралтар или Гонконг. Наши солдаты не возвращаются годами и могут не вернуться никогда.

Пытались экономить на укреплениях и в Англии, но иначе. Большинство их построено в 1845—1860 годах, когда укрепления эти были призваны защитить нас от Наполеона III. Во многих береговых фортах есть и сейчас какая-то грустная прелесть. Они немножко похожи на картонные крепости, которые еще продаются иногда в игрушечных лавках. Некоторые из этих старинных сооружений, хотя и не все, имеют отношение к обороне 1940—1941 годов — ими даже решались пользоваться. И на картах секретности ради их просто не обозначают. Но теперь все признали, что им пришел конец. Крепость и подъемный мост, по-видимому, не слишком важны в атомном веке. Казалось бы, самое время их продать за любую цену. Миллионы все равно ушли безвозвратно. Теперь можно только вернуть стоимость участка и не тратиться на содержание зданий. Однако военное министерство не любит ни с чем расставаться, будь то красивый луг, превращенный в полигон, или никому не нужная крепость. И оно предпочитает полумеры, сдавая крепость в аренду на 99 лет, что приносит очень мало, или на 21 год, что не приносит ничего. Крепость, которую можно было бы превратить в прекрасный памятник, служит иногда курятником. Почему? Неужели мы собираемся воевать, как воевали век назад? Даже если это так, крепости ведь можно, если потребуется, в любую минуту реквизировать. Нет, военному министерству

они не нужны, и оно на них не рассчитывает. Но ему нужно, чтобы они числились в его бумагах. Ведь, если дело на них закроют, встанет, чего доброго, вопрос, нельзя ли сэкономить на штатах. Когда же их все-таки продают, достаются они другому министерству или местным властям, хотя частный владелец дал бы вчетверо больше. Об интересах налогоплательщика, по-видимому, и мысли нет. Финансовой ответственности тоже вроде бы не существует. Зато в избытке нерешительность — военное министерство никак не может разобраться, нужна ему крепость или нет. Если речь идет о бывших колониях, оно решает сохранить базу, но вывести войска. В Англии бросают форт, но сохраняют дело на него.

Экономия на одежде долго выражалась в том, что парадную форму пытались заменить полевой. Придумали это сразу после Первой мировой войны. Конечно, хотели сократить траты, но вышло из этого лишь то, что новая форма не годится ни для парада, ни для будней; на учениях она солдата сковывает — ведь он знает, что гимнастерка, в которой он ползает сегодня, должна быть завтра в церкви как с иголочки. Склонность к цвету хаки вызвана скорей ханжеством, чем экономией. Как только поняли, что в парадной форме не воюют и воевать не будут, естественно, встал вопрос, почему она должна быть тусклой, а не синей, зеленой или алой. Но одна мысль о том, что военная форма взбудоражит романтическое воображение молодежи, раздражала много сильней, чем лишние траты. Так победил защитный цвет. Не лучше обстоит дело в Соединенных Штатах (кроме их флота). Даже военные летчики носят у них уныло-серую форму, а прочие рода войск, не жалея затрат, сменили тускло-коричневое на тускло-зеленое. Та же мелкая экономия не на том, на чем нужно, привела у нас в начале Второй мировой войны к отмене портупеи (кожи пойдет меньше), причем немедленно вслед за этим офицерам было предписано носить револьвер, хотя на чем же его тогда носить? Словом, попытки сэкономить на форме нигде к добру не привели.

Все это верно и по отношению к оркестрам. Как только зайдет речь об экономии, требуют упразднить военные оркестры. Немногие столь важные и полезные институты уничтожались так неуклонно и так неустанно. Здесь тоже дело в ханжестве. Прежде всего хотят сэкономить на ярком и звонком — видимо, потому, что оно нужнее многого прочего. Что растрогает юное сердце лучше и быстрее, чем звуки волынки или флейты? Яркие краски и звонкие трубы привлекают его в армии, ибо без них в ней ничего толком и нет. Это так очевидно, что здесь никакие запреты не проходят. На укреплениях еще удается сэкономить какие-то крохи. На обмундировании пытались экономить не раз, но выходило только хуже, и в конце концов эти попытки выдохлись. А дурацкая затея с оркестрами провалилась сразу. Стуку пишущей машинки вторят издалека зов трубы и барабанный бой.

МИРНЫЕ РАСХОДЫ

Казалось бы, военные расходы должны сменяться в дни мира суровой бережливостью. Но на деле нелегко отвыкнуть от расточительности. Те, кто не считает денег в момент опасности, теряют навсегда ощущение цены. Им кажется, что траты, спасшие страну от захватчика, можно и не прекращать, обороняясь от всех возможных экономических и социальных зол. Во время войны не спрашивают, сколько может позволить себе потратить страна, ибо прежде всего она не может позволить себе поражения. Вполне естественно остаться навсегда при этом духе самопожертвования. Почему бы теперь не пойти войной против голода и нищеты?

Рассматривая мирную расточительность, мы видим, что деньги идут в основном на то, на что они шли в годы войны. Тогда открывали госпитали, платили инвалидам пенсию,

опекали и учили сирот, обеспечивали снабжение страны продовольствием. Благодаря широко распространенному идеализму и умственной лености, а иногда и своекорыстию, в мирное время ничего не меняется. Вместо госпиталей мы открываем больницы, пенсию платим всем, опекаем и учим тоже всех, а вместо ссуд фермеру и дотаций бакалейщику, не жалея затрат, производим и распределяем все, без чего обходились в военное время. Казалось бы, это естественные последствия войны. Кроме того, если во время войны мы создаем какие-то учреждения, в них заинтересованы и в мирное время те, кто их возглавляет. И, наконец, людей неодолимо влечет идея тратить государственные деньги не на разрушение, а на созидание, перековывать мечи на усовершенствованные орала и строить достойные героев дома. Многим нравится, что солдаты, взвод за взводом, превращаются в служащих, а победы над безработицей нравятся поголовно всем. В послевоенных тратах плохо лишь одно: стране предъявляется уж очень большой счет. Как в нем все ни туманно (а так оно всегда и бывает), мы попробуем разобраться хотя бы в главном, ибо делают это редко.

Очень много уходит теперь на образование и распространение знаний. Казалось бы, чего лучше; но стоит это очень дорого. Субсидируя научные исследования, обучая людей и печатая книги, власти наши неизменно тратят несметное количество денег. Всегда найдутся разумные люди, сетующие на то, что деньги идут на управляемые снаряды или на неуправляемые колонии; но все они радуются, если деньги идут на университеты и школы. Казалось бы, и впрямь это очень важно, ибо дети плодятся, а знания растут. Но беда в том, что много денег тратится попусту и ради хорошей цели. Тому немало примеров.

Возьмем научные исследования. В наши дни так почитают сами эти слова, что мало кто решится полюбопытствовать, необходимо ли отпускать на это дело такие суммы. С одной стороны, исследования эти всегда окутаны тайной. С дру-

гой, все считают, что наука окупит с лихвой любые траты, да еще и принесет стране славу и почет. Это отчасти так и есть, но очень уж много идет на исследования денег. В Англии, например, в 1958—1959 гг. отпущено на них 26 100 000 фунтов и еще 106 000 000 на атомную энергию, не говоря уже о субсидиях отдельных министерств институтам оборонным, сельскохозяйственным, медицинским и т. д. Приплюсуем сюда 49 000 000 на университеты и получим весьма солидную сумму. Неужели все эти деньги используются с полной отдачей?

Конечно, без лишних трат не поисследуешь, не все ведь опыты удаются. Но не больше ли здесь пустых трат, чем совершенно необходимо? Есть основания полагать, что это так, но причины отнюдь не те, о которых подумает непосвященный. Он подумает, что деньги идут на чудаковатых ученых, витающих в облаках и спускающихся на землю лишь для того, чтобы попросить еще на свои никому не ведомые открытия. Для непосвященных все это выглядит, как в кино: ученый, явившийся к чиновнику, сед и лохмат, шея его обмотана старым шарфом, а глаза за стеклами очков сверкают диким блеском.

— Рад вас видеть, профессор Мглоу, — говорит ему помощник заместителя министра. — Надеюсь, вы принесли отчет за 1956 год и список расходов за 1955-й?

— Н-не совсем, — отвечает ученый. — Я вам лучше сам расскажу, как идут дела. В прошлом году мы думали, что сделаем великое открытие, но как раз сегодня утром выяснилось, что в наши вычисления вкралась небольшая арифметическая ошибка. Понимаете, нс там поставили запятую в десятичной дроби... Ах, бедный Риск! Не повезло ему.

— А что, Риск очень расстроился?

— Да нет. Когда было расстраиваться? Конечно, он бы расстроился, если б остался жив и обнаружил ошибку. Большая потеря, большая... И лабораторию жаль.

— Она разрушена?

— Да, р-раз — и нету! Цел один шкаф под лестницей, где хранились метлы. Его пожарные спасли.

— О господи, да на нее же ушли миллионы! И наверное, у вашего Риска осталась вдова? Ей надо платить пенсию?

— Ну конечно, осталась. М-да, м-да, начнем строить заново. Это и к лучшему, тесновато нам было.

— Ужасные новости. Скажите, а что вы, собственно, собирались открыть? Если я пойму, конечно.

— Как, вы не знаете? Сначала мы думали изобрести новое горючее для ракет. Потом мы решили посмотреть, не подойдет ли оно для смывки масляных красок. Наконец, попробовали, не помогает ли оно от гриппа. Тут-то все и взорвалось. Прискорбно, прискорбно...

— А теперь, вероятно, вам снова нужны деньги. Сколько же?

— Вот об этом я и хотел с вами поговорить. Я не могу, конечно, представить исчерпывающую смету...

— Ну что вы, я понимаю!

— Но и скупиться не надо. Скупость всегда приводит к лишним расходам.

— В общем, вы хотите максимальную из возможных сумм?

— Именно! Дайте все, что можете.

— Что ж, постараюсь. До свиданья. Передайте мои соболезнования вдове.

— Спасибо, я всем вдовам передам. До свиданья. Надеюсь, в другой раз нам больше повезет. Делаем, что в наших силах... До свиданья! (Свалив на пути диктофон, ученый пытается выйти не в дверь, а в панель центрального отопления.)

Так представляет себе обыватель отношения науки и правительства; но ошибается. Денег уходит слишком много не потому, что контроля нет, а потому, что он есть в избытке. Чтобы понять вышеупомянутые отношения, перенесемся к самому их началу, во времена Карла II и сэра Исаака Ньютона. Именно этот король подал пример всем политикам, и лучше бы им следовать ему с большей точностью. Во-пер-

вых, он лично заинтересовался наукой и неплохо в ней разбирался. Королевское общество было королевским не только по названию; король активно участвовал в его работе, а принц Руперт — еще активнее. Некоторые проблемы особенно интересовали Карла — скажем, определение долготы в море. Но он не вынуждал ученых заниматься только этим и ничем иным. Будь же он нынешним государственным деятелем, он сказал бы своему ведущему ученому примерно следующее:

— Так вот, о долготе. Вам известно, доктор Ньютон, в чем здесь проблема. Наши военные корабли никогда не знают толком, где они находятся. Подойдут к Гаити, а думают, что подплыли к Нью-Йорку.

— Это значит, ваше величество, что они не умеют определять широту.

— Вот именно. А надо бы уметь. Мы ждем помощи от вас, ученых. Эта проблема — исключительной... исключительной... забыл слово! В общем, вы ее решите, а моряки больше не будут путать Испанию с Ирландией.

— И это, ваше величество, ошибка в широте.

— Вот именно. Широты у моих капитанов сколько хочешь, а долготы маловато. Вся надежда на вас.

— Я сделаю, что могу, ваше величество. Но есть и другие проблемы. Вот вчера я сидел в саду...

— Да, да, доктор Ньютон. Весьма любопытно. Значит, мы отпускаем изрядную сумму — на жалованье и лично вам, и всем остальным членам Королевского общества. А вы работайте над долготой, пока все не решите. Благодарить не надо, я делаю это ради страны. Однако позвольте мне первому поздравить вас с новым назначением.

— Для меня большая честь выполнить волю вашего величества, но, как я уже говорил, вчера мне на голову упало яблоко и я подумал...

— Сочувствую вам, сочувствую. К счастью, все мы носим

шляпы, так что, надеюсь, вас ушибло не слишком сильно. Ну что ж, не смею задерживать...

— Ваше величество, но это мое открытие — я назвал его законом тяготения — исключительной важности...

— Спасибо, доктор Ньютон. Вот оно, слово! И я хотел сказать, что проблема долготы — исключительной важности. Идите, трудитесь.

Аудиенция окончена, Ньютон выходит, а входят Клиффорд, Арлингтон, Бэкингем, Эгпли и Лодердейль.

— Прошу вас, господа. Простите, что заставил ждать. Эти ученые так многословны... Так вот, что касается ассигнований на флот...

Мы не станем следить дальше за заседанием Совета, только заметим мимоходом, что среди прочего там рассматривается просьба Сэмюеля Пипса дать ему двух помощников, без которых ему не справиться с адмиралтейскими делами. Суть воображаемой беседы Карла II с Ньютоном в том, что нынешние правители не знают, о чем говорят, но совершенно уверены в полнейшей необходимости одного лишь данного предмета исследования, и деньги дадут только на него. Карл же был совсем иным. Он хорошо разбирался в морском деле. Он давал ученым сравнительно мало денег, тратясь в основном на любовниц, которые так же неблагодарны, но зато гораздо красивее[1]. Он бы с восторгом выслушал историю о яблоке, вспомнил по ассоциации, как он спасся после битвы при Вустере, и снова в который раз об этом рассказал. Он понял бы закон Ньютона (и закон Паркинсона) задолго до того, как его министры соберутся с мыслями. Нынешний же правитель, встретившись с Ньюто-

[1] Его ганноверские преемники поступали примерно так же, но их меньше осуждали, и разговоров ходило меньше — то ли потому, что они были вигами, то ли потому, что их избранницы были не так привлекательны. — *Прим. автора.*

ном, знал бы меньше, говорил больше, а в итоге не сделал бы решительно ничего.

Не надо думать, что избранный на пост главы государства республиканец или демократ способен решить, какие следует делать открытия, а ученому останется только все разработать. Ни король, ни министр не могли повелеть Ньютону открыть закон всемирного тяготения, ибо они не знали, да и откуда им было знать, что где-то таится такой закон. Никакой чиновник министерства финансов не мог предложить Флемингу открыть пенициллин, и Резерфорду никто не предписывал расщепить атом, ибо ни один тогдашний политик, и даже ученый, не мог знать, что это значит и на что нужно. Открытия делаются не так. Они рождаются (или не рождаются) в результате долгих и самостоятельных поисков, и начинает ученый искать, когда внимание его привлечет не замеченное дотоле или увиденное заново. В наше время, если одна развитая страна отстает от другой в области науки, это, как правило, случается тогда, когда правительство само решает, что открывать ученым. Другими словами, когда слишком много денег тратится на конкретные проекты и слишком мало на науку как таковую. Чем больше средств отпускается на разработку уже сделанных и разрекламированных открытий, тем меньше остается на открытия еще не сделанные, которых заранее не предскажешь. Между тем для развития науки необходимо, чтобы теоретики получали на свои труды не меньше, чем практики, и сами выбирали предмет исследования.

Казалось бы, правительство, давая деньги, вправе решать, на что эти деньги пойдут. На самом деле с таким же правом больной может сказать доктору: «Раз я вам плачу, мне и виднее, чем я болен и как меня лечить». Среди прочего пациенту можно возразить, что деньги уйдут тогда впустую и ему незачем приглашать врача. Ученые в этом смысле оказываются в таком же положении. Они ничего не смогут от-

крыть, если непосвященные будут заранее решать, что именно должно быть открыто.

Не надо думать, что во всем виноваты только правители — на самом деле тут не последнюю роль играют общественное мнение и служба информации. Специальные брошюры и реклама, на которые идет немало денег, призваны показать широкой публике, как печется правительство о научном прогрессе. Из каждого соответствующего учреждения выкачивают нужную информацию, научным же организациям это чрезвычайно вредит. В «Логарифмической линейке» Невил Шут поведал нам о том, как конструкторов воздушного корабля Р-101 вынуждали обещать скорые успехи и сократить сроки работ. Технический эксперимент был использован в пропагандистских целях. И с самого начала можно было предсказать, что кончится это бедой.

Если бы люди погибли не зря, если бы из случившегося были сделаны нужные выводы! Но ошибка с тех пор повторялась не однажды. Космические корабли мы запускаем раньше времени в угоду политикам и публике. Радио и пресса толкают людей на верную смерть. А если даже никто и не погибнет, денежные потери будут огромны. Нелепость и несчастье в том, что к чисто научным проблемам относятся как к спортивным соревнованиям. Там, где все зависит от проверок и перепроверок, в игру внезапно вступает пустой, но почему-то ужасно важный фактор — престиж. Труд и саму жизнь снова и снова швыряют на ветер, а истинный успех откладывается на долгие годы по вине информационной службы, честно отрабатывающей свое жалованье. Если бы службы этой не было, мы сэкономили бы деньги и прямо — на жалованье, и косвенно — на многом другом. Нет никакой необходимости сообщать народу и миру о ходе научных работ. Часто не надо сообщать и о том, что они ничего не дали. Лучше уж похвастаться, когда придет успех.

Теперь все не так, что мы и представим в виде телефонного разговора.

— Доктор Скорби? Вас беспокоит Долби из информации. Не могли бы вы нам сказать примерно, когда ваш космический корабль (назовем его Р-100) будет окончательно готов?

— Ну что вы! Столько трудностей, столько еще не решено.

— Значит, по-вашему, ничего не вышло и работу придется свернуть или передать другому институту?

— Да нет. Все идет хорошо.

— Когда же вы начали работу?

— Министр поручил ее нам в апреле 1950 года.

— А какой был намечен срок?

— Так, лет десять.

— В общем, если срывов не будет, к 1960-му кончите?

— Заранее это знать нельзя. Мы ведь прикинули на глаз.

— Но если вы, скажем, не уложитесь в сроки лет на пять, вся работа пойдет прахом?

— Нет, что вы! Да мы и отстаем всего лишь года на три, если не меньше.

— Итак, можно ждать завершения в 1962 году?

— Надеюсь...

— Прекрасно, прекрасно. Могу ли я сообщить об этом в печати?

— Не слишком категорично...

— Ну, как бы в виде перспективы.

— Ладно, сообщайте, если вам понадобилось.

— Еще бы, это очень важно. Ведь деньги на все дает народ. Людям хочется знать, как их расходуют.

— Что ж, будь по-вашему. Пишите, что мы надеемся кончить в 62-м.

— В начале года?

— Откуда же мне знать? Нет, скорее к ноябрю.

Так из ученого выжимают срок. Он думает, что особой беды тут нет, но вскоре обнаруживает, что его смутные упования превратились в точную дату и вошли в календарь предстоящих событий. «Ну ладно, — говорит он своим коллегам, — в конце концов, это даже нужно — наметить какой-

то временной предел, а уложимся ли мы в него — дело другое». Они ему не верят, и сам он скоро догадывается, что дата, отлившаяся ныне в 15 ноября, ставит под удар всех его товарищей. К концу 1961-го выясняется, какой он подверг их опасности, но отступать уже поздно.

— Пятнадцатого ноября, — говорит чиновник информационной службы, — президент, по-видимому, будет присутствовать при запуске. С банкетом все устроено, а вот как быть с оркестром — не знаю. Не заглушит ли ваша ракета музыку? Да, и вот еще что: я достал вам место в пятом ряду, сбоку. Это было нелегко, а уж достать место для супруги вашей мне так и не удалось. Делал что мог, но — нет и нет. Надеюсь, она не обидится?

— Послушайте, Долби, никто вам *не обещал* кончить к 15 ноября! Корабль еще не готов.

— Прямо не знаю, доктор Скорби, шутите вы, что ли! Все устроено, все улажено. Вы представляете, что значит сорвать срок? Это же позор! А если русские запустят раньше? Об этом вы подумали?

— А вы подумали, что получится, если корабль поднимется на сотню футов и тут же упадет на трибуны?

— Однако вы пессимист!.. Захотите — сделаете. Мы так в вас верим... А если вы и впрямь опасаетесь, так у вас же место в пятом ряду! Хо-хо!

— Не нужно мне ваших мест! Мне теперь одно место осталось.

— Какое?

— В самом корабле. Чтоб вас всех черти взяли!..

Примерно так служба информации твердой рукой ведет ученых к беде и гибели.

В то время как на науку зря и не зря расходуется масса денег, почти ничего не идет на ту ее разновидность, которая при гораздо меньших затратах могла бы принести гораздо большие плоды. Речь идет о науке управления. Когда запускают космический корабль, оборудование будет самого выс-

шего сорта, ученые (надеемся) — крупнее некуда, а все устаревшее и ненужное сгруппируется на трибунах. Там, под тентами, среди растений в кадках, сидят лидеры партий, религиозные деятели, почтенные главы разных обществ и признанные пророки века. Они не имеют о деле никакого понятия. Они воплощают власть, начальство, все, что снискало уважение в нашей социальной системе, т. е. именно ту часть общества, которую мы по забывчивости оставили такой, как была.

С областью исследований тесно связана — особенно через университеты — область образования. Границы знаний могут раздвинуть только те, кто впитал знания, накопленные предшествующими поколениями. Новые же знания в свою очередь существенно меняют учебную программу. В сфере образования больше всего средств идет на оборудование классов, на жалованье учителям, на постройку школ, пробирки и мел. Между тем, как известно, люди получают знания главным образом от телевизора, радио, кино, из газет и книг, а чаще всего — друг от друга. Школа играет в обществе куда меньшую роль, чем думают учителя. Однако денег на нее идет много — так много, что об этом не вредно бы задуматься налогоплательщикам, тем более что почти все тратится впустую.

Обязаны мы этим в основном тому, что появилась особая мнимая наука со своим собственным жаргоном. Разница между ней и старой педагогикой в следующем: педагог берет сложный вопрос и старается сделать его ясным, а приверженец новой науки берет вопрос простой, который ему самому не ясен, и добивается того, что и никто другой ничего понять не может. Мы не будем касаться сейчас и здесь качества обучения и ценности преподносимых знаний; нам важно, что при новой системе уходит несравненно больше и времени и денег. Обучение, как и работа, может занять любое отпущенное на него время, и годы тратятся на то, чему раньше посвящали недели. Очень много денег идет теперь на здания и учебные пособия. Школы в наши дни строят почти цели-

ком из стекла, чтобы впустить побольше солнечного света, а потом приобретают пластиковые шторы, чтобы свет этот не мешал. Но и без этого мастерские (трудовые и художественные), кабинеты домоводства и кабинеты интерьера, кинозалы и телевизоры стоят гораздо больше, чем обычные классы с обычными досками.

Изучая расходы на все эти новшества, обнаруживаешь, что нынешняя педагогика была бы слишком накладной, даже если бы приносила пользу. Налогоплательщики должны оплачивать не только школы, но и педагогические институты и факультеты и множество научных лабораторий. Сюда надо добавить расходы на малолетних преступников, а также на полицию, исправительные колонии и тюрьмы. Словом, новую педагогику дешевой не назовешь. А самое убыточное то, что в школе насильно держат мальчиков, которые не хотят учиться и чье обучение поэтому никогда не окупится. Между тем они были бы много счастливей и благополучней, если бы им разрешили зарабатывать себе на жизнь. Подростки отчасти потому и ведут себя так плохо, что время их уходит впустую, тогда как им следовало бы работать.

Однако воспитательное рвение государства не ограничивается школой. Взрослого тоже преследуют поучениями и советами по любому важному (или не важному) для него поводу. Добраться до взрослых можно разными способами, и самый обычный из них — печать. На официальные издания в наши дни уходят совершенно немыслимые суммы. Официальная печать, очевидно, не может не публиковать подробных отчетов о том, что говорят, вернее, должны говорить во время дебатов избранные страной законодатели. Другое дело, следует ли, скажем, публиковать в «Ведомостях конгресса» все то, что там публикуется. Быть может, и впрямь стоило бы печатать дважды в год прощальное послание Джорджа Вашингтона, если бы сенаторы и конгрессмены прислушивались к его предостережениям, особенно к словам о том, что «...долги растут, и мы должны не только избегать расто-

чительства, но и всеми силами избавляться в дни мира от долгов, сделанных в дни неизбежных войн, чтобы не перекладывать на плечи будущих поколений бремя, которое выпало нам самим».

Однако вряд ли имеет смысл твердить эти слова конгрессу, который за последние 27 лет свел доходы с расходами всего пять раз, причем сумма государственного долга достигла за эти годы 283 миллиардов долларов. Никто ничего не делает, штаты разбухают, а деньги налогоплательщиков, как справедливо заметил Рассел Р. Смит, «взимаются в нарушение конституции и уходят на иностранную помощь и затыкание политических прорех». Если слова Вашингтона хотя бы стоят того, чтобы о них читали, то почти все остальное в «Ведомостях» читать совершенно не стоит — например, такие последние новости, как взволнованное сообщение о том, что самая большая гранитная глыба в мире — Каменная гора, расположенная в 16 милях к востоку от Атланты. Не совсем ясно также, зачем Палата представителей включает в Приложение «Прогулки по Ирландии» какого-то жителя Массачусетса, поэму «Мятежные музы», принадлежащую перу одного из избирателей м-ра Хейла Богза, и даже «Дань любви американским индейцам» покойного м-ра Райли Томпсона из Миннесоты. Быть может, есть какие-то основания печатать повесть «Глубокие следы» Чарльза Шрусбери, певца ковбоев из Буффало, но к чему тут описание международных Блинных гонок в Канзасе? Если какому-нибудь конгрессмену вздумается поместить в приложении «Оду заливному угрю», созданную одним из его избирателей, Палата представителей, пожалуй, примет и это. Недалеко то время, когда она не заметит, что кто-то в продолжение своей речи печатает телефонную книгу.

Но отчетами о дебатах официальная печать далеко не ограничивается, и поначалу неясно, почему же это так. Однако все становится на место, когда узнаешь, что многие государственные служащие смолоду мечтали о писательстве. Они

представляли, как станут драматургами, поэтами, прозаиками, а пока что с неохотой поступали на службу. Поэтому они так рады напечататься за государственный счет. Правда, труды их большей частью анонимны, но они, видимо, надеются, что авторство их выплывет наружу и они хоть отчасти испытают то, что испытывает драматург, чье имя стоит на афишах Бродвея. «Смотрите-ка! — слышится им. — Вот идет автор «Кокцидиоза кур»!» Или: «Вон тот написал «Применение нитрилэбонита в многослойных сооружениях»!» — «Быть не может!» — воскликнет собеседник, которому открылась наконец тайна их мастерства.

Написать брошюру «Вредители луковичных растений» — это не то же самое, что создать сонет о нарциссах. Заглавие «Диметилциклогексилфталат и метилциклонексанилфталат» — недурно для скороговорок, но все же это не то, что новое, комментированное издание Аристофана. Автор справочника «Как обнаружить брак» не вправе претендовать на место в ряду писателей, исследовавших тайны любви. Но и у писателей-чиновников есть свои радости, о чем свидетельствует заглавие «Дефективные школы», шедевр двусмысленности. К тому же существуют и брошюры-бестселлеры. Кого не соблазнит, например, такой притягательный опус, как «Вершины графов», или такое загадочное название, как «Фабрикация духов»? Есть и работы, вызывающие нездоровое волнение. Так, книжка для корректоров «Учитесь править твердой рукой» вызвала протест в демократических слоях населения, а увидев брошюру «Образцовая почта», все бросились эту почту искать.

В общем, писательский зуд чиновников понять нетрудно. Удивляет другое: уж очень много они пишут. В английском справочнике «Государственные публикации, 1957» на первый взгляд 431 страница, не считая указателя. При ближайшем рассмотрении обнаруживается, что том этот почему-то начинается со страницы 213. Однако на некоторых страницах около пятидесяти названий, и, даже если их в среднем по

двадцать три, всего получится пять тысяч публикаций за один год. Обслуживает все это 7000 человек, а бумаги уходит 50 000 тонн. Континенты лишаются лесов, машины выходят из строя, бумажники трудятся день и ночь, чтобы вышли в свет эти кипы книг. Обычное частное издательство публикует список своих книг дважды в год, весной и осенью, а ведомство печати — каждый день, и, кроме того, каталог каждый месяц. Из 76 400 000 фунтов, отпущенных на «общественные нужды» в 1958—1959 гг., ведомству этому досталась весьма солидная доля.

Конечно, многие публикации окупаются. Когда на американском книжном рынке появился труд «Как бороться с долгоносиком», книголюбы с ног сбились, чтобы достать первое издание. Но другие книги и брошюры скучны и многословны, а часто и бесполезны. Почему-то принято даже на титульном листе повторять на все лады одно и то же. Например:

КАК ДЕЛАТЬ И ХРАНИТЬ ЯБЛОЧНЫЙ СИДР

Яблочный сидр древен, как сами яблони.
В брошюре рассказывается о том, как делать его и хранить.

Или:

РАЗВИТИЕ ОБРАБАТЫВАЮЩЕЙ ПРОМЫШЛЕННОСТИ (1947—1956)

Книга повествует о том, как развивалась обрабатывающая промышленность США с 1947 по 1956 год.

Казалось бы, первых слов достаточно; но такое мнение явно считается несерьезным. Заглавие надо объяснить. Ведь никто не догадается, что книга «Развитие обрабатывающей промышленности» повествует о развитии обрабатывающей промышленности, а брошюрка «Как делать и хранить сидр» рассказывает нам о том, как делать и хранить сидр. Этот последний пример иллюстрирует еще одну тенденцию. Здесь

не только повторили очевидное, но при этом внесли неясность. «Сидр древен, как сами яблони». Ну и что? Когда мы делаем сидр и вокруг нас громоздятся кучи яблок и стоят чаны, поможет ли нам это напоминание? Нам не до того; да и верно ли это? Что такое «сидр»? В США так называют обычный яблочный сок. В Англии и во Франции сок — это сок, а сидр — это сок перебродивший, от которого человек непривычный свалится в канаву и пролежит там до вечера. Быть может, сидр хмельной действительно стар, как сами яблони, но это трудно доказать. Еще труднее установить, пил ли кто-нибудь до 1900 года сидр американский. Всех этих сомнений могло не быть, если бы автор удержался от двух лишних строк на титульном листе.

В Америке выходит к тому же масса книг о социальных обследованиях. Кажется, больше всего обследователей собралось в министерстве земледелия. Судя по книжной продукции, глава этого министерства живет насыщенной жизнью. В любую минуту к нему может ворваться обследователь и, переводя дух, поделиться новостями.

— Представляете, шеф? — воскликнет он. — Мы кончили отчет № 13 из серии «Домашнее потребление». В нем 130 страниц.

— Здорово! — отвечает шеф. — И что же выяснилось?

— Не волнуйтесь, сейчас скажу. Как вы знаете, речь идет о домашних пирогах. Так вот, слушайте:

«При тех же доходах в больших семьях пекут чаще, чем в маленьких».

— Да неужели! А сколько ушло на обследование?

— Всего 122 тысячи. И еще мы три года обрабатывали данные, на это ушло столько же. Ну, потом бумага, типография... В общем, дешевле грибов.

— Молодцы, большое дело сделали! Соедините меня с Белым домом! Сообщу президенту...

Не успеет он повесить трубку, как вбежит еще один с отчетом о курении (212 стр.).

— Не поверите, шеф! Мы были правы. Возраст и доходы действительно влияют на количество выкуриваемого табака. Теперь мы это в силах доказать.

— Быть не может!!!

— Еще как может! Вот, взгляните. Здесь — статистические данные. Мы тщательно исследовали соотношение количества выкуриваемых сигарет и доходов. Конечно, небольшие ошибки неизбежны...

— Взгляну, взгляну. А что вы, собственно, доказали?

— Мы доказали, что семейные требования к мужчинам от 25 до 54 лет выше.

— Простите?

— Они меньше курят.

— А, ясно! У них не хватает денег на сигары?

— Вот именно. Они тратятся на пеленки, игрушки и конфеты.

— Да, тут не всякий додумается. Молодцы, ребята! Я о вас не забуду!

Не успеет министр это пообещать, как в дверях сталкиваются два статистика. Пожилой женщине удается пройти первой.

— Вот, сэр, я вам принесла отчет об одежде девочек-подростков. 126 страниц. Смотрите, какая получилась красивая брошюра! Правда?

— Чепуха! — говорит другой статистик, помоложе. — Вот у меня — «Как относятся к своей работе в магазинах самообслуживания». Куда вам до этого!

— Какая наглость! — возмущается дама. — Нет, сэр, вы посмотрите. Мы опросили тысячи девиц. Вам и в голову не придет, о чем мы их спрашивали!

Шефу становится не по себе.

— Да нам бы, лучше не слишком... — бормочет он.

— Вы послушайте, — перебивает обследовательница. — Мы спрашивали, сами они покупают платья или ходят в магазин с мамой.

— Это мысль! И что же они ответили?

— Одни ходят с мамой, другие — одни.

— Замечательно!

— И это еще не все! Иногда они спорят, что купить, и приходят к промежуточному решению.

— Правда? Рад слышать. Очень благоразумно. Ну а что там у вас насчет самообслуживания?

— Мы пытались узнать, что думают работники о директоре.

— Как же это можно узнать?

— Мы их спрашивали.

— Великолепно. И что же они ответили?

— Одни относятся к нему хорошо, другие — плохо, третьи — никак.

— Поразительно!

— Но это еще не все. Мы обнаружили, что можно продавать за смену больше товаров, не вызывая у служащих недовольства.

— Рад слышать. А теперь, дорогие друзья, я прочитаю ваши отчеты спокойно и внимательно. Министерство гордится вами!

Да, жизнь у министра земледелия бывает уж слишком насыщенна. Не всякий ее долго выдержит.

Большая часть брошюр о пирогах, о сидре, об анаплазмозе скота предназначена для продажи и в конце концов распродается. Но есть огромное количество изданий, которые не имеют спроса. Самые удивительные из них заманивают людей в армию. Чтобы оценить эту литературу, рассмотрим ее в исторической перспективе. И в прежние времена приходилось порой вывешивать подобные призывы. Как правило, их содержание говорило о знании человеческой души. Приведем выдуманный, но типичный пример:

ВОСЬМОЙ ДРАГУНСКИЙ ПОЛК
(собственный его светлости герцога Чеддерского)

под командованием отважного подполковника лорда Черти примет ловких и смелых молодых людей. Полк будет направлен за границу в распоряжение генерала маркиза Букли. Кони в полку — арабские, форма — малиновая, портупеи — из лучшей кожи. За хорошую службу выдаются денежные поощрения. Сбор в таверне «Королевская голова» на Хай-стрит, где всем поступившим в полк будет предоставлена возможность выпить за здоровье Его Величества.

Примечание: Чтобы не утомлять лошадей, охота разрешается всего два раза в неделю.

Подпись: полковой адъютант капитан Корки.

Боже, храни короля!

Мы можем предположить, что 8-й драгунский полк был разбит и на четверть поредел. Мы можем думать, что лорду Черти года семьдесят три и полк пошлют без него в какой-нибудь захолустный гарнизон. Мы можем решить, наконец, что форма никуда не годится, а кони больны сапом. Но бумага, ничего не скажешь, составлена умно. Добровольцу предлагают выпивку и друзей, красивый мундир, хорошего коня; он надеется увидеть свет и попытать счастья, а позже, быть может, пасть смертью храбрых. Почему привлекает все это? Капитан Корки (которого мы представим себе хилым, хитрым и немолодым) знает, что делает. Прежде всего он понимает, что потенциальный доброволец должен страдать от одной (или нескольких) из следующих причин: его порет отец, не понимают домашние, заели долги, одна девушка отвергла его, другая ждет от него ребенка. Он хочет сбежать от бед, и еще он хочет, чтобы все потом его оценили и раскаялись. Девица 1-я увидит, как он хорош в малиновой форме, и будет долго оплакивать его гибель. Родители, получив от него немало денег, поймут, как он благороден. Кредиторы не смогут его преследовать, как и девица 2-я. Мечтая обо всем этом, наш доброволец — назовем его Томом — идет в

армию и понимает свою ошибку на следующее утро, в час побудки. Из такого человека выйдет хороший солдат.

Не меньшее знание людей выказывали и те, кто пытался привлечь юношей во флот, как мы увидим из такого примера:

КОРАБЛЬ КОРОЛЕВСКОГО ФЛОТА «АЛЛИГАТОР»,

тридцатидвухпушечный фрегат под командой капитана Чарки охотно примет несколько опытных моряков, а также сильных и смелых людей, еще не бывавших в море. Участники последнего плавания получили крупные суммы. Корабль войдет в состав эскадры, которой командует контр-адмирал Кильки. На морской службе заслуг не забывают. Сбор в таверне «Адмирал Блуд», спросить лейтенанта Байки.

Здесь тоже все ясно, и не исключено, что кое-кто откликнется!

На этом фоне хорошо видно, как отстали от капитана Корки и лейтенанта Байки нынешние вербовщики. Изучим их продукцию, скажем, в Америке. Акценты там совсем иные. Пленяют уже не романтикой и славой, не блеском мундира или полковой честью, а прежде всего обеспеченностью и безопасностью.

Лучшие издания этого рода предназначены не для потенциальных добровольцев. Окончившие школу молодые люди безграмотны, о чем свидетельствует их аттестат. Таким образом, эта литература рассчитана не на них, а на тех, кто с ними беседует. Тем не менее подобные брошюры со множеством иллюстраций, изображающих радости армейской жизни и тяготы гражданской, широко издаются, и обходится это недешево. А теперь представим себе нынешнего потенциального добровольца. Предположим, что это — Сид О'Курки, унылое, длинноволосое, зашедшее в тупик существо восемнадцати лет с баками на щеках, резинкой во рту и сигаретой, свисающей с нижней губы. В школе он вожак стайки хулиганов, считает себя героем, а на деле — большой

трус, мечтающий о жестоких подвигах, которые никогда не решится совершить. Словом, это естественный плод нашей нынешней педагогики. Изучал он политическую экономию, политику, социологию, сексологию, основы бизнеса и проблемы американской демократии, то есть не знает ровным счетом ничего. В минуту истерической жалости к себе он решает пойти в армию, и, вполне возможно, год шагистики что-то сделал бы из него, изменил хотя бы внешне.

Почему его тянет в армию? По тем же самым причинам, по которым молодого человека прежних времен тянуло в драгунский полк. Времена, правда, изменились, и у Сида, по всей вероятности, не одна причина, а полный их набор. Старший воспитатель изводит его дружескими укорами, мать назвала его хамом, Сюзи перекинулась к Эду, кока-колу ему больше в долг не отпускают, пока он не заплатит хоть за прошлую неделю, а Сэди говорит, что беременна от него. На самом деле она просто объелась банановым мороженым, но Сид ей поверил и решил, что самое время податься, скажем, в Корею. Но последний удар ему нанес старший воспитатель. Обсуждая с Сидом последний его проступок (Сид швырял бутылки в витрину школьной парикмахерской), он сказал: «Зря ты нас сторонишься, Сид, зря избегаешь. Нам кажется, в тебе есть какая-то сосредоточенность на себе... даже, ты уж меня прости, какая-то некоммуникабельность. А ведь все мы хотели бы тебе помочь. Мы твои друзья и для тебя же стараемся. А пока, боюсь, некоторые сочтут тебя маменькиным сынком...» Его! Самого гангстера Сида! Какое оскорбление! Маменькин сынок, как бы не так... Заливаясь слезами, Сид идет прямо на призывной пункт, зачеркнув прошлое и стремясь к героической смерти.

Будущее проходит перед ним, четкое и яркое, как в цветном кино. Последние солдаты последней роты сидят в укрытии. Снаружи бьют минометы, гремят пулеметные очереди. «Подождите, ребята, — говорит Сид, — я им сейчас покажу! Что мне мины!» Все стараются его удержать. «Не губи себя,

Сид!» — молит сержант (Берт Ланкастер). «Как же мы без тебя?» — вопрошает лейтенант (Кирк Дуглас). «Нет, нет, нет! — голосит медсестра (Брижит Бардо). — И я с тобой!»

У Сида хватает времени только на один поцелуй — в десять минут длиною, — а потом он вырывается из ее объятий, поясняя: «Дорогая, есть вещи поважнее нас с тобой». Он поправляет каску, проводит рукой по автомату, бросает: «Береги ее, сержант. Пока, ребята. Я пошел» — и выходит из укрытия. Пятьсот солдат противника падают как подкошенные, но их еще тысячи. Тут он швыряет первую гранату. Батарея замолкает, но танки почему-то идут, как шли. Тогда он дает еще тысячу метких очередей по разным целям, и вот он уже у вражеского миномета. Обслуживают его двенадцать человек, из которых пять он убивает, двоих душит голыми руками, а четырех оглушает ударом по голове. Двенадцатый предательски всаживает ему в спину перочинный нож. Чувствуя беду, медсестра вырывается от сержанта и бежит туда, где умирает ее Сид. Вражеский пулемет из какого-то танка стреляет, негодяй, по красному кресту. Точно нацеленные пули срывают с медсестры одежду, и она в полуголом виде падает в объятия героя. Взрыв засыпает их землей, и вслед за этим на экране возникают два стоящих рядом креста. Сцена резко меняется — генерал (Фредерик Марч), сообщив родителям Сида о его смерти, медленно бредет по саду и подходит к воротам. На противоположном тротуаре сидит воспитатель, закрыв руками лицо. Но генерал глядит мимо него на пламенный закат и медленно произносит: «Откуда берутся такие люди?» (*Пауза.*) «Нет, где же они берутся?» (*Затемнение.*)

Вот что разыгрывается в воспаленном воображении Сида, когда он входит на призывной пункт. Старший воспитатель (только в форме) поправляет двойные очки, говорит с улыбкой: «Будьте как дома», угощает Сида пепси-колой и приглашает сесть в кресло.

— Значит, хотите вступить в армию? — спрашивает он. — Прекрасная мысль. Разрешите называть вас просто Сидом?

Так, хорошо. — Перебирая брошюры, о которых мы говорили выше, умудренный опытом сержант ласково продолжает: — Почему эта мысль прекрасная? А вот почему. Платят у нас хорошо и точно — как в аптеке. Но это не все! В армии ты получаешь *бесплатно* одежду и питание, жилье, медицинскую помощь и юридический совет. Спокойная жизнь — вот что такое армия! Ну а какой же род войск тебя привлекает?

— Пехота, — отвечает Сид, еще умирающий, как герой, среди страшных взрывов. Сержант неприятно поражен.

— С чего ты это вздумал? — спрашивает он. — Нет, сынок, я тебе вот что посоветую. Лучше иметь дело с техникой. В наше время пехота устарела. А там и специальность получишь, и подзаработаешь.

— Ладно, — говорит Сид, глядя смерти в глаза. — Пойду в десантники.

— Ну что ты! — почти плачет сержант. — В твои-то годы! Зачем тебе идти в десантники, когда можно стать телетайпистом, шофером или поваром и жить спокойно? У тебя ведь когда-нибудь будет семья.

— Семья? — угрюмо переспрашивает Сид.

— Конечно. Представь, что ты женишься на хорошей девушке. Назовем ее Сэди.

— Сэди?

— Да, Сэди. Она тебе родит малыша. А то и двух, близнецов.

— Близнецов?

— Или тройню. Тогда тебе придется подумать о будущем. А мы тебе поможем построить домик. Дадим тебе ссуду в 17 000 из пяти процентов с рассрочкой на двадцать пять лет. И пенсию дадим хорошую. Причем, заметь, у военного в отставке много привилегий. Ты сможешь покупать вещи со скидкой и заправлять машину на наших колонках. Ты сможешь, то есть Сэди сможет ходить в наш косметический салон. В армии твоя жизнь в полной безопасности, надо только правильно выбрать, куда пойти. Тут я тебе подскажу. Я бы

не каждому стал советовать, но ты мне по душе. Строго между нами, иди на курсы службы информации или по финансовой линии. На гражданке ты себя так не обеспечишь.

— Да я думал поехать за границу...

— И поедешь! Это как раз на Гавайях. Ах, хорошо там, на Гавайях! Сможешь учиться и заочно, и прямо на месте. И при всем том ты на курорте — пляжи, бассейны, кока-колу подают прямо в шезлонг...

— Да я не такой старый...

— А состаришься, у тебя будет домик, хозяйство, машина, телевизор. Сядешь так это рядом с Сэди...

— Сюзи!

— Я для примера. Пускай будет Сюзи. Так вот, лежишь ты в гамаке, а Сюзи читает внукам книжку... Черт, в чем дело? Куда он подевался?

Сид сбежал, снова рыдая от позора, и армия, видимо, только выиграла. Это верно, но вот город, где живет Сид, явно проиграл. А все потому, что наш сержант начитался книжек, напечатанных на глянцевой бумаге, с цветными иллюстрациями. Без них он бы справился с задачей лучше.

Теперь нам ясно, чем плоха эта литература. Молодые люди, стремящиеся к спокойной жизни (а их, как ни странно, много), в армию не пойдут. Жить спокойно можно и без нее. Да если бы они и шли, что бы это была за армия? Те же гражданские в форме — парикмахеры, чиновники, санитары, педикюрщики, повара, телефонисты. Когда протрубит труба, штыков у нас не окажется. В наши дни генералу Кастеру пришлось бы уповать, как это ни безнадежно, только на грохот пишущих машинок.

Быть может, вы надеетесь, что все это кончится само собой за недостатком бумаги. Но у нас в Англии Вторая мировая война показала, что кто-кто, а печатники сделают невозможное из чистого патриотизма. Кипа циркуляров, изданных между 1939 и 1945 годами, поражает своей тяжестью. Многие из этих инструкций объясняют жителям, как приме-

нять бесполезные средства защиты от несуществующих опасностей. А до 1939 года уйма бумаги уходила на книги о подготовке к войне, но писали в них тоже совсем не то, что нужно. Нехватка бумаги заставляет учреждения использовать по нескольку раз один и тот же конверт, но ничто не заставит их сократить выпуск циркуляров, инструкций и руководств.

Некоторые возразят, что типографские расходы и бумага поглощают сравнительно малую часть государственных денег. Это верно. Но надо учесть и время. Самые поверхностные исследования показывают, что все это дороже, чем кажется, ибо поглощает уйму времени — и у пишущего, и у читающего. Ведь время нужно даже на то, чтобы вскрыть конверт, просмотреть письмо и выбросить его в корзину. Книгу пишут много дольше, и мы вправе спросить, нужно ли вообще держать для этого людей, да еще с помощниками. Во всяком случае, мы в виде опыта посоветуем каждому министерству сократить число своих изданий ровно наполовину по сравнению с прошлым годом. Если от этого станет лучше, опыт можно повторить и продолжать его до тех пор, пока мощный поток писанины не превратится в тонкую струйку, а там и в капель, похожую на затихающий стук машинки.

КАК ИЗБЕЖАТЬ ОТКАЗА

Многие полагают, что государственные учреждения внутри себя, своими силами, борются с расточительством, а специалисты и присущая учреждениям инерция им в этом помогают. Однако расточителеведы установили, что все попытки сэкономить что-то своими силами неизменно приводят к лишним расходам. Особенно это характерно для военного министерства (см. главу «Военные расходы»), но часто

наблюдается и в других государственных учреждениях. Начнем с того, что борцы с расходами сами склонны к размножению, к тому же и консультанты-экономисты (как и юристы, врачи или архитекторы) обходятся недешево. Быть может, они это искупают, препятствуя другим тратам? Ведь они так ревностно следят за покупкой марок и копирки, урезывают командировочные и не дают покоя тем, кому невзначай заплатили лишнее. Но вся эта возня не возмещает и собственной их стоимости. Они не выгадывают для государства ничего.

Нет, мало сказать, что они ничего не выгадывают. Они добиваются того, что экономить становится вообще невозможно. Всякий начальник отдела знает, что, если он не использует отпущенных денег, на следующий год ему дадут меньше. Он знает также, что сэкономленную сумму перечислят отделу, который израсходовал больше положенного, а начальника отдела повысят в должности, так как ответственность его возрастет. Таким образом, надо каждый год немного перетрачивать, чтобы не обидеть подчиненных, не говоря уже о себе самом. Принцип этот работает на всех уровнях служебной деятельности, до директора начальной школы, старающегося истратить все подчистую на «дополнительное оборудование», и еще ниже, до солдата, который топит вовсю и без того душную казарму, чтобы на следующей неделе не урезали угля. Такая система экономии только множит расходы.

Как мы видели, министерство финансов пытается бороться с расточительностью, однако это ему никак не удается. Служащие там всегда бдительны, но рамки их деятельности тесны. Возьмем, к примеру, некое воображаемое министерство межведомственной координации, созданное Рамзеем Макдональдом как непременный атрибут процветающего государства и слившееся впоследствии с министерством мертворожденных планов. Недавно оно переехало в новое здание неподалеку от Скотленд-Ярда, но некоторые его от-

делы находятся в разных концах города, а 7000 служащих скоро переберутся из Лондона в Челтнем и Бат. Представители министерства финансов время от времени ужасаются, как им и положено, неуклонному росту расходов в этом министерстве. Главный хозяйственник борется за каждую тысячу квадратных футов площади. Заместитель министра по делам координации борется за каждую новую стенографистку. Но министерство финансов не пытается разобраться, должно ли вообще существовать министерство координации, хотя разобраться прежде всего надо бы в этом и отрицательный ответ снял бы и вопрос о расходах. Раз у министерства есть бюджет, никто не спросит, быть этому министерству или не быть. Оно тратит, следовательно, существует.

При таком положении дел читатель может не понять, отчего так растут штаты. Возможно, он в свое время ходил в какое-нибудь учреждение с заявкой, запросом или жалобой и на должной ступени знакомства с бюрократией встретился с поразительной твердолобостью. Вспоминая о ней, он, должно быть, удивляется, как же это государственные учреждения так разрослись и вздорожали. Казалось бы, непрошибаемость, с которой столкнулся наш проситель-налогоплательщик, должна была этому помешать. Чиновники, с такой горячностью говорившие ему «нет», наверное, говорят «нет» и друг другу. Автоматическое сопротивление всякой перемене само по себе не дает увеличиваться расходам. Не спорим, эти доводы логичны, но, поразмыслив немного, читатель поймет, что ошибочны предпосылки. Проблема не так проста, как он было подумал. Начнем с того, что не все чиновники любят чинить препятствия. Среди них есть и весьма покладистые. Вспомним также, что сопротивление всему новому означает и сопротивление всем попыткам сэкономить. Сейчас мы покажем, что бывает с обычным, средним просителем, а потом попробуем увязать это с разбуханием административных штатов. Продравшись сквозь толщу ненужных сведений, при помощи которых автор хотел бы

поразить его своей образованностью, читатель увидит, что его собственный опыт общения с чиновниками (если взглянуть на него со стороны) не противоречит статистическим данным, сообщающим нам о разбухании штатов.

Пытаясь осветить проблему, мы учитываем работу прежних исследователей. Отдавая дань своим предшественникам, нужно назвать их основательными и даже блестящими, а потом доказать на деле, что вы во всех отношениях лучше их. Такой метод открыл во время Первой мировой войны один офицер, который, представляя к награде своего ординарца, сказал просто, что тот «был рядом с ним все сражение». Именно в этих целях мы обращаемся к эпохальным открытиям проф. П. Г. Вудхауза и честно признаемся, что многими основными положениями в области администрирования мы обязаны ему. Теперь, когда они стали неотъемлемой частью современной мысли, не все знают их творца. Никто уже не помнит времен, когда Кивателя еще путали с Одобрителем, но немногие отдают должное ученому, впервые заметившему, в чем разница между ними. Однако те, кто не забыл блестящего доклада Вудхауза, прочитанного в Королевском обществе в 1929 году, сожалеют, что он не обратил внимания на противоположные подвиды — Отказчика и Головокачателя. Парадокс (вот наконец и он) в том, что человек непосвященный, обивавший пороги учреждений и читающий ныне эту книгу, знает только эти подвиды, тогда как основатель научной классификации, глядя в микроскоп, обнаружил лишь Одобрителей и Кивателей. Быть может, нескромно вводить понятия, которых не заметил сам великий Вудхауз, но все же классификация нуждается в дальнейшей, пусть и не окончательной, разработке.

Установив связь между автором и тем, кто считался до сих пор первейшим авторитетом по изучаемому вопросу, мы на следующей стадии разделаемся с противником примерно нашего масштаба. Называть мы его не станем, чтобы не придать его трудам излишнего значения, и будем ссылаться на

него лишь косвенно, что вы и увидите из нижеследующих фраз. Некоторые (начинаем мы как будто между прочим) тщатся доказать, что административные учреждения можно расчленить по вертикали на две части. В одной из этих частей движутся сверху к основанию пирамиды инструкции и приказы. В другой поднимаются наверх проекты и заявки. Деление это редко совпадает с тем, которое отражено в документах, но, как гласит некая теория, распоряжения идут сверху вниз так: Главный — Знайка — Одобрители (старший и младший) — Киватели. Снизу же вверх, согласно той же нелепой теории, предложения идут так: Головокачатели — Отказчики (младший и старший) — Незнайка — Главный. Однако против этой теории (которую мы изложили только для того, чтобы с ней покончить) есть два немаловажных возражения. Во-первых, ни наш, ни читательский опыт ее не подтверждает. Во-вторых, остается неясным, как хотя бы одна идея доходит до Главного. Многие вполне уважаемые лица признают, что та часть учреждения, где рассматриваются проекты и заявки, не всегда все отвергает. Дело в том, что противоположные подвиды чередуются. Мы видим, что Гнусный Отказчик сменяется Милым Одобрителем. Мы замечаем (что не всем дано!), как Киватели и Головокачатели послойно сменяют друг друга. Для человека со стороны, поставщика идеи, все это выглядит как чередующиеся слои надежды и отчаяния. Представим это в виде небольшой сценки.

Вообразите для начала, что проситель, дрожа мелкой дрожью, топчется на пороге некоего ведомства или министерства. Под мышкой у него (слева) — заявка, проект, чертеж или изобретение. Наконец его впускают в кабинет, где сидит м-р Милл И. Добр в твидовом костюме и в нарядном галстуке.

— Заходите, мистер Скисли! Присаживайтесь. Курите? Простите, сейчас принесут ваше дело. Валери, если вам не трудно, принесите папку «Проект Скисли». Вчера она была у меня... А, вот она! Спасибо, Моника. Какая вы нарядная!

Идете с кем-нибудь завтракать? Ну ладно, до трех вы свободны. Так. Вот, значит, папка. Я изучил ваш проект вдоль и поперек, и возразить мне нечего. Красота, а не проект. Особенно удачно вы обошли главную техническую сложность. Четко, чисто... Словом, я всячески «за».

— Значит, можно приступать к работе? — спрашивает Скисли, не веря своим ушам.

— Конечно, конечно!

— Прямо сейчас?

— Да. То есть почти что сейчас. Как только подпишет начальство. Сами понимаете, проформа.

— А вы решить не можете?

— Н-нет, не совсем... Но я все объясню моему непосредственному начальнику. Вот он все и решает.

— Спасибо вам большое!

— Ну что вы, не за что! Для чего мы тут сидим? Чтобы вам служить. Мы не бюрократы какие-нибудь. Всегда рады помочь, такая уж у нас работа... Я написал, что всячески за ваш проект. Теперь подпишем... Так. Валери, не в службу, а в дружбу — отыщите-ка мне красный штампик «Срочно». Молодец! Ну, ваше дело отправится прямо наверх. Вы приходите завтра, в это же время. А послезавтра уже сможете начать работу. Идите прямо ко мне, а если что не так — звоните по внутреннему, 374. Рад был познакомиться. До завтра. Желаю удачи. Вам больше беспокоиться не о чем.

Назавтра Скисли узнает, что начальник м-ра Добра примет его в 12.30. Просидев в приемной до 13.45, он входит наконец в небольшой и голый кабинет, где сидит м-р Строг в глубоком трауре и очках без оправы. Глаза у него бегают.

— Да, мистер Скисли, просмотрел я тут вашу заявочку...

— Надеюсь, в моей памятной записке все понятно. Если надо что-нибудь объяснить, я с удовольствием...

— Нет, не нужно. Все у вас изложено ясно. Беда в том... Мисс Скрепки, прикройте, пожалуйста, окно, дует что-то... О чем бишь я? Ах, да! Беда в том, что ваши предложения не-

выполнимы, неприемлемы, а возможно, и противозаконны. В общем, на мой взгляд, и речи быть не может...

— Почему?

— Никакой речи. Казалось бы, даже Добр мог бы это понять! Ну, хотя бы по финансовым соображениям...

— Да ведь...

— Повторяю: не может быть и речи. Возражений — масса, одно другого серьезней... мисс Скрепки, заткните щели бумагой, все еще дует. Нет, мистер Сникли, ничего сделать нельзя.

— А вы не спутали папку? Я, собственно, Скисли.

— Вы что, думаете, я стану решать такое дело, не проштудировав соответствующих материалов?

— Так ведь фамилия не та!

— Значит, по-вашему, мы все тут работаем безответственно, кое-как, спустя рукава?

— Я ничего подобного не говорил...

— Нет, говорили.

— Вы настроены против меня, поэтому вам следует передать мою заявку выше по начальству.

— Именно это я и собираюсь сделать. Без сомнения, оттуда она пойдет прямо к прокурору. А пока что прошу очистить помещение, иначе я вызову полицию. Без рук, пожалуйста! Я вам отказал и мнения не переменю, сколько бы вы ни ругались. Всего хорошего.

Через десять дней Скисли ерзает перед заместителем начальника отдела и думает, чего ему ждать на сей раз. Однако волнуется он зря: м-р Благ приветлив и приятен.

— Тут у меня докладная Строга, но мы с вами не будем к ней слишком серьезно относиться. Наверное, вы у него были незадолго до перерыва. Прекрасный работник, да, но к середине дня устает, что ли... У меня лично возражений нет. В принципе принять ваш проект можно. Ах, если бы я был вправе сделать это сам! Но Строг тут столько понаписал, что

145

придется передать его начальнику отдела. Я со своей стороны порекомендую ему одобрить ваш проект и отнестись к нему с особым вниманием.

Через неделю м-р Скисли доверчиво явится к начальнику отдела и увидит высокого, худого, измученного человека, уныло глядящего в страшное будущее. Это и есть сам м-р Стоп. Минуты две оба молчат, потом м-р Стоп говорит со вздохом: «Нет». Еще через минуту он невнятно выговаривает: «Невыполнимо». Наконец он спрашивает:

— Вы подумали о том, какие тут встают трудности? Финансовые? Политические? Экономические? Какую это вызовет реакцию за границей? Как отреагирует ООН? Сожалею, мистер Скисли, выхода у меня нет. Ваша заявка абсолютно нереальна.

М-р Стоп передает заявку еще выше. Нам нет необходимости следить за ее движением до логического конца. И так ясно, что Милые Одобрители строго чередуются с Гнусными Отказчиками. Следовательно, окончательное решение зависит от того, сколько слоев пройдет дело, или, точнее, от того, к какому виду относится инстанция, которая решит его судьбу.

Изучение этой закономерности позволяет нам вывести некоторые правила, которых следует придерживаться просителю. Конечно, первое правило — «не отступай». Тому, кто уйдет навсегда после беседы со Строгом или Стопом, останется неизвестным и Благ, и сам милейший О. Х. Рад, начальник Стопа. Лучше всего идти вперед (то есть вверх), пока не наткнешься на Одобрителя. Тактика эта знакома нам по магазину. Продавец говорит: «Мы не держим этого крема для бритья. На него совсем нет спроса». Опытный покупатель понимает, что продавцу просто лень посмотреть, решает ждать, берет стул и садится, являя образец безграничного терпения. Минут через десять, не в силах больше на него смотреть, продавец дает ему крем, бормоча, что случайно завалялся один тюбик. На самом деле он открыл новый ящик,

но дело не в этом. Дело в том, что упорство победило. В нашем вымышленном случае чиновники автоматически передавали заявку выше по начальству, в реальной жизни это бывает не всегда. Поэтому надо терпеливо ждать ее продвижения вверх. Говорить ничего не стоит. Сидите и смотрите на чиновника, пока ему не надоест. А тогда уже и привычка, и личная заинтересованность побудят его передать ваше дело кому-нибудь другому. Следующий вряд ли окажется хуже, а скорей всего он будет лучше.

Второе правило: когда дойдете до Одобрителя, используйте его вовсю. Вам надо во что бы то ни стало вырвать у него решение и не дать ему сплавить заявку дальше. Опыт научил вас, что начальником Одобрителя обычно бывает Отказчик. Поэтому вы должны убедить Одобрителя, что он сам может принять решение. Техника проста: сокрушайтесь о том, что таким пустячным делом тревожат такое ответственное лицо.

— Мне просто стыдно, — повторяете вы, — что вам приходится тратить на это время. Правда, мне повезло, что я встретился именно с вами. Так устаешь от мелких некомпетентных людей... И все же, сама проблема недостойна вашего внимания.

Пригревшийся в лучах вашей лести Одобритель вполне способен подписать заявку и отрезать своим начальникам путь к отказу. А это как раз то, чего вы и добивались.

Третье правило: опознавши Отказчика, не тратьте на него времени. Многие ошибочно предполагают, что он поддается убеждению и способен порой сказать «да». Ошибка эта основана на полном непонимании его души. Отказчик говорит «нет» не потому, что ему не нравится ваша заявка. Он просто открыл, что это легче всего, и вообще он ничего другого никогда не говорит. Скажи он «да», его могут спросить, что ему, собственно, понравилось. Чего доброго, еще втянут в работу над проектом, а если дело провалится, с него же и

спросят. Ответить «нет» куда безопасней. Объяснений не потребуют, так как вышестоящие даже не узнают, что такая заявка была. Работать не придется — не над чем; и проваливаться нечему. Правда, проситель может как-нибудь иначе добиться своего, но и тут, если заявку примут, Отказчику беспокоиться нечего. С него не спросят в случае провала; его не потревожат в случае успеха. Мало кто вспомнит, что он был против, а тем, кто вспомнит, можно сказать, что первый вариант никуда не годился и удачей своей проект в немалой степени обязан здоровой критике. В общем, как ни взгляни, Отказчик ничего не теряет.

Если вы хотите с помощью открытых нами правил добиться успеха, не доказывайте, что проект ваш хорош, а изучите структуру нужного вам учреждения. Сосчитайте слои и определите, где сидят Отказчики. Начертите схему, обозначив их черными квадратиками, как в кроссворде. Затем прикиньте, как вам их обойти по дороге от одного Одобрителя к другому и добраться таким образом до того слоя, где уже могут решить ваш вопрос. Когда имеешь дело с учреждением, где одни говорят только «да», а другие — только «нет», главное не доводы, а схема. Моряк не спорит с рифами, он их обходит. Правоту нашу признает всякий, кому известно, что рифы (Отказчики) на свете есть. Однако не следует думать, что этими простыми правилами все и исчерпывается. Проблема отказничества, охарактеризованная или, по крайней мере, описанная нами, нуждается в детальном изучении. Исследования только-только начались.

Было бы преждевременно предлагать, хотя бы в самой общей форме, план этих исследований; но один эксперимент мы, пожалуй, для начала порекомендуем. Соберите вместе всех Отказчиков какого-нибудь ведомства, где их особенно много, на конференцию по вопросам отказничества. Самого зловредного надо выбрать председателем, а программа должна включать милые Отказчикам темы, как то:

1. *Вводное заседание.* Почему конференцию незачем было назначать.
2. *Доклад.* Чем плоха программа конференции и почему другая программа вообще неприемлема.
3. *Прения.* Почему нельзя продолжать работу на общем собрании.
4. *Прения.* Почему нельзя разделиться на комиссии.
5. *Свободное обсуждение.* Почему не следует устраивать экскурсии в ничем не примечательные окрестности.
6. *Доклад.* Почему невозможно закрыть конференцию.

Ни один пункт программы выполнен не будет. Возражения против каждого из них, наверное, оспорить не удастся, да и вообще первым заседанием все и кончится. Дело в том, что конференцию нужно назначить на поплавке, посередине большого и глубокого озера. Как только все делегаты прибудут и начнется заседание, лица, ответственные за проведение эксперимента, неслышно откроют кингстоны и отплывут к берегу на единственной лодке. Когда суровые «нет!» замрут вдали и поплавок исчезнет под водой, люди в лодке посмотрят друг на друга и улыбнутся, как улыбается исследователь, видя, что опыт удался на славу. Потом в наступающей темноте они снова зашлепают веслами по тихим водам, и лодка устремится к берегу, где загораются первые огни.

КАК РАЗОРЯЕТСЯ АМЕРИКА

По сравнению с Англией Америка — огромная страна с очень большими ресурсами и немалыми доходами. Соответственно излишние траты ее громадны, и это неудивительно, если учесть, что бюджет ее 62,4 миллиарда долларов, государственных служащих в ней 2,3 миллиона, а на жалованье

им уходит 9 миллиардов. Но Америка все же разоряется меньше, чем Англия, поскольку она в отличие от нас еще способна к реформам. Страна, избравшая в президенты Гардинга, избрала и Гувера, и как раз ему (когда он президентом не был) Америка обязана полезнейшими отчетами Гуверовских комиссий. Выдумай что-нибудь подобное мы, отчеты так и сгнили бы на полках, как, скажем, труды Лиги по борьбе с расточительством, созданной в 1921 году лордом Ротермиером. Но Герберт Гувер был вправе заявить о том, что «благодаря отчету первой комиссии мы сэкономили 7 миллиардов, а рекомендации второй комиссии помогут сэкономить еще свыше 3 миллиардов в год». У первой приняли 72% рекомендаций, у второй — 64%. Свершилось истинное чудо: комиссии эти показали, как надо поставить дело, чтобы не было пустых расходов. Такой пример должен был бы вселить в нас новую надежду.

Но как ни поразителен успех Гуверовских комиссий, факт остается фактом: расточительство они обнаружили и навели порядок далеко не везде. Самое большое их достижение — Закон 599 (о стандартизации вооружений) и Закон 759 (об изменении государственного бюджета). Оба приняты и подписаны президентом в августе 1958 года. По всей вероятности, модернизация бюджета поможет среди прочего вскрыть еще немало лишних трат. Когда выясняется, что федеральное правительство тратит в год 700 млн. на сбор информации и 100 млн. на выпуск директив; когда узнаешь, что государственные служащие дают ежегодный урожай в 127 000 отчетов, а федеральное налоговое управление требует от одних только предпринимателей 184 млн. строк сведений — и тоже ежегодно! — становится очевидным, что впустую уходит немало. А там уж нетрудно себе представить, что то же самое творится соответственно и в каждом штате, округе, городе, районе. Да, Америка способна к реформам, и ей есть что реформировать.

Изучение лишних трат этой страны начнем с иностран-

ной помощи. В 1952 г. сообщалось, что Эперелл Гарриман получил 7 328 903 976 долларов, чтобы щедрой рукой рассыпать их по миру, и дополнительно еще один миллиард, не израсходованный в предыдущем году. К 1955 году послевоенные расходы Соединенных Штатов на иностранную помощь достигли внушительной цифры — 50 млрд. долларов, причем распределяли эти деньги тридцать четыре не связанных между собой агентства. Делом этим занималось за границей 115 250 человек, из них — 30 681 американец. Гуверовская комиссия изучила все это, выяснила, что лишних трат очень много, но все же пришла к заключению, что экономическую помощь нужно оказывать и впредь, чтобы «обеспечить нам максимальную военную безопасность и повысить жизненный уровень в свободном мире». Комиссии дали понять, что мирная помощь поможет также в борьбе с коммунистическим влиянием. Однако изучившие ситуацию члены комиссии усомнились в том, что так оно и выходит. Выразив свои сомнения, они предложили пересмотреть по крайней мере организацию иностранной помощи. Любой нормальный человек согласится с этим осторожным выводом.

Недруги американской политики сомневаются, принесет ли экономическая помощь другим странам вообще хоть какую-нибудь пользу. Вполне возможно, что весь план порожден плохим знанием психологии. Предполагается, что люди, получившие экономическую помощь, станут жить лучше и потому будут менее склонны к коммунизму, а кроме того, из благодарности подружатся со Штатами. Многие американцы очень хотят, чтобы их любили, и это трогательное желание выражается в вышеописанной политике. К тому же им кажется, что, если напоминать людям, как они вам обязаны, благодарность их и дружба к вам сильно возрастут. Для этого служба информации то и дело снимает умилительные сцены. Ящики с банками сгущенки покачиваются в воздухе, пока подъемный кран опускает их на пристань; трактора стоят в трюмах. И обитатели отсталых стран должны понять, что

они процветают, а процветанием своим обязаны американской помощи, американской промышленности и американскому образу жизни.

Разберем все это по порядку. Возможно, идея о том, что чем люди зажиточнее, тем они меньше склонны к коммунизму, не лишена оснований. Многие скажут, что склонность эта рождается прежде всего среди тех, у кого есть причины для недовольства (не обязательно экономические). Таким образом, экономическую помощь вроде бы можно оправдать и с точки зрения политики, и с точки зрения гуманности; но дело-то в том, что настоящей помощью было бы хорошо платить малоразвитым странам за экспорт. Если бы распространение коммунизма в Юго-Восточной Азии можно было остановить экономическими мерами (что почти исключено), лучшей из них была бы хорошая цена за каучук и олово. Однако такой путь Америке не нравится. Интересы Экрона и Питтсбурга требуют, чтобы за олово и каучук платили мало, а экономическая помощь их не разорит. И каучук покупают за гроши, а тем, кто выращивает каучуконосы, дарят в утешение американский бульдозер. Если бы бульдозер привезли из Франции, это означало бы, что хоть чем-то помогают и Европе; но он — из Детройта. Поэтому политику экономической помощи можно оценить по-разному. А вдруг Америка просто сбывает продукцию, для которой ей не найти рынка, и приучает азиатов к технике, терпеливо ожидая часа, когда те смогут за нее платить? Вдруг все это просто-напросто косвенная помощь американской промышленности?

Перейдем к следующему предположению. Даже если помощь оказывается из самых лучших побуждений, так ли уж несомненно, что благодарность породит дружбу? Не породит ли она скорее ненависти? Члены Гуверовской комиссии относились к вопросу скептически, указывая, что «страны, как и люди, не любят, чтобы их держали в зависимости, навязывая им дары». Это в высшей степени верно, и было верно еще тогда, когда римляне создали соответствующий афо-

ризм. В раннюю пору американской истории ту же идею выразили так:

«...Одна нация лишь по неразумию может ждать бескорыстных милостей от другой. За них приходится платить хотя бы частью независимости. Если она принимает их, от нее могут потребовать, чтобы она давала что-то взамен, и даже обвинить ее в неблагодарности, буде она даст мало. Нет большей ошибки, чем рассчитывать на истинную помощь, когда речь идет о двух нациях. Это самообман, который излечивается опытом или праведною гордостью». Так писал Джордж Вашингтон, и лучше сказать нелегко.

Многие американцы учатся заводить дружбу и влиять на людей. Если у них нет причин заявить: «Мы с вами больше не играем», посоветуем им немного изменить свою линию. Прежде всего, нельзя никого давить своей щедростью. Дружба возможна только между равными. Если они хотят завязать и сохранить теплые отношения с турками, лучше пусть сами проявят благодарность к ним. Почему бы Америке не покупать у них табак в предпочтение виргинскому? Иностранная политика страны основана, конечно, на ее постоянных интересах и в немалой степени на ее географическом положении; но в той мере, в какой тут может идти речь о чувствах, искреннее доброе слово гораздо полезнее любого количества тракторов.

Если и впрямь опасно добиваться благодарности от чужих стран, если и впрямь лучше хвалить, чем дарить, то деньги, которые Соединенные Штаты расходуют на пропаганду, в основном тратятся зря.

Правда, было бы ошибкой недооценивать значение центров информации в чужих странах. Центры эти играют в иностранной политике немалую роль. Обычно их строят на главной улице столицы, почти сплошь из стекла, они набиты всевозможными брошюрами в ярких обложках и украшены портретами нынешнего президента или премьера. Благодаря этому местное население может в отчаянную минуту отвести

душу — бить стекла, жечь брошюры и топтать портреты. Зато в посольстве окна остаются целыми, так как оно благоразумно притаилось в переулке и узнать его по виду невозможно даже тем, кто каждый день ходит мимо. В любом архитектурном журнале говорится о преимуществах зеркального стекла, по-видимому, эти загадочные слова означают именно то, о чем сказано выше.

И наконец, иностранная помощь слишком часто дается без всяких условий. Большая часть денег поистине уходит на ветер, но кое-что хорошее все же можно бы сделать, поставив определенные условия. Например, любая американская помощь Англии была бы неоценимой, если бы Америка поставила условием наладить финансовую отчетность министерств и ведомств. Казалось бы, чего разумнее? Кто даст деньги фирме, если та не составит членораздельного отчета? А чем правительство хуже фирмы? Да, условие это разумно; и надо сказать, для Англии было бы более чем полезно уже одно то, что ее заставили бы привести в порядок свои денежные дела.

Соединенные Штаты намного опередили нас в этом отношении, но все же и они очень много тратят попусту. Творится это повсюду, и с каждым годом дело ухудшается. Так, государство владеет, или владело до недавних пор, 838 миллионами акров земли и складами, равными по площади двум Манхэттенам. Вряд ли ему действительно нужно так много. В вооруженных силах многие учреждения дублируют друг друга вместо того, чтобы дополнять. Летают полупустые самолеты, стоят полупустые госпитали, а денег они требуют. Кроме этих главных трат, есть и другие: например, много денег тратится зря на сооружения, воздвигаемые для какой-нибудь благой цели, которые потом никак не используются. Так, правительство владеет величайшим в мире амфитеатром, построенным под Вашингтоном для юбилейной ярмарки, которая так и не состоялась в 1950 году. Стоил он около 500 000 долларов, и еще немало средств поглотило торжест-

венное открытие, после которого, насколько нам известно, в окрестных лесах снова воцарилась тишина.

Один из нагляднейших примеров американского расточительства — программа поддержки ферм. Верьте или не верьте, но правительство США закупает у фермеров ежегодно несметное количество продуктов, которые не может ни использовать, ни продать. Если бы всю эту пшеницу ссыпать сверху на чужие земли, разрушения и убытки были бы не меньше военных. Никто не знает, куда девать лишние яйца и лишнее масло, и пока что, за отсутствием лучших складов, их держат в пещерах, в сельской местности. Кто-то даже всерьез предложил использовать как холодильник полярную снеговую шапку. Нельзя и представить, сколько платят фермерам за ненужные продукты, но еще никто из политиков (республиканцев ли, демократов ли) не предложил реального решения проблемы. Продукты множатся, как в сказке об ученике чародея или как в страшном сне, от которого нет пробуждения.

Перейдем к более знакомым и понятным примерам. Один из моих корреспондентов с упоением вспоминает, как оформлялась во время войны накладная на самолетный груз. Всего экземпляров накладной было тринадцать. № 1 шел к получателю, № 2 и 3 — в папку с делом, № 4, 5 и 6 — сопровождали сам груз, № 7 отправлялся в транспортное агентство, №8 — в ближайшую его контору и т. д. Особенно поражало автора письма, что насчет № 13 были детальные инструкции, тогда как № 12 предписывалось просто уничтожить. Изменилось ли все это? Видимо, нет, и долгие годы гуверовских расследований мало чему помогут. Дело в том, что извне тут вряд ли что изменишь. Надо действовать изнутри.

Штаты и города тратят впустую (в своем масштабе) не меньше, чем государство. Законодатели штата Нью-Йорк, например, с легким сердцем отпустили 75 000 долларов на подготовку (на одну подготовку!) к участию в конференции по вопросам воспитания детей и подростков, которая долж-

на была состояться в 1960 году. Не больше смысла в особых инспекторах (штат Индиана), которым платят за то, чтобы они проверяли, не взорвется ли керосин, тогда как безопасность керосина давно установлена. Вряд ли справедливо ругать особенно один какой-нибудь штат, но раз уж надо кого-то выбрать, мы изберем, конечно, Омегу, которая последней вошла в США и из-за которой было столько хлопот с перестановкой на флаге звезд и полос. Ведущие политические деятели штата — губернатор О'Рыли, его сторонники-демократы О'Квак, Адажио, Фортиссимо, О'Шум, О'Там и О'Гад и противники-республиканцы Спагетти, Макарони, Вермишель, Мак-Сыр и Мак-Рис. В Вашингтоне Омегу с честью представляет сенатор Булки (из первых поселенцев Новой Англии). Финансами в ней ведает Бламанже, общественными работами — такая сложная личность, как Рокфор. Глава полиции — О'Пуп, главный ревизор — Пианиссимо. В столице штата поговаривают, что количество ирландских «О» в начальстве соответствует количеству «О» в бюджете. Демократы это рьяно отрицают, указывая, что при республиканце-губернаторе Контральто денег уходило куда больше. Как бы то ни было, последний бюджет Омеги равнялся 434 млн. Правда, этому способствовало немалое количество редчайших совпадений. В контракте на постройку домов неизвестно почему цифра 14 480 превратилась в 232 247 задолго до конца работ. 16 млн. ушло на «консультантов», и никому не удалось выяснить, кто были эти люди, кого и как они консультировали. Справедливости ради добавим, что предложение ассигновать 45 000 долларов на ревизию расходов было единодушно отклонено. Где-то же надо остановиться! Принципа этого придерживаются даже в Омеге.

Что же до столицы штата, именуемой Местопусто, то деловая часть города как бы призрачна, ибо ее покинули дельцы и торговцы, уступившие место иммигрантам из Порто-Повро. Несколько жалких контор и банков сиротливо ютятся среди эстакад и автомобильных стоянок. Разрушающийся

центр окружен кольцом заводов и гаражей и тонет и дымном тумане. Дальше идет еще одно кольцо — новых районов, где ступенчатые особнячки чередуются с огромными кинотеатрами, огромными магазинами и прочими огромными зданиями. А еще дальше там и сям рассеяны пригороды, из которых самый модный — Будниленд. От города они так далеко, что входят уже в другие штаты. Жители их в город не ездят, и подрастающее поколение даже не знает, где он, поскольку географии оно не учит. Однако упадок столицы не отражается на ее бюджете, достигшем в прошлом году 120 млн. Одна из его статей — постройка разводного моста через реку Пемзу, так как одна большая баржа под прежним мостом пройти не может. Прочие достойные изучения статьи бюджета связаны с загадочными потерями в водоснабжении и в работе полиции. Все это характерно не только для столицы Омеги. Иначе было бы трудно объяснить, каким образом получилось, что амфитеатр и раковина для оркестра, построенные в южном конце Ист-Ривер Драйв в Нью-Йорке, не использовались первые десять лет. Нельзя сказать, что в сельской местности пустых расходов меньше. В одном только округе Мот — семьдесят не связанных между собой и совершенно ненужных полицейских отрядов, а в округе Филотратия их еще больше. Дороги же, соединяющие все эти места, поглощают уже не 5, а 18% накладных расходов только потому, что никто не хочет заключать контракты на обслуживание. Бюрократия и расточительство нерасторжимы повсюду.

До сих пор никто не задумывался над тем, что ненужные расходы в конечном счете вредны и потому, что они подают дурной пример. Если государство швыряст деньги на ветер, зачем быть бережливыми его гражданам? Если стране грозит инфляция, зачем американцу откладывать про черный день? Лучше растратить все, пока деньги не потеряли цену. А всего лучше залезть в долги, так как доллар, который вы берете, стоит больше, чем тот, который вы отдадите. Повинуясь разуму и примеру, американец становится вечным должником.

Так было и раньше, но раньше долги чем-то обеспечивались. Когда вы получали в рассрочку холодильник, ваш долг обеспечивался этим холодильником. Теперь же в кредит предоставляют номер в отеле, одежду, обед в ресторане и прочие блага, невозвратимые, как сон. Кризиса, конечно, не миновать. Но с какой стати американцу спасаться от долгов, когда его правительство прогорает? Быть по уши в долгах, по-видимому, самая суть американского образа жизни.

ЗАКЛЮЧЕНИЕ

Прежде всего государство должно определить, какую часть национального дохода взимать безопасно. В чрезвычайных обстоятельствах, когда под угрозой само существование страны, часть эта может быть очень большой. В прочее время она должна быть маленькой, чтобы в случае чего можно было ее увеличить. Какой же она должна быть при нормальных обстоятельствах?

История учит нас, что в древние времена государство взимало с народа процентов десять. Если же налоги становились выше, люди начинали эмигрировать — там, конечно, где это было возможно. Когда уезжать по какой-нибудь причине не имело смысла, с народа взимали без особого труда и 20%. Но налоги от 33 до 50% всегда приводили к краху или к мятежу. Чрезмерными налоги становились в период упадка, когда режим ослабевал, а с ним выдыхалась и культура. В наш век налоги достигли той опасной точки, на которой в прежнее время и случалась беда. Люди теперь почти все грамотные, уклониться от налогов не могут, и налоговая система исходит из этих двух принципов. Кое-кто даже считает, что, чем больше налоги, тем лучше будет жизнь.

Попытки подогнать доходы к расходам плохи тем, что,

как известно, расходы растут с доходами. Второй закон Паркинсона, в частной жизни всем известный, применим и к государству. Но если человек, тратя и перетрачивая, хоть знает, сколько он получит, то государство об этом не думает, увеличивает расходы и достигает высот, которые, судя по опыту прежних эпох, весьма опасны. Симптомы надвигающейся беды заметны во многих странах, а заметнее всего они в Англии. Но и американцам успокаиваться нечего — они движутся в том же направлении, хотя еще не зашли так далеко. Им тоже неведомы пределы налогов.

Каковы же эти пределы для мирного времени? 20% национального дохода. Если брать чуть больше 25%, стране грозит инфляция, а если брать 30%, страна начнет терять международное влияние. В военное время можно взимать больше, но, как только война кончится, необходимо снова снизить цифру. Мы же, на свою беду, цифру не снижаем, мирные расходы достигают тех же размеров, а из этого ничего хорошего не выйдет.

Нашим предложениям воспротивятся те, кто боится, как бы не понизился уровень жизни. Как же быть тогда с процветанием? Не станет ли дешевое государство хуже? Ответ прост: дешевое государство лучше. Не ставя ему финансовых преград, мы просто вынуждаем его плодить ненужных служащих и пустую писанину. Рост налогов лишь питает бюрократическую волокиту.

В некоторых областях большие расходы оправданы — скажем, при реконструкции ветшающих городов; но и это не довод в пользу налогов. Сокращая расходы, можно выгадать деньги и на эти, и на другие благородные цели. Как и налоги, расточительство рождает война. Но оно не прекращается в мирное время и идет в основном по путям, проложенным в годы войны. Расточительство — наш главный враг. Когда видишь, как уходят впустую наши деньги, становится понятно, почему теперь так не любят платить налоги. Когда ви-

дишь, как расточительствует государство, становится понятно, почему поголовно вся страна живет в долг. Чтобы с государства был прок, а налоги при этом стали ниже, надо прежде всего покончить с расточительством и не расходовать впустую, кроме денег, еще таланты и время. Однако это невозможно, пока не изменится вся наша финансовая система. Ни о какой экономии не может быть и речи, пока государственный доход подгоняется под государственные расходы. Надо точно определить границу государственного дохода и установить для каждого ведомства пределы его расходов. Если мы будем поощрять людей за экономию и немедленно увольнять их за любой перерасход, мы скоро увидим, как много можно сделать на малые средства и как нередко чем эти средства меньше, тем больше на них делается. Положим четкий предел доходам и подгоним расходы к нему. Так мы изменим закон и избежим пороков.

СВОЯКИ
И ЧУЖАКИ

IN-LAWS AND OUT-LAWS
1965

Перевод А. Кистяковского

ОТ АВТОРА

Теперь, когда благодаря мне преуспеяние станет доступно решительно всем, я склонен претендовать на признательность человечества. Другое дело, согласится ли человечество удовлетворить мои законные претензии. Но я все же попробую подать ему пример. Ведь если читатели должны поблагодарить автора, то он в свою очередь должен поблагодарить всех соучастников его работы. И я благодарю редакторов, согласившихся опубликовать отдельные главы этой книги в журналах «Эсквайр», «Форчун», «Лилипут» и «Нью-Йорк тайм мэгезин». Издателей, чья благожелательность превзошла самые смелые предположения автора. Мистера Осберта Ланкастера, создавшего живые и мастерские иллюстрации. Миссис Валери Фитчет, приведшую рукопись в относительный порядок, чтобы перепечатать ее. И конечно же, Энн, без которой все мои усилия оказались бы просто бессмысленными и которой, разумеется, посвящена эта книга — по причинам многочисленным и слишком очевидным, чтобы их объяснять.

Посвящается Энн

ПРЕДУВЕДОМЛЕНИЕ

Во всех книгах о преуспеянии — а перед читателем новейшая и лучшая из них — слово «успех» толкуется примерно одинаково. Бытовое выражение «жить хорошо» не объясняет никаких философских или этических загадок (да и не претендует на это), но оно по крайней мере всем понятно. Мы знаем, о чем идет речь. Преуспевающий человек занимает высокую должность, у него незапятнанная репутация и обеспеченное будущее, о нем с уважением пишут в газетах — и всего этого он добился сам. Наше воображение рисует нам ухоженный сад на берегу озера, изящный коттедж, старинное столовое серебро и дочь хозяина в костюме для верховой езды. Чуть изменив угол зрения, мы видим обшитый дубовыми панелями кабинет, зеркальный письменный стол, одежду от модного портного, бесшумную машину. Потом нам представляется просторный зал фешенебельного клуба и центральная фигура центральной группы — человек, скромно принимающий искренние поздравления. С чем? С правительственной наградой, повышением по службе или рождением сына? Весьма вероятно, что произошло и то, и другое, и третье. Так обыкновенно выглядит успех, и именно так понимает его автор.

Разумеется, нельзя отрицать, что существуют и другие виды успеха. Кто-то дал свое имя экзотическому цветку, кто-то написал бессмертное стихотворение. Кто-то удивительно долго жил на свете или в детские годы стал знаменитым музыкантом. Успех может принимать разные формы.

Но читатель не должен надеяться на то, чего заведомо не получит. Если его интересует успех, описанный в предыдущем абзаце — шикарный автомобиль и вилла, — книга поможет ему. Если же он думает о награде за пределами этой жизни или даже о посмертной славе в этой, ему нужны другие советчики. Автор не знает, как добываются мученические венцы. Успех для него — материальное и совершенно земное понятие. Однако не следует воспринимать это чересчур грубо. Человек, живущий хорошо, живет не только богато. Богатство без уважения, без любви людей, да еще приправленное смиренным крохоборством, оборачивается жалким прозябанием. Преуспеянию обычно сопутствуют деньги, но для подлинного успеха надо проникнуть в высшее общество, причем так легко и свободно, словно вы принадлежите к нему по праву рождения. Когда кинематограф еще доставлял людям удовольствие, бедняки частенько просачивались в зрительный зал через выход, а чтобы уходящая публика не догадалась об их намерениях, они говорили друг другу: «Никудышная была фильма». Вот и успех, кроме всего прочего, означает незаметное врастание в ряды привилегированных. Вы должны войти в высшее общество, как «выходит в свет» — на своем первом балу — юная, но уже скучающая герцогиня. Просто войти мало: надо, чтобы вас признали своим.

Короче говоря, все дальнейшие советы предполагают совершенно определенный вид успеха. Кроме того, предполагается, что читатель — человек средний и способности у него самые заурядные. Мы видели слишком много книг о преуспеянии, которые советовали читателю быть более энергичным, деловым, разумным, надежным и обаятельным, чем окружающие его люди. Но если он обладает всеми этими достоинствами, ему не нужны никакие пособия. Пособия пишутся не для одаренных. Они-то наверняка преуспеют. Советы необходимы серым середнячкам — бездеятельным, ленивым и непривлекательным тугодумам, на которых нель-

зя положиться в серьезном деле. Но ведь они — граждане демократической страны. Поэтому у них тоже есть право на успех. Вот мы и постараемся объяснить им, как они могут воспользоваться своим правом. Во-первых, следует запомнить, что преуспеть легче всего там, где некоторые работают по призванию души, а остальные служат по назначению начальства, то есть в системе управления. Люди предполагают посвятить себя сельскому хозяйству или животноводству, литературе или науке, геологии или антропологии. Кто-то собирается стать летчиком-испытателем, тайным агентом, великим журналистом или ковбоем. А работают — если, конечно, повезет — все одинаково: за письменным столом. И совершенно неважно, какой вид открывается из окна вашей конторы — сельские угодья, ракетные площадки, университетский дворик или улица, на которой расположены правительственные учреждения. В любом случае каждого из нас ждет письменный стол. Это надо усвоить на заре карьеры, если вы хотите начать и продолжать ее успешно. Итак, вот он, ваш первый письменный стол; ваша задача — перебраться за стол самый начальственный.

И еще одно предупреждение читателю. Автор не учит, как преуспеть на политическом поприще. Про это можно написать полезнейшую книгу, но та, что перед читателем, повествует о другом. Политическая карьера — неплохой путь, однако он, как правило, открыт только тем, кто уже добился успеха. Член парламента от консерваторов обязательно должен быть богатым. А лейбориста, пробравшегося в парламент, едва ли можно назвать преуспевшим. Если читатель хочет в совершенстве постичь мир политиков, ему прежде всего надо обратиться к труду «Кто у нас каков» — бесценному справочнику, который содержит краткие биографии граждан, добившихся высокого положения на ниве государственной службы.

Изучая биографии выдающихся политиков, можно обна-

жить фундамент любой политической карьеры. Однако это тема отдельного фундаментального исследования. Впрочем, даже беглое рассмотрение сотни определенных биографий поможет выявить глубинные истоки успеха в политике. Автор рассмотрел биографии членов консервативного правительства 1955—1956 гг. Министры и их заместители (включая тех, кто занимал эти посты неполный срок), высшие чины министерства финансов и юстиции, председатель Палаты общин и церемониймейстер парламента, парламентский пристав и руководители комиссий как раз и составили искомую сотню. Восемьдесят человек из ста учились в привилегированных средних школах, вроде Итона, Хэрроу или Молвена, семьдесят окончили лучшие университеты (сорок пять — Оксфордский и двадцать пять — Кембриджский), а тринадцать — военные академии (Сэндхерст, Вулвич или Дартмут). Из сорока пяти оксфордцев тринадцать окончили оксфордский колледж Христовой Церкви, причем почти все они (десять человек) учились в Итоне. Приведенная статистика обнаруживает четкую схему. Можно не присутствовать при формировании правительства и все же точно представлять себе, как оно создавалось.

Политик, для того чтобы войти в правительство, должен набрать определенное количество баллов; оценочную шкалу, по которой государственным служащим присваивают баллы, нетрудно реконструировать, что и было сделано автором. Высшие баллы назначаются за привилегированные школы, университеты или академии; высочайшие — за сочетание Итона с оксфордским колледжем Христовой Церкви; ну и, разумеется, учитываются подходящие тести; так, например, свойство с герцогом Девонширским дает претенденту значительную льготную надбавку. Шкала Паркинсона, кроме всего прочего, позволяет определить, кого из политиков непременно включат в справочник «Кто у нас каков». Статья об идеальном государственном деятеле будет выглядеть приблизительно так:

ПРОУЛЭЗ-КАРЬЕРИАН, Невилл Эдмунд Сильветер. Кавр орде-
на Брит. имп., парламентск. секр. министра ин. дел., чл. парл.
(консерв.) от гор. Всетори (с 1953 г.), директор-распор. комп.
«Проулэз-Пластик» (гор. Грязгоу); род. в 1926 г., 11-й сын по-
койн. Артура и Марты Проулэз, ед. доч. Х. Б. Карьериана (гор.
Питтсбург, США); жен. (с 1951 г.) на достопочт. Шиле Гордэн,
мл. доч. I лорда Существена (см.) и леди Элизабет, ст. доч. XIV
графа Норманлордса (см.), вдовы высокочт. Нэглидши-Ворюгена
(ум. в 1917 г.). Ед. сын оконч. Сэндх. воен. акад., напр. в Грена-
дерск. полк, служ. в Италии, отмеч. в приказах, нагр. орд. Брит.
имп. *Образование:* средн. — Итон., высш. — Оксф. (колл. Хр. Ц-и)
и Высш. юрид. акад.; барристер и магистр гум. наук (1 экз. по
классич. филолог. — отличн.), игрок теннисн. сборн. Оксф-а, в
1949 г. — президент политич. клуба «Союз» (Оксф.), майор терри-
ториальн. армии (во время ежегодн. учений) графства Пустер-
шир. *Путеш.:* Внешн. Монголия, Внутр. Гвинея (с экспед.
Итонск. шк.), Корея (корресп.). *Публ.:* «В дичайшей Монголии»,
«Проблемы безработицы: мои предложения», «Грядущее пятиле-
тие». *Увлечения:* рыбная ловля, теннис, коллекц-ие табакерок. *Ад-
рес*: гор. Лондон. Юго-Запад III, ул. Кадоган, 203; а также: графст-
во Бредшир, замок «Липы» близ Ньюбери. *Клубы:* Кавалерий-
ский, Гвардейский, Карлтонский, Болтэнский.

Проницательный читатель сразу же заметит, что этот го-
сударственный муж должен набрать высшее количество бал-
лов по шкале Паркинсона, чего в реальной жизни никогда
не случается. Кроме того, он обладает рядом преимуществ,
как писатель и путешественник, эрудит и атлет, кавалер ор-
дена Британской империи и общественный деятель, не чуж-
дый вместе с тем некоторой эксцентричности (табакерки).
Вот идеал, к которому следует стремиться, — предпочтитель-
но еще до появления на свет; однако читатель наверняка уже
понял, что у мистера Проулэз-Карьериана есть одно подра-
зумеваемое, но прямо не упомянутое в справочнике качест-
во. Он явно богат. И поэтому не нуждается в нашем посо-
бии. А эта книга должна помочь тем, кто начинает с меньше-
го, кому закрыт путь в политику.

Будущий администратор прежде всего должен пройти — а вернее, обойти — два испытания: проверку умственных способностей и духовной устойчивости. Обойти их легче легкого, потому что они предназначены для исключения из общественной жизни (и поделом!) таких тупиц, которые не в состоянии отыскать самых простеньких обходных путей. Мы будем считать, что эти детские проверки позади и читатель уже сидит за своим первым письменным столом. Как ему вести себя дальше? Следующие главы подробно ответят на этот вопрос. Автор предполагает, что читатель начинает службу в маленькой частной фирме на заштатной должности и намерен дослужиться до Управляющего гигантским Концерном Объединенных Компаний. Чаще всего люди так и начинают карьеру, но советы автора применимы к любой области управления. Все управленческие конторы похожи друг на друга, и принципы, положенные в основу этой книги, ведут к успеху в любой из них. Был бы письменный стол (исходная позиция) с телефоном, регистрационными книгами, папками входящих, исходящих и ожидающих рассмотрения бумаг, а технология успеха всегда одинакова. Служите ли вы в правительственном, муниципальном или частном учреждении, методы администрирования нисколько не меняются. Сделав эту книгу настольной, вы неминуемо преуспеете. Впервые за многие тысячелетия человеческой цивилизации успех стал достижимым для всех.

ПРОИСХОЖДЕНИЕ

На нижней ступеньке карьерной лестницы вам придется согласовывать в своих поступках два противоречивых направления. С одной стороны, всем должно казаться, что у вас была безоблачная и респектабельнейшая юность. С дру-

гой стороны, вам надо скаредно экономить каждое пенни. О женитьбе или постоянной квартире даже не помышляйте. Вечером, когда ваши сослуживцы расходятся по домам, они должны видеть, что в комнате, где вы сидите, все еще горит свет. Утром вам необходимо встречать их, уже сидя за своим столом. *«Как он работает!* — будут удивляться они. — Он просто *живет* в конторе». И окажутся правы. Квартиры-то у вас нет. Воскресные ночи вам придется коротать в местном клубе. А праздничные — в турецких банях. Столоваться вы будете по закусочным — два шиллинга четыре пенса каждое посещение. Остальную часть жалованья пускайте в оборот. Ну а респектабельную юность воссоздавайте во время очередных отпусков. Первые два года проведите свои четырнадцать отпускных дней неподалеку от Итонской, Хэрроуской или Молвенской средней школы. Три последующих — около Кембриджского, Лондонского или Оксфордского университета. Изучайте списки преподавателей и студентов. Узнавайте темы студенческих дискуссий и результаты футбольных состязаний. Собирайте факультетские газеты. Запоминайте лица привратников и дворников. Читайте местные путеводители и старайтесь запечатлеть в своей памяти как можно больше географических карт. Пару раз пригласите с собой вашего глуповатого приятеля, сменившего фамилию на Астор или Чамли, чтобы хоть так приобщиться к богатым мира сего. А потом начинайте прорисовывать свое прошлое с помощью фотографий и косвенных намеков. Вы учились в обычной провинциальной школе и кончили никому не известный колледж, но сохранили о них самые теплые воспоминания — забудьте об этом. Однако ни в коем случае не лгите. Лгать нехорошо, а главное — неумно. Вам надо создать только общее впечатление. Если вы скажете: «Я никогда не участвовал в Кембриджской регате — все мои силы уходили на занятия», — это будет чистейшей правдой. Если, рассказывая об Итоне, вы вспомните, что были там вместе с Астором, никто не сможет уличить вас во лжи. Но подобная

точность вовсе не обязательна. Вы, например, можете признаться, что никогда не стреляли из лука: «В Оксфорде, мне кажется, никто этим не занимался». Весьма вероятно, что вам не приходилось встречаться со знаменитым артистом: «Он ведь не учился в нашем университете». Но всегда помните, какую школу или университет вы имеете в виду, — это основное правило. Забывчивость неминуемо вас погубит. Именно забывчивость, а не перфокарта, которая пылится где-то в архивах, храня сведения о ваших провинциальных школах и посредственных успехах. Про перфокарту, про архивы даже не вспоминайте. Да, в учреждениях есть перфокарты со сведениями о служащих — таков порядок, — но их подшивают к делу и никогда не извлекают на свет. Не лгите, не утверждайте ничего прямо, будьте самим собой — достойным, но скромным тружеником, — и лет через пять за вами прочно утвердится репутация «нашего замечательного работяги итонца из отдела по связям с обществом».

Ваше прошлое вырисовывается из мимолетных намеков, а вот деньги — деньги должны быть хотя бы частично реальными. Бережливость позволяет вам играть на бирже — дохода это почти не приносит, но дает тему для полезных разговоров. Вы играете по мелочам, осмотрительно и расчетливо, неопределенно упоминая о широких операциях с гигантскими прибылями и чудовищными потерями. Для вас-то эти мизерные прибыли и потери действительно огромны, однако в рассказах фактические суммы надо сильно преувеличивать. А изредка собирайте самых болтливых сослуживцев, человек пять или шесть, чтобы за роскошным обедом отметить очередную победу на бирже. Правда, упоминания о страшных поражениях тоже действуют на людей. Для репутации важен размах, а не итог. Никогда не настаивайте на доскональном знании биржи, но, если хотите, можете сказать, что в общем-то вам везет. Не кичитесь богатством, но дайте сослуживцам понять, что вы занимаетесь одним делом с Асторами и Ротшильдами. У каждого из вас своя игра на

бирже. Стало, к примеру, известно, что вы покупаете акции фирмы «Цветные пластики». «Ну как, не дотянули пока до контрольного пакета?» — благоговея, спросит у вас какой-нибудь знакомый. «Пока нет», — со смехом признаетесь вы, и он будет думать, что сорок три-то, скажем, процента акций вы уже приобрели — а это тоже изрядная сумма.

После пятилетнего крохоборства и мелкой игры на бирже у вас скопится некоторый капиталец. Тут возникают разные возможности, но лучше всего истратить деньги на путешествие. Это очень вальяжно — временно прекратить деловые операции и возвратиться через полгода с репутацией человека, повидавшего свет. Надоевшую всем Европу сразу же исключите из своих планов. Можно подумать о Загребе, Скопле или Санторине, но их тусклая слава едва ли стоит ваших усилий. Болтовня о Кальяри — пустая трата энергии. В наше время на людей производит впечатление только Индонезия или Индия, Китай или Таиланд. Нужно, чтобы при случае вы могли сказать: «Это напоминает мне происшествие в Аютхае...» Вам кажется, что сейчас администратору вовсе не нужно знать мир, да и вообще что-нибудь знать опасно и вредно! Это, пожалуй, правильно, но времена-то меняются, и вы должны предвидеть сущность перемен. Весьма вероятно, что завтра вместо сегодняшней моды на серую безликость возникнет временный спрос на яркую индивидуальность. Стать индивидуальностью довольно трудно, а вот съездить на Борнео легко и приятно. Поезжайте, и все будут считать вас личностью: бывалым, знающим широкий мир человеком. Если вы решились на путешествие, перед вами на выбор три пути. Можно съездить в не исследованные, по мнению публики, страны. Можно посетить племена, говорящие на неизвестном доселе наречии. И можно отправиться туда, где недавно вспыхнуло небольшое вооруженное столкновение, чтобы вернуться знатоком военного дела и храбрецом, пережившим невероятные приключения. О путешествии необходимо написать книгу. И лучше всего решить зара-

нее, о чем вы собираетесь рассказать. Пускаться в путь, не обдумав, какие впечатления вам надо получить, во-первых, совершенно ненаучно, а во-вторых, глупо: вы потратите массу времени на приобретение широкого, но бессистемного опыта. А прежде всего нужно исследовать прилавки книжных магазинов. Вы замечаете, что приключения сейчас в моде. Однако далеко не всякие. Никто теперь даже не предлагает издательствам повестей о детях, воспитанных обезьянами. Подобные повести навязли в зубах. Решительно ничего сейчас не добьешься, переплыв Тихий океан на бальзовом плоту. Никого не заинтересует знание нямнямского диалекта. И уж никакого успеха не принесет книга, написанная офицером Иностранного Легиона (если таковой еще существует) о его скитаниях по джунглям Мирзабъяки.

Словом, убедившись, что многие пути превратились в тупики, вы поступите весьма осмотрительно, если сначала выработаете свой повествовательный стиль и только потом решите, куда ехать.

Пирога перевернулась, и мы лишились всех наших запасов. Пополнить их можно было лишь в Сумдоме, этом последнем оплоте цивилизации. Путь назад занял бы шестнадцать дней по реке, а сухопутный маршрут наверняка затянулся бы еще больше. Через три недели, как вы помните, начинался сезон дождей... я решил пробиваться вперед.

Тут главное чувствовать, где надо поставить многоточие. Если у вас нету этого чутья, лучше сразу откажитесь от репутации исследователя и займитесь описанием неведомых языков или невиданных обычаев.

Самой загадочной личностью в округе был Пэстонг Ов-Еченг. Посмотрев на его чалму, я тотчас же определил, что он живет по ту сторону холмов, и обратился к тому на диалекте Захолмья.

— Выд ран ху? — спросил я, но он непонимающе покачал головой.

— Сломачленоэ? — повторил я на другом наречии, но с тем же результатом. И лишь когда он облегчил мне задачу, пробормотав: «Идъенахерсен!» — я догадался, что он уроженец северных провинций.

При умении создавать подобные пассажи вы без труда приобретете славу полиглота. Если же вы боитесь встретиться с человеком, который знает придуманный вами диалект, расскажите о какой-нибудь локальной войне. Тут возможны два уровня — повествовательный и стратегический. Повествовательный выглядит приблизительно так:

Тишину нарушали только очереди пулемета, скрытого горной цепью. Мигель и я, сторожко оглядываясь по сторонам, бесшумно приближались к разрушенной асьенде. Внезапно Мигель остановился и, присев на корточки, стал внимательно осматривать землю. Я охранял его. Медленно поднявшись, он прошептал:

— Сеньор, за последние полчаса здесь прошло одиннадцать человек. В асьенде наверняка засада. — С этими словами он щелкнул предохранителем. Наши взгляды встретились — быть может, как мы думали, в последний раз. Одиннадцать против двоих — от нас потребуется предельная меткость.

— Назад, — прошептал я, и мы двинулись вперед...

Этот стиль, не увядающий со времен Гражданской войны в Испании, прославил многих авторов, потому что он подходит еще и для Латинской Америки. Стратегический же стиль изобрел Х. Беллок, французский артиллерист невоенного призыва, ставший в 1902 году гражданином Великобритании. Артиллерийская служба вдохновила его на глубокие стратегические изыскания, и он до сих пор считается серьезным стратегом, хотя две мировые войны несколько увеличили наши военные знания и уменьшили преклонение перед Францией. Вряд ли нынешние молодые британцы способны соперничать с этим мастером английской прозы, но они могут взять за образец его стратегические построения.

На первый план теперь выдвигался вопрос снабжения. Ваш-Наш был перевалочным пунктом, а дорога за Нам-Фуем обстреливалась артиллерией противника, и поэтому генералу Фу-Дрян-Ко не оставалось ничего другого, как выдвинуть пехотную бригаду к Ах-Ле-Бьену. Иначе форт Ня-Тронг был бы неминуемо сокрушен. Расстояние от Ваш-Наша до Там-Сяма исчислялось 218 километрами по главной магистрали. Учитывая, что передовые части дислоцировались на холмах у Тиен-Ровьенга, можно было полагать — хотя времени оставалось в обрез, — что вспомогательные колонны прибудут в срок. Перегруппировка началась 14 марта и продолжалась без происшествий до 17-го, когда в районе Фи-Донга... и проч. и проч.

Однако вернемся к путешествию в неизведанные страны. Прежде всего вам надо выбрать суперобложку для книги, которую вы собираетесь написать. Суперобложки бывают двух видов — с обнаженными бюстами и без них. Они, естественно, предназначены для разных читателей, и, если вам хочется обойтись без бюстов, их можно заменить географической картой или горными пиками. Но в общем-то бюсты предпочтительней — особенно если вы отыщете хорошеньких туземок. Однако, решившись на бюсты, вы сильно сузите выбор неисследованных земель, которые дожидаются, когда их представят широкой публике.

Покончив с обложкой, обдумайте, какие вам нужны ландшафты. И помните, что вы не должны идти на поводу у природы. Сначала набросайте сюжет повести, а уж потом выбирайте подходящую местность. Скорее всего вам понадобится живописная река с порогами, водопадами и хотя бы одним крокодилом. Будет очень неплохо, если фоном прибрежной деревушке послужат далекие горы. Заранее определите для себя, понадобятся ли вам тигры. Я не думаю, что охота на крупных зверей — ваше призвание, а поэтому лучше обойтись без этих кровожадных хищников. Но если они вам необходимы, купите в зоопарке открытку и впечатайте ее в негатив местного пейзажа. Некоторые землепроходцы

запасаются лапой чучела, чтобы оставлять ею тигриные следы на береговом песке. Только опытный зоолог поймет, что все следы на вашем снимке оставлены левой задней лапой, но ни один зоолог не станет читать вашу книгу, так что прием вполне себя оправдывает.

Книги о путешествиях часто страдают монотонностью. Кульминация поможет вам преодолеть этот недуг.

История восхождения, например, должна переламываться в момент завоевания пика Гдеонтам, когда флаг установлен, пирамида из камней сложена, погибшие шерпы похоронены, а книга на две трети написана. Заключительные главы дают высочайшую — но без преувеличений — оценку тому, что вами сделано. И по крайней мере одна глава повествует о прежних экспедициях, закончившихся неудачно из-за плохо подогнанного снаряжения, неудачно выбранных продуктов, неопытных проводников и неточных карт, по которым беспечные восходители намечали неверный маршрут в самое неподходящее время года. Впрочем, горы не должны занимать много места в задуманной вами книге. Альпинистские подвиги можно выдвигать на первый план, только если вы и правда опытный альпинист, а это, по всей вероятности, не так. Лучше упомянуть о восхождении между прочим и, отослав читателя к мелкомасштабному фотомонтажу в конце книги, перейти к дальнейшим событиям. Ваш самый напряженный эпизод развернется не на горной вершине и даже не в бездонном ущелье. Тогда где же?

А вот, например, неподалеку от вдруг загоревшегося вигвама, построенного для совещаний старейшин. Пожары выручали многих писателей и не раз еще сослужат им добрую службу. Новизной этот огненный финал, конечно, не блещет, но зато он драматичен, изящен и по-настоящему окончателен. Он живописно сжигает повисшие в воздухе хвосты сюжета. Устраняет лишних героев, включая дочь вождя (если она вам была нужна). А при желании уничтожает и целые племена — чтобы уж никто не мог опровергнуть ваших ан-

тропологических открытий. И в то же время позволяет вам спасти какого-нибудь верного следопыта, неизменно деливавшего с вами опасности и невзгоды. А главное, помогает так закончить рассказ, что всем становится понятно, почему вы больше не путешествуете.

Я смотрел с перевала на последние космы дыма, все еще опутывающие вершины деревьев, и понимал, что моя жизнь здесь кончена. Зачем мне было оставаться? Ведь прошлого не вернешь. Счастливое племя, с которым я породнился душой, кануло в небытие. Целитель Лоф-Кострук погиб, и мне уже не удастся отделить легенды о нем от правды. Мог ли он действительно оживлять мертвых? Кто знает! Себя, по крайней мере, он оживить не сумел. Однако в его необычных способностях сомневаться не приходится. Впрочем, их тоже не возродишь, они умерли вместе с ним. Я не склонен верить в сверхъестественные силы, хотя то, что мне довелось увидеть, противоречит законам обыденной логики. Больше мне сказать нечего... Повернув на север, я начал бесконечный спуск.

Рассказ о невиданных землях приятно расцвечивается кульминацией, а вот сочинение, которое должно принести вам славу полиглота, просто мертво без нее. Опытный путешественник строит лингвистическое повествование вокруг яркого и ожидаемого читателем события. И тут лучше коронации ничего, пожалуй, не придумаешь. А журналист — самый желанный гость на этой церемонии. Вам совсем не обязательно представлять столичную газету, вроде «Таймс» или «Лондонского обозрения». Сойдут и «Клеветонские слухи» и даже «Вестник свиноводства». Подобные издания охотно публикуют корреспонденции из Ниверии или Мясопотамии — если кто-нибудь едет туда за свой счет. Вам нужно лишь получить у сбитого с толку редактора удостоверение, что вы, как собственный обозреватель «Девичника», направляетесь в Бардаи или, скажем, Бордейри. Удостоверение обеспечит вас всеми привилегиями журналиста, так что вы

получите даже гостиничный номер, где уже поселили репортера из Потогонии и корреспондента с Тайвоня.

Словом, поезжайте на Восток. Любая коронация — событие международного значения, и вы можете с блеском продемонстрировать свои языковые познания. Тут самый верный путь — скромно признавать их недостаточность: «Дело в том, что я с трудом объясняюсь по-индокитайски...», «Я понимаю арабские наречия, но у меня давно не было разговорной практики. Однако шейх все же объяснил мне, что он придерживается ортодоксальной веры...», «В тот день мои знания урду выдержали суровую проверку...». Искусство заключается в том, что, сетуя на свои скромные знания, вы описываете эпизоды, которые показывают ваши блестящие разговорные навыки. Постепенно читатель перестает верить вашим чистосердечным признаниям, и вы можете безбоязненно говорить правду. Вместе с тем вам вовсе не обязательно рассказывать, что вас послал на коронацию редактор журнала «Пинг-понг», уверенный — вашими стараниями — в любви далай-ламы к этой игре. Просто упомяните пару раз, что «знаменитый журнал, в котором я тогда сотрудничал, постоянно требовал телеграфных репортажей, и порой мне приходилось составлять их по ночам — другого времени просто не было». Не забудьте поведать читателю о трудностях передачи туземных языковых реалий. «Смысл этой молитвы, — мимоходом сообщаете вы, — можно перевести приблизительно так: «О будь благословен, священный самоцвет в сияющих цветочных лепестках», — но глубинные оттенки значений в переводе, к сожалению, теряются». И вам автоматически обеспечена репутация востоковеда. Потом, резко сменив тему, расскажите, что каждый уважающий себя мясопотамец должен купить люстру из граненого стекла, импортируемую с Запада. И вообще относитесь к своей эрудиции с мягким юмором — так, словно вы ее немного стесняетесь...

Теперь нам надо обсудить третью возможность — книгу о

вооруженном столкновении. Локальная война где-нибудь идет обязательно, а зачастую вы можете выбрать одну из нескольких, и это очень удобно, потому что выбирать войну надо в соответствии с замыслом будущей книги. Если вам хочется написать стратегическую повесть, следует найти столкновение посерьезней, с равными по силе противниками. На такой войне могут, правда, возникнуть нежелательно острые ощущения, но истинному стратегу совсем не обязательно видеть или даже слышать, как идет бой. Карта, календарь, измерительный циркуль да бутылка коньяка — вот все, что ему необходимо. Однако идеальная война — достаточно серьезная для применения стратегии и не слишком опасная для самого стратега — подворачивается далеко не всегда. Возможно, вам придется работать на более грубом уровне. В этом, откровенно говоря, мало радости. Приближаться к передовой вы, конечно, не будете, но некоторые досадные неудобства вам все же придется претерпеть. Пустыня или джунгли — а хотя бы один раз вы должны туда выбраться — вовсе не подходящее место для стратегов. Впрочем, собрав сведения о природных условиях, вы сможете работать нормально. Запоминайте циркулирующие в тылах слухи и пересказывайте их так, будто все это случилось с вами. Читатели быстро догадаются, что каждая сколько-нибудь серьезная битва происходила при вас. Мендес Пинто, португальский исследователь Востока, — да и не он один! — вполне успешно пользовался этой техникой. Путь испытанный, и ваши рассказы о войне читатели примут вполне благосклонно, если вы приукрасите, как велит рынок, однообразие боевых будней. Впрочем, книгу, по крайней мере вчерне, надо написать до поездки. Кульминацией явится засада, в которую попадает командир противника, чтобы умереть, но остаться непобежденным. А читатель должен понять, что завершающей операцией фактически руководили именно вы, репортер газеты «Братья во Христе» или журнала «Вестник воскресной школы». «Нет, Брайен, — говорили вы лейте-

нанту, — вам следует продвинуться к юго-востоку, чтобы выйти на дорогу вот здесь, у высоты 237. Прицел надо сместить на 90 румбов к востоку, а по дальномеру взять 250 ярдов. И ни в коем случае не открывайте огонь, пока не покажется третий патрульный врага». Этот разговор читатель должен прозревать между строк — по той скромной настойчивости, с которой вы подчеркиваете заслуги самого лейтенанта.

Ваша репутация окончательно окрепнет, когда окажется, что вы категорически не желаете рассказывать о своих приключениях. Вам надо стать виртуозом утвердительных отрицаний. «Суахили? — переспросите вы своего любопытного знакомого. — Господь с вами! Я перезабыл все, что когда-то знал. А вот по-испански мне и правда хотелось бы говорить как следует — я имею в виду кастильский диалект. Вы-то его, разумеется, знаете?» Кто-нибудь, не умаляя ваших достижений, прямо говорит, что вы объездили весь мир. «Ради бога, не слушайте его! — восклицаете вы. — Можно подумать, что я был не только на Северном, но и на Южном полюсе. Кстати, вы не читали книги Врайберга об Антарктиде? Вот совершенно новый для нас мир!» Или, скажем, дама, к которой вы пришли в гости, просит рассказать ее друзьям о ваших военных приключениях. «Да ведь я даже никогда не слышал стрельбы, — признаетесь вы. — Вся моя писанина — чистейший вздор!» Наконец-то вам удалось сказать правду. И будьте совершенно спокойны — никто вашим словам не поверил.

ОСВОЕНИЕ

Респектабельная — хотя бы только по слухам — юность в сочетании с эрудицией и славой путешественника, который испытал (или придумал) невероятные приключения, сразу же выдвинет вас из унылой толпы сослуживцев. Вы без труда

затмите своих сереньких, похожих друг на друга соперников. И теперь вам надо сделать следующий, очень важный шаг. Оказывается, для того, чтобы проявить свои администраторские дарования, надо еще добиться должности, которая позволит вам их проявить. Как же до нее добраться? Можно во всем подражать уже преуспевшим служащим. Можно поступить на заочные курсы администраторов. Но самый лучший способ, бесспорно, и самый простой. Следует правильно жениться.

Что для этого нужно? Листайте глянцевые журналы, в которых недоступные вам девушки чередуются с недоступными для вас загородными коттеджами. Если вы холостяк без гроша за душой, к вашим услугам воздушные замки — внимательно проверьтс, подходит ли красавица с обложки к архитектуре и ландшафту выбранного вами имения: они все продаются. Может, правда, случиться, что, как это ни странно, красавица уже чья-то невеста или даже супруга. Неважно, листайте дальше — вот столь же изящные девушки в утонченной, но совершенно непринужденной обстановке: «Охотничий бал в замке Невашерли. Мисс Гарриэт Чужелен и достопочтенный Арчибальд Соплейл». Любитель воздушных замков решает, что мисс Гарриэт стоило бы поостеречься: Арчибальд ей не пара. На следующей странице можно увидеть мисс Терпейшенс Добберли просто «с другом». Иногда восхитительная девушка сфотографирована с жеребцом, выигравшим приз в Базарнервилле, а иногда — с выигранным ею кубком. Всех этих красавиц окутывает чарующая, хотя порой и обманчивая, атмосфера доступности. В общемто можно понять холостяка, считающего, что любая из них участвует в ярмарке невест.

И, однако, запомните сразу — фотографии эти не имеют к нашей теме ни малейшего отношения. Участвуют ли фотодевицы в ярмарке, как именно участвуют и почему — дело не ваше. Вам надо увидеть свой портрет в том же глянцевом

журнале, но на другой странице. Отправляясь в путешествие, вы прежде всего подбирали суперобложку для книги о своих будущих приключениях. В точности так же поступайте и сейчас. Изучите фотографии великосветских бракосочетаний и по одной из них запланируйте свою собственную свадьбу. Совершенно очевидно, что предпочтение всегда оказывают жениху, который считается Многообещающим Молодым Человеком. Именно таким человеком вы и собираетесь стать, поэтому стройте свою любовную историю соответственно. Если снимок на семнадцатой странице запечатлел сцену у Гвардейской часовни, где меж двумя шеренгами блестящих офицеров, под аркадой из вознесенных шпаг проходит Счастливая Пара — лорд Данеел Банкрофт и его невеста, урожденная Беспенни Транжэр, — считайте, что вам надо искать другой образец. Будучи лордом Банкрофтом, вы наверняка не стали бы читать эту книгу, да, по всей вероятности, и вообще не стали бы читать. Нет, подходящий вам снимок будет снабжен вот каким текстом:

> Невилл Проулэз-Карьериан со своей невестой достопочтенной Шилой Гордэн после венчания в церкви св. Маргариты (Вестминстерское аб-во). Посаженым отцом невесты, одетой... был ее родной отец лорд Существен, подружками — двоюродные сестры мисс Проданс Облигэйшн и мисс Мэрион Облигэйшн-Беспроигранс, а шафером — виконт д'Олларенси. Среди приглашенных...

Внимательно изучив эту фотографию, вы легко обнаружите, что главной фигурой на свадьбе был, конечно же, отец невесты лорд Существен, а мистер Проулэз-Карьериан исполнял роль если и не бедного, то уж, во всяком случае, не слишком богатого и важного родственника. Однако дальнейшие размышления натолкнут вас на правильную догадку, доступную пока лишь немногим, — высшее общество постоянно пополняется свояками. Отцов многообещающим мо-

лодым людям выбирать не дано, и с этим приходится мириться, но зато отца своей будущей жены — тестя — вы вполне можете подыскать себе сами. И выбор тестя во многом определит вашу карьеру, вот что важно. Допустим, вы уже превратились в итонца и магистра гуманитарных наук, окончившего оксфордский колледж Христовой Церкви, стали мелким администратором и крупным путешественником, — значит, пора сделать очередной и решительный шаг. Однако сначала вдумчиво исследуйте виды потенциальных тестей, а уж потом выбирайте. Классификация источников информации, методика их оценки и анализ принципов отбора потребуют приблизительно столько же энергии, сколько отняла бы у вас диссертационная работа. Работая над тестертацией, вы должны избавиться от некоторых иллюзорных представлений и определить для себя основные аксиомы.

Вот, например, существует теория, согласно которой сильные мира сего склонны производить на свет больше дочерей, чем сыновей. При ближайшем рассмотрении эта теория (кроме ее частного случая с университетскими профессорами) не подтверждается фактами. Оказывается, что факты-то как раз свидетельствуют об обратной тенденции. Возьмем статистику приплода нового баронства, предположив, что все представители данного вида знатны, влиятельны и богаты (последнее, впрочем, требует дополнительных уточнений). После 1937 года оборонено сто особей; из тех, что еще живы, около двадцати трех — бездетны (не говоря уж о неженатых). Все остальные новые бароны подарили миру двести пятнадцать баронят — сто двенадцать мужского и сто три женского пола. Учитывая ущерб, нанесенный войнами, можно сказать, что бароны способны к самовоспроизводству, и не более того. У герцогов, маркизов, виконтов и графов биологические характеристики аналогичны (а подробно эта тема рассматривается в монографии «Фауна Британских островов», написанной знаменитым зоологом). По-

этому-то мы и не принимали во внимание тех баронов, которые пополнили ряды еще более высокой знати. Количество детей в баронских семьях колеблется от одного до восьми, а средняя цифра равняется двум или трем. С точки зрения заинтересованного холостяка статистика ухудшается еще и тем, что всего тринадцать баронов обзавелись только дочерьми, причем лишь пятеро из них ограничились одной наследницей. Как видим, выбор очень невелик: пять полных, единственных в семье, и восемь частичных — с младшими сестрами — баронесс. Да надо еще учесть, что некоторым из них перевалило за пятьдесят, иные успели разориться, а самые расторопные — быть может, все остальные — уже повыходили замуж. Не следует, конечно, делать слишком поспешных выводов, но дальнейшие выкладки научно подтвердят наше предположение, что унаследовать баронское имение с помощью женитьбы почти невозможно. Сыновей у баронов удручающе много, а дочерей столь же удручающе мало. Статистика грустная, но, к сожалению, неопровержимая.

Мы уже говорили, что бывает успех, внушающий благоговейный трепет, но совершенно непригодный для подражания. Воистину трудно верить в собственную удачу, когда читаешь список министров с такими пышными титулами и древними фамилиями, как маркиз Солсбери и граф Серкир, герцог Дебоширский и лорд де ля Ворр или барон Монстэр и виконт де Лайл. Невольно начинаешь думать, что о преуспеянии следовало заботиться гораздо раньше — лучше всего лет пятьсот назад. Пословица «трудись упорно, а родись у лорда» звучит, конечно, заманчиво, только вот назовешь ли ее полезной рекомендацией? Люди, появившиеся на свет по совету пословицы, безусловно, встречаются, но не им адресована эта книга. Пособия по преуспеянию вообще не пишутся для проворцев, родившихся у лордов. Они-то наверняка преуспеют; да и маловато их, чтобы создать необходимый книге спрос. Автора занимают судьбы иных людей:

честолюбивый середняк, ищущий в супружестве влиятельного тестя, — вот кому предназначены авторские советы. Итак, заполучить баронское имение, женившись на баронессе, многообещающий молодой человек не может. Но, прочитав эту страницу и будучи не слишком старым холостяком, он может стать зятем весьма влиятельного лица.

Читатель спросит, применим ли этот теоретический совет на практике. Безусловно, применим и применяется постоянно. Откройте иллюстрированный журнал и тщательно рассмотрите фотографию, запечатлевшую прием в замке Макъюбкинг. Не обращайте внимания на центральные фигуры. Да-да, они все тут — граф и графиня Макъюбкинг, лорд Макинтош, виконт Максмоукинг, достопочтенная Жанна Плед — бог с ними. А вот гляньте-ка на этих двух молодых людей — они стоят с краю, — Найгеля Туткактутуэйта и Блайта Наподхватинга. Совершенно непонятно, как они здесь оказались. Почему пригласили именно их, а не кого-нибудь другого? Чем они превосходят остальных середняков? Неизвестно; зато известно, что найгели и блайты вездесущи. Они такие проникновенные, что проникают куда угодно. Вон они стоят — на плечах неприметные твидовые пиджаки, в руках дешевые стандартные двустволки — и ничуть не смущаются, хотя попали в избраннейшее общество. У них такой самоуверенный вид, словно этот охотничий заповедник принадлежит им, чего, разумеется, никак не может быть. Нет, они просто Многообещающие Молодые Люди, будущие зятья или свояки. И ваша задача — пополнить их ряды. Для этого, во-первых, надо уметь стрелять и ездить верхом. Пусть-ка Блайт или Найгель, при всей их проникновенности, разрядят свои ружья в шотландскую юбочку лорда Макинтоша — дорога в замок им будет заказана навеки. Однако умение гарцевать и палить из ружья — всего лишь незначительные составляющие успеха. Если бы граф и графи-

ня Макъюбкинг приглашали на августовскую охоту каждого лихого наездника или меткого стрелка, их заповедные угодья просто вытоптали бы, и хозяева замка прекрасно это понимают. Так что владеть оружием необходимо, но совершенно недостаточно.

Разрешить задачу проникновенности вам поможет базовая аксиома о локальности натиска. Да, есть юркие молодые люди, которые появляются решительно везде, причем в самых разных обличьях, но вам-то незачем очаровывать всех аристократов. Вы должны выбрать себе потенциального тестя и потом, не разбрасываясь, атаковать только его. Всю знать не очаруешь, поэтому добивайтесь расположения одного влиятельного лица. Какого же именно? Если свести возможных тестей в единую таблицу, выбор автоматически упрощается, но этим методом никто до сих пор не пользовался. В таблицу, естественно, войдут исключительно отцы дочерей. Естественно-то это естественно, и, однако, нередко молодой холостяк бездумно обхаживает какого-нибудь богатого пивовара или владельца газеты, а тот оказывается бездетным или — еще хуже — отцом оравы сыновей. Такая бездумная трата энергии может вызвать лишь осуждение. Выбранный вами человек должен иметь связи в обществе, состояние и хотя бы одну дочь. Несколько дочерей, без сомнения, предпочтительней, ибо таким образом расширяются ваши возможности.

Предположим, вы свели в таблицу шестерых потенциальных тестей. Это шотландский пэр, ставший недавно начальником Почтового ведомства; баронет с длиннейшей родословной, богатой женой и местом в парламенте; владелец футбольного тотализатора; султан из Фонтауновской Аравии; греческий судовладелец и хозяин газеты «Чудеса воскресенья». Предположим далее, что шотландец, как вы думаете, самая подходящая для вас кандидатура. И предполо-

жим, наконец, что у него есть три дочери — Анджела, Барбара и Вайолет, родившиеся в алфавитном порядке соответственно двадцать шесть, двадцать три и девятнадцать лет назад. Их папаша, IV граф Торфэй, владеет имением Кланмох в Кайл-оф-Плохе, а также акциями канадских, аргентинских, панамских и никарагуанских фирм. Семейство действительно весьма подходящее. На какой же дочери вам остановить свой выбор? Год рождения девиц — вот ваш советник. При прочих равных условиях жену следует выбирать по формуле: возраст мужа, деленный пополам, плюс семь лет. Если вам исполнилось двадцать четыре, добивайтесь Вайолет, в тридцать один остановитесь на Барбаре, а после тридцати шести удовольствуйтесь Анджелой. При научном и своевременном планировании карьеры вы сможете заняться Вайолет, оставив Барбару с Анджелой в резерве. Мысленно выбрав невесту, вы должны свести знакомство с ее родителями — и вот тут-то обычный середняк, как правило, пасует. Зато середняку, изучившему наше наставление, препятствие покажется вполне одолимым. Поэтому читайте следующие абзацы особенно внимательно. Один известнейший знаток военных наук часто упоминает стратегический прием «Подход с обходом». Хорош ли этот маневр на войне, пока не совсем ясно, но для разрешения стоящей перед вами задачи он вполне применим. В самом деле, прямой подход к графу со словами: «Я хочу жениться на одной из ваших дочерей» — вряд ли себя оправдает. Нет, эта задача решается только с применением малоизвестной, но очень важной стратагемы. Ее основа — предварительный и всеобъемлющий сбор информации.

Начните кампанию с детального списка родственников — вам нужно знать их титулы, фамилии, увлечения, а также характер духовных и родственных связей с избранным вами семейством. Вот как должна выглядеть ваша предварительная таблица:

№ по порядку	Титул и фамилия	Родственные связи	Духовные связи	Увлечения
1	Виконт Кланмох	Братья, родившиеся после графа	Взаимное отвращение	Разведение ангорских кроликов
2	Болдуин Макрекинг Кайл-оф-Плох		Взаимная терпимость	Охота с борзыми на речных котиков
3	Достопочт. Брейди де Галлоп		Взаимная сердечность с графом	Коллекционирование дуэльных пистолетов
4	Леди Запруденс де Галлоп	Единств. сестра графа	Взаимная терпимость	Вице-президент Общества по предотвращению всего
5	Миссис Мария Плед	Ст. сестра графини, жена № 6	Взаимная сердечность с графиней	Яростная сторонница Стюартов
6	Генерал Дуглас Джейбес Плед	Свойственник графини, муж № 5	Взаимное дружелюбие с графом	Охота (олень), рыбная ловля (лосось), рассказы (о том, как он выиграл Первую мировую войну)
7	Мисс Лайла Маккельтик	Незамужняя сестра графини	Неприязнь ко всем (с графом — взаимная)	Практическая йога (обычно пребывает в Тибете)
8	Мисс Стар Плед	Сестра № 6	Взаимное дружелюбие с графиней	Директриса колледжа св. Магдалины для девушек

На самом деле родственников окажется больше, но основные приемы классификации видны из приведенной таблицы. Составив ее, вы должны решить, кого из родителей важнее очаровать. Предположим, что лучше всего вам сразу же заняться графом. Тут открывается несколько путей.

Можно опубликовать статью, доказывающую, что ангорские кролики принесли человечеству не меньше бедствий, чем саранча, холера и чума, вместе взятые.

Можно раздобыть пару редкостных дуэльных пистолетов и обратиться к № 3 за консультацией.

Можно вступить в Общество стюартистов.

Можно послать письмо № 6 с просьбой разъяснить вам, как была выиграна Первая мировая война.

Можно постоянно рассказывать, что № 7 даже не знает, где расположен Тибет.

Можно прочитать какую-нибудь увлекательную лекцию в колледже св. Магдалины для девушек.

Но никто вам не мешает использовать не одну, а все эти возможности. Истинным творчеством в создании своей карьеры будет лекция для девушек из св. Магдалины о старинном огнестрельном оружии — в тот день, когда колледж посетят №№ 3, 5, 6 и 7. Демонстрируя дуэльные пистолеты, первым выстрелом убейте ангорского кролика, а вторым случайно подраньте тетушку Лайлу. Подчеркните в конце лекции, что короли Стюарты никогда не разводили ангорских кроликов и что Первая мировая война едва не завершилась трагически из-за почитателей этих чудовищных грызунов, но в последнюю секунду все же была выиграна с помощью охотников на оленей. Если вас не пригласят после этого в замок Кланмох, считайте, что дочери графа просто не достойны ваших усилий. Но вероятней всего, вы станете там желанным гостем и через пару недель Вайолет прикажут полюбить вас всем сердцем. Она может ослушаться родителей на том шатком основании, что сердцу, мол, не прикажешь;

тогда начинайте ухаживать за Барбарой, и Анджела вам обеспечена. Как только объявят о помолвке, вы станете почти своим в мире свояков. Два радостных события еще до свадьбы победно озарят вашу жизнь. Какой-нибудь глянцевый журнал обнародует групповую фотографию:

На вересковых равнинах Кайл-оф-Плоха. Граф и графиня Торфэй, леди Запруденс де Галлон, миссис Мария Плед, достопочт. Брейди де Галлоп и ген. Д. Д. Плед, кавалер орд. «За безрассудн. службу» (стоят). Леди Анджела и Барбара де Галлоп, м-р Найгель Туткактутуэйт и м-р Самнер Среднинг (сидят).

А в следующем номере журнала, на первой странице, появится еще один снимок:

Леди Анджела де Галлоп, недавно помолвленная с мистером Самнером Среднингом, наиболее перспективным кандидатом в парламент от гор. Всетори.

Фотография шестилетней давности скроет некоторые недостатки достойнейшей леди А. де Галлоп. Зато на одной из последних страниц того же номера журнала можно будет увидеть

Замок Ворплут в графстве Успехсекс, где проживает м-р Самнер Среднинг.

Видел ли кто-нибудь замок Ворплут? Кто-нибудь — наверняка, но вам-то вовсе не обязательно «проживать» там постоянно. Вы ведь можете просто снять его — для временного жительства или публикации на страницах журнала.

В день бракосочетания вы получите бессрочный пропуск наверх. Почему? Да потому, что вашим свойственникам не нужен в семье неудачник. Их интерес к вам может отмеряться очень скупо. Их любовь к вашей жене может захиреть очень скоро. Но их репутация в какой-то степени зависит от

ваших успехов. Они вам свойственники по жене (и вы частенько об этом упоминаете), а вы им — по дочери, и они это признают (правда, реже, чем вам хотелось бы). «Всемирный Банковский Трест? — переспрашиваете вы у знакомого. — Разумеется, знаю. Их председатель правления — дядя моей жены...», «Котингс? Нет, к сожалению, я там не бывал. Но мой двоюродный тесть приглашал меня к себе поохотиться на речных котиков — у него прекрасные борзые...», «Я ни разу не ловил лосося — до прошлого года, когда генерал Плед зазвал-таки меня в свое шотландское имение...». Повышения по службе эти разговоры вам не принесут, хотя и повысят в глазах сослуживцев. Но ведь деловые партнеры наверняка будут спрашивать графа Торфэя: «Надеюсь, мы увидим вашу замужнюю дочь на открытии сезона в Дербитауне?..», «Как дела у вашего зятя?..», «Что, граф, говорят, вы теперь дедушка? Поздравляю!» Ради собственной репутации ваш свойственник отхлопочет вам место управляющего. Что бы он ни думал о ваших способностях, ему придется заботиться о вашем преуспеянии.

Итак, вы сделались полноправным Свояком. А если бы вам это не удалось? Вы были бы Чужаком или, не дай бог, Сторонним, и пришло время определить эти термины. Чужак холост; никто не помогает ему пробиваться наверх, но зато он еще не забракован, т. е. не вычеркнут из списка женихов. В таком положении есть кое-какие выгоды, если вы не слишком мелкий служащий. Машинистки обслуживают вас в первую очередь, а мамаши худосочных девиц приглашают в гости. Ходят слухи о том, что с вами приключилась романтическая трагедия, рассказывают о богатой наследнице, вашей невесте, которая скоропостижно скончалась от дифтерита, о юной кинозвезде, принужденной выйти замуж за кого-то другого, о ваших религиозных распрях с родственниками французской княжны, увезенной из-под венца изувером-отцом, об австрийской принцессе, ушедшей в мона-

стырь, чтобы спастись от свадьбы с вашим соперником. Подобные слухи — они расползутся, если вы их распустите, — не принесут вам особого вреда. Правда, и пользы вы от них не получите. У Чужака по сравнению со Свояком очень шаткие позиции, и любые, даже романтические, тайны о его прошлом столь же полезны, сколь и опасны для него. А главное его достоинство — мы не говорим о мелких удобствах — состоит в том, что он способен стать Свояком. В отличие от Стороннего он, хотя бы только потенциально, Многообещающий Молодой Человек. У него еще есть козыри в игре.

А вот жребий Стороннего воистину ужасен. Он безнадежно проиграл, неправильно женившись. Обычно это результат чересчур раннего брака. Он не смог позабыть юную блондинку из своей убогой средней школы. Или брюнетку из своего заштатного колледжа. Он остался верен рыженькой машинистке, печатавшей его первые деловые письма. Так или иначе, он приковал себя брачной цепью к тому окружению, которое, словно ядро на ноге, не дает ему всплыть на поверхность. Белесенькая старшеклассница из Дрязго казалась привлекательной только по тамошним — безнадежно вульгарным — представлениям. Чернявая студентка из Грязго была, возможно, самой светлой личностью в колледже — но на каком сером фоне! Ну, а рыженькая машинистка просто выглядела поярче других, совсем уж бесцветных и до сих пор незамужних провинциальных синих чулок. Да, если вы предложили руку (и сердце) какой-нибудь девушке только потому, что она оказалась под рукой, вам обеспечено пожизненное прозябание. Она, конечно, не захочет, чтобы вы стали законченным неудачником, но неминуемо придет в уныние от вашего серьезного успеха. Ведь она так и осталась провинциалкой из Грязго или Дрязго. В кругу ваших новых друзей ее внешность и воспитание, взгляды на жизнь и родственники будут казаться просто смешными. Поэтому она захочет остаться в том обществе,

где будет выглядеть не хуже, а лучше других. Она приложит все силы к тому, чтобы вам не удалось всплыть наверх. И наверняка преуспеет, вот что самое скверное. Словом, ранняя женитьба на девушке, оказавшейся под рукой, закроет вам путь к успеху. Из этого правила есть только одно исключение — исключительная красота вашей супруги. Блистательная красавица будет блистать в любом обществе. Это тоже чревато опасностями, но вряд ли будет мешать вашей карьере.

Пригодность, или готовность, Избранницы к браку можно определить по таблицам, которые публикуются здесь впервые. Их применение требует от Искателя точных знаний и тонких расчетов. Однако, если время не терпит или собрать исходные данные трудно, можно воспользоваться упрощенным — визуальным — способом оценки. Глаза девушки укажут вам, кто она по рождению.

Кате-гория	Положительные характеристики	Проме-жуточный балл	Итоговый балл
А	Здоровье и красота Живость и деятельность Благоразумие	20 10 10	40
Б	Респектабельное происхождение Изящество и одаренность Эрудиция	20 5 5	30
В	Верность Уживчивость и хорошие манеры Тактичность и непринужденность	10 5 5	20
Г	Сегодняшние доходы и ожидаемое наследство	10	10
			100

Категория	Отрицательные характеристики	Промежуточный балл	Итоговый балл
Д	Недужность и невзрачность Вялость и леность Безрассудство	20 10 10	40
Е	Сомнительные родственники Неуклюжество и бездарность Невежество	15 10 5	30
Ж	Вероломство Сварливость и дурные ухватки Бестактность и чванство	10 5 5	20
З	Сегодняшние долги и ожидаемое мотовство	10	10
			100

Руки определят ее воспитание. А рот скажет, кем она стала. Стопроцентной уверенности такая оценка не даст, ибо это лишь схематическая модель углубленного анализа. Совершенно ясно, что лучше провести всеобъемлющее исследование с прицелом на абсолютную истину, которая хоть и не достижима в идеале, но доступна в некотором приближении. Из Таблицы Пригодности видно, что у каждой Избранницы есть 8 качественных характеристик — 4 положительные (категории А, Б, В, Г) и 4 отрицательные (Д, Е, Ж, З).

Используя элементарные арифметические действия, Искатель с нормальным честолюбием немедленно отвергнет Избранницу, у которой положительные характеристики перекрываются отрицательными, т. е. А+Б+В+Г<Д+Е+Ж+З. Девушки с нулевым коэффициентом интереса тоже не представляют. Плюсовой коэффициент колеблется от 1 до 100, образуя Шкалу Пригодности Избранниц или Искателей (ШПИ). Полученные по ШПИ результаты вносятся в Таблицу Классности (ТКИ).

Таблица Классности (ТКИ)

Плюсовой коэффициент (в баллах)	Класс
100—85	I
84—70	II
69—55	III
54—40	IV
39—25	V
24—10	VI

Избранницы, набравшие менее 10 баллов, считаются деклассированными и в Таблицу не включаются.

Таблица Пригодности Искателя отличается от Таблицы Пригодности Избранницы только тем, что в категории «А» «Красота» заменяется «Обаянием». Если вы не способны к сравнительному анализу, забудьте про идею классования Избранниц и сразу же переходите к следующей главе. Если же анализ вам удается, вы легко рассчитаете, на Избранницу какого класса можете претендовать. Искателю III класса вполне доступна второклассная Избранница, а первоклассный Искатель, как правило, женится на Избраннице своего же класса.

Но читатель этой книги, человек, стремящийся подняться наверх, едва ли принадлежит к I классу Искателей, потому что он непоправимо теряет баллы при трезвой оценке своего происхождения, эрудиции, манер, непринужденности и доходов. В лучшем случае он вытягивает на III класс. Однако его цель — женитьба на Избраннице респектабельного происхождения, а поэтому он смотрит сквозь пальцы на ее низкую классность и способен жениться даже на девушке из IV класса. Ему надо стать Свояком. Правда, женись он на девушке, которая была под рукой, его супруга вполне могла оказаться дамой V или VI класса. И он неминуемо скатился бы в ряды Сторонних, потому что его жена — без положительных баллов за респектабельное происхождение — была бы даже ниже его заурядных возможностей. Нельзя отрицать, что преуспевают иногда и Сторонние, но для этого им на-

до быть особо одаренными людьми. А совершенно заурядного и среднего Свояка автоматически поджидает успех. Именно поэтому автор так подробно разбирает жениховский период в карьере середняка. Ранний и неправильный выбор невесты или небрежно разработанный, а потому неудавшийся путь в Свояки приведет вас к необходимости полагаться только на себя в конкурентной толчее мира, где вы окажетесь Чужаком.

НЕСАМОМНЕНИЕ

Вы молодой делец и поэтому должны твердо знать, что советовать старшим и вышестоящим — не дело. А уж лезть к ним с реорганизационными советами просто глупо: это, во-первых, звучит как оскорбительный намек на их плохую работу и, во-вторых, означает, что вы считаете себя отчаянным умником. Возможно, чей-нибудь совет они и приняли бы, но ваш... Это вы-то, последняя спица в проверенной колеснице компании, лучше управляющих знаете их обязанности?! Предположим, что несколько дней назад вы подали в правление докладную записку и теперь по вызову директора-распорядителя входите к нему в кабинет, предвкушая приятнейший разговор.

Д и р е к т о р. Я тут читал вашу докладную, мистер Среднинг, и никак не мог понять, кто из нас директор.

С р е д н и н г. Конечно, вы, сэр.

Д и р е к т о р. Ах, значит, все-таки я? Хотя в делах я ничего и не смыслю? Ведь меня должны учить — так оно выходит, и это после тридцати лет работы! — самые младшие служащие. Вас это не поражает, мистер Среднинг?

С р е д н и н г. Конечно, сэр... то есть я хотел сказать, что вы, сэр!

Д и р е к т о р. А может, вам кажется, что я отстал от жизни?

С р е д н и н г. Что вы, сэр! Ни в коем случае, сэр.

Директор. Вы хоть понимаете, что у меня тридцатилетний опыт? А у вас — никакого? И вы думаете, мне нужны ваши советы?

Среднинг. Конечно... Я хотел сказать, что вы, сэр... конечно.

Директор. Вы понимаете, что служащих и за меньшую наглость увольняют? Или к вам я должен проявлять особую снисходительность?

Среднинг. Что вы, сэр... Конечно... Я хотел сказать, что вы, сэр!

Директор (*мягко и наставительно*). Советую вам, мистер Среднинг, ради вашей же пользы держите свои идеи при себе, пока не наберетесь опыта. И поверьте мне, начальство знает, что делает. Запомните, мистер Среднинг, наша фирма существовала, когда вас еще и на свете не б ы л о . И вполне обойдется без вашей помощи. Обдумайте это и учтите на будущее. А сейчас (*внезапно распаляется*) — ВОН!!!

Подобные беседы не способствуют служебным успехам, да и нервов, прямо скажем, не укрепляют. Поэтому лучше подойти к делу с другой стороны. Допустим, ваш проект действительно великолепен и принесет полмиллиона чистой прибыли в год. Продвигать его можно с разными намерениями. Во-первых, чтобы возросли доходы фирмы. Во-вторых, чтобы прослыть умником. А в-третьих, чтобы подняться на ступеньку вверх, когда изменится структура управления и никто, кроме вас, не сумеет руководить новым подотделом. Про два первых намерения забудьте немедленно. Доходы фирмы (если она еще сводит концы с концами) вас не касаются. Репутация умника принесет вам только неприятности, бойтесь ее, словно чумы. А вот ради повышения по службе стоит рискнуть. Но и это, по-настоящему серьезное намерение таит в себе две опасности. Плохо, если о нем пронюхают сослуживцы. Еще хуже, если по-

высят не вас, а другого. В обоих случаях вы прославитесь как интриган, причем как интриган неудачливый. Подобная слава вам совершенно ни к чему.

Вспомним типичный случай времен Второй мировой войны: подполковник из Генерального штаба представил по начальству рапорт о реорганизации штабного отдела, в результате которого штаты увеличиваются на треть. Получив давно ожидаемый рапорт, генерал, прижмурившись от удовольствия, рассматривает новую схему.

— Ну-те-с, ну-те-с, — удовлетворенно бормочет он, поправляя очки. — Остроумная схема преодоления наших трудностей. Кстати, я вижу, что командиром нового подразделения должен быть генерал.

— Повышения рангов требует обстановка на фронте, — скромно покашливая, соглашается подполковник. — А также перераспределение обязанностей в отделах второго ординара.

— Именно, именно, — раздумчиво подтверждает генерал, — повышения рангов требует обстановка. Придется мне кого-то представлять к повышению.

Слегка зардевшись и глядя в пол, подполковник начинает сочинять письмо домой. «Это произошло, — проплывает в его голове, — совершенно неожиданно...»

— Да-да, — повторяет генерал, и его голос сочится садизмом, — придется мне кого-то представлять к повышению... и я, кажется, знаю подходящего человека. Полковник Маккинли, командир парашютного полка и мой старый друг, на будущей неделе выписывается из госпиталя. Он будет бравым генералом. *(Подымает трубку телефона.)* Дайте мне базовый госпиталь... Ладно, я подожду... — Повернувшись к подполковнику, генерал энергично продолжает: — Осталось последнее затруднение. Что мне теперь делать *с вами?*

Как вы понимаете, судьба подполковника незавидна. Поэтому никогда не продвигайте свой проект сами, а предоставьте это человеку, который искренне убежден, что ва-

ша идея зародилась в его голове. Ни лавровый, ни терновый венцы вам ни к чему, и уж совсем не нужна слава интригана. В управленческом деле нет, пожалуй, ничего более важного, чем искусство вкладывать свои мысли в чужую голову. И значит, вам надо найти такую голову. Необходимо, чтобы она могла наполняться чужими мыслями, то есть была бы достаточно пуста, и чтобы владельцем ее был высокопоставленный администратор, способный повлиять на директора. Подобный человек есть в любом учреждении, и мы будем называть его... ну, скажем, Клайд Леннокс. Он активный член гольф-клуба, и вы познакомитесь на клубном поле для гольфа. При беседах с ним вас будет захлестывать почтительное восхищение: «Мне бы вашу деловую хватку, Клайд! Впрочем, я понимаю, что такая верность суждений дается только многолетним опытом... Просто удивительно, Клайд, ваше положение, ваши знания нисколько не притупили у вас острейшего, почти юношеского восприятия мира...»

Вскоре вы сможете убедить его, что он переполнен дерзновенными и глубокими идеями: «Да, никто, кроме вас, до этого не додумался бы, Клайд. Теперь-то мне понятно, где директор черпает свои блистательные замыслы...»

Когда между вами установятся добрые отношения ученика и учителя, в один из очередных праздников вы подкараулите его, спрятавшись за дверью уборной. Надо только, чтобы он был гораздо пьянее вас.

— Ну, знаете, Клайд, этот ваш план преобразования отдела К в дочернюю фирму превосходит все ожидания!

— Какой план?

— Майк мне только что рассказал. Не беспокойтесь, все останется между нами. И знаете, что я ему сказал?

— Откуда же? Меня ведь там вроде не было?

— Так вот, я ему сказал: «Слушай, говорю, Майк, он же

просто гений!» И не для красного словца сказал. Я буквально так и считаю.

— Как?

— А так, что вы гений.

— Это почему?

— Да ведь план-то гениальный!

— Какой план?

— Ну, превращения отдела в дочернюю фирму.

— А Майк-то — он кто?

— Майк Болтуинг. Я, конечно, понимаю, что он напрасно мне это рассказал, это ведь пока секрет.

— Ясное дело, секрет. Мог бы и помолчать.

— Ну, молчать-то он не умеет. А план сногсшибательный. Ох, и мудрец же вы — взять хоть налоги, сколько мы сэкономим... нет, это гениально!

— Что гениально?

— Превратить отдел в фирму.

— А-а, ну да. Только держите язык за зубами.

— О чем вы говорите!.. Слушайте, Клайд, а не пора ли нам выпить?

— Это мысль. Вы, я смотрю, мыслитель.

— Э, нет, мыслитель-то у нас вы. Тут за вами не угонишься.

— А я и не думаю убегать.

— Да нет, я говорил... впрочем, что там говорить! Пойдемте-ка спрыснем ваш план.

— Какой план?

Если вы хорошо справились с задачей, старина Леннокс проснется наутро со смутным ощущением, что он обсуждал с кем-то какой-то важный план. Ему очень захочется вспомнить, какой и с кем. Вы должны ему помочь, и лучше всего сделать это по телефону, чтобы девочки с коммутатора растрепали о вашем разговоре по всем отделам.

— Это вы, Клайд? Должен вам сказать, что о вашем плане насчет отдела К — помните, мы обсуждали его вчера вечером? — многие уже знают. В Правлении только о нем и говорят. Все считают, что это потрясающий план.

— Ну, уж и потрясающий. План как план. В общем-то довольно простенький.

— Простенький план, до которого никто другой не додумался! Ведь вы растолковали мне вчера все подробности реорганизации — ошеломительный замысел. И главное, продуманный во всех деталях.

— Вы так считаете? Тут очень важно ничего не упустить.

— Клайд, я был так ошеломлен, что, когда пришел домой, просто взял и записал ваши мысли. Мне кажется, я уловил основную суть ваших рассуждений.

— Да? Все-таки пришлите мне ваши записи для проверки.

— Обязательно, Клайд. Только вот еще что. Там, по-моему, возникает два осложнения. Вы-то, я уверен, знаете, как с ними справиться, но я считаю своим долгом указать на них. Если вам, конечно, интересно.

— Что ж, стоит посмотреть. Давайте-ка встретимся за ленчем. Приходите в клуб к двенадцати тридцати.

— Спасибо, Клайд. С удовольствием приду. Я вам очень благодарен за то, что вы посвящаете меня в планы фирмы. Помочь я вам не смогу — у меня почти нет опыта. Но под вашим руководством я многому уже научился.

— Рад быть полезным. Так, значит, в двенадцать тридцать. До встречи.

Ваши записи — разумеется, довольно бессвязные — помогут Клайду избавиться от мучительной неопределенности. Он наконец узнает, какой план ставят ему в заслугу. План окажется не блистательным, но вполне приемлемым. В ваших записях Леннокс найдет несколько явных ошибок и машинально исправит их. Слово «компания» вы напиши-

те через «а», и тут он благодушно ухмыльнется: «Не слишком-то они грамотные, эти молодые итонцы». Он привычно пронумерует абзацы и несколько пунктов поменяет местами. А что ж, неплохой, в общем, план. Исправляя ваши записки, он как бы признает свое авторство, и каждая пометка будет укреплять его в уверенности, что все это придумал действительно он.

За ленчем вы расскажете ему о своих возражениях. Они должны быть тщательно продуманы. Их пустяковость следует искусно замаскировать, и в то же время отвод возражению необходимо зашифровать в самом возражении. Первое будет касаться юридической, скажем, стороны — вы усомнитесь, что новую фирму можно зарегистрировать в Ирландии.

— Да мы ее зарегистрируем в Канаде! — сразу найдется Леннокс.

— А ведь верно! — воскликнете вы. — Как же это я сам не догадался?

Второе возражение пусть окажется чуть посерьезней — вас обеспокоит способ добывания капитала для расширения фирмы и гарантии вкладчикам неизменных дивидендов. Тут Леннокс угадает ответ со второго, допустим, раза. Тактическая цель этого маневра — дать автору ощущение победы. Он уже отверг два существенных возражения, отстаивая свой план. Кто следующий скептик?.. Стратегическая — рассеять смутные подозрения, что план-то все-таки ваш. «Представляете себе, этот юнец сначала возражал, измышлял разные казусные трудности, — будет рассказывать Леннокс. — Но потом, когда план был детализирован, он здорово работал и был очень полезен. У сильного управляющего филиалом он мог бы стать дельным заместителем. Не слишком пока самостоятелен, но это, положим, не большая беда. Терпеть не могу безусых юнцов, которые воображают, что могут заменить самого директора-распорядителя! Молодой Среднинг знает свое место, и это говорит в его пользу. Самостоятельность

приходит с опытом. А Среднинг — кто знает? — дослужится, быть может, и до управляющего. Да, дельный парень».

Итак, сам автор проекта не получит никакой награды? Решительно никакой. Он должен с негодованием отвергать любое подозрение в авторстве. И это — основной принцип администрирования. Вкладывайте свои мысли в чужие головы, и пусть их владельцы ломают себе шеи или получают лавровые венцы. Фактический руководитель обычно помалкивает. Попробуйте вести себя иначе — отстаивайте свой план, добивайтесь награды, если он принят, — и вы преуспеете... однажды. Этот успех навсегда закроет дорогу любому вашему начинанию. Репутация умника загонит вас в самый захудалый отдел. Ваша карьера, по крайней мере в той фирме, где вы прослыли умником, кончится, так и не начавшись. Вам придется начинать все сызнова в другой фирме, но предварительно прочитайте эту книгу и постарайтесь произвести на новых сослуживцев совсем иное впечатление. Там, куда вы перейдете, наверняка найдется увлекающийся гольфом администратор, способный повлиять на директора-распорядителя и вместить чужие мысли, потому что своих у него нет, и вы познакомитесь на клубном поле для гольфа, и при разговорах с ним вас будет захлестывать почтительное восхищение... Нет, рабочего опыта в предыдущей фирме вы набраться не успели, но зато узнали кое-что о человеческой натуре.

КОМПЕТЕНТСТВО

Вы делаете карьеру управляющего (чьим-то, естественно, трудом) и постоянно слышите об экспертах по методам управления и специалистах по научной организации труда, которых сокращенно называют бизнес-консультантами.

Иногда вы с ними даже встречаетесь и невольно задаете себе вопрос — а не вступить ли и вам на эту стезю? Ведь, поразмыслив, вы наверняка придете к заключению, что управлять трудом других все же сложнее, чем рассказывать, как им надо управлять. Да, искушение велико, и тем не менее его следует обуздать. Поймите автора правильно. Он вовсе не собирается бросать тень на бизнес-консультантов. Просто у вас другой путь. Однако вам неминуемо придется столкнуться с ними по работе. А поэтому вы должны знать, чем они занимаются и как. Сегодняшний деловой мир немыслим без этих людей — преуспевающих, громогласных и вездесущих.

Многие бизнес-консультанты уже завоевали прочную репутацию серьезных специалистов, про других пока нельзя сказать ничего определенного. А дело консультирования безудержно разрастается. Бизнес-консультант для промышленной фирмы — это одновременно и психиатр, и успокоительное средство, без которого она просто не в силах обойтись, когда психическая напряженность ставит под угрозу ее прежний характер, нормальную жизнь, а порой и физическое существование. Как истеричке становится легче уже потому, что она поведала о своих горестях врачу и узнала про обыденность своего недуга, так солидную фирму перестает лихорадить, едва появляется бизнес-консультант, — и еще до его рекомендаций.

— Так, так, — успокоительно сопит консультант. — Работа по вечерам, свары на автостоянке, ссоры в столовой — знакомая картина, как раз на прошлой неделе я столкнулся с аналогичными симптомами...

Но заботливое участие и повадки целителя — это еще не все, что он может предложить. Рано или поздно последует деловой совет — вот что удивительно.

Вообще-то довольно странно, что солидная компания, руководимая выдающимся управляющим, советом опытных директоров и группой добросовестных управляющих отделениями, приглашает со стороны какого-то бизнес-консуль-

танта, чтобы получить совет, как наладить работу. Если администраторы не умеют организовать труд людей, тогда зачем они нужны и за что, спрашивается, им платят деньги? И кроме того, не совсем понятно, почему консультант со стороны лучше Правления разбирается в делах фирмы. Эти вопросы давно волнуют широкую публику, и пришло время ответить на них.

Нам не без оснований кажется, что бизнес-консультанты ничего — или почти ничего — в делах не смыслят. Их право давать советы зиждется главным образом на дверной табличке, утверждающей, что Глумлинг, Мурло и Брехенридж — эксперты по методам управления, а Сомниферес, Думкинсон, Гиббон и Мастерс — специалисты по научной организации труда. Любое явление имеет изначальные корни, и бизнес-консультанты укоренились в деловом мире с помощью дверных табличек. Кем были Брехенридж и Мастерс до объявления себя бизнес-консультантами? Может быть, слушателями заочных курсов администрирования. Может быть, студентами Лондонского экономического училища. А может быть, им просто не удавалось найти себе применения в жизни. Как бы то ни было, сейчас они бизнес-консультанты, возвестившие себя Чудодеями Делового Мира. И не успели они привинтить к дверям свои таблички, как первые предприниматели, возалкавшие консультаций, начали ломиться в их конторы. Если окинуть внимательным взглядом выстроившуюся к ним очередь, окажется, что в ней почти — или даже совсем — нет чиновников, служащих непосредственно Государству. Попробуйте отыщите здесь боевого генерала, приехавшего с фронта, чтобы узнать, не пора ли ему капитулировать. Не найдется тут и адмирала, сошедшего на берег, чтобы получить совет, как продолжать морское сражение. И если в очереди замаскировался премьер-министр, значит, маскироваться он, во всяком случае, мастер.

Толчею у входа к бизнес-консультантам создают в основном коммерсанты и промышленники среднего возраста. Все

они опытны, предприимчивы, энергичны и настойчивы. Председатель Правления фирмы, которая делает из целлулоида золотых рыбок, прекрасно знает тонкости технологического процесса, рекламы и сбыта этих сказочных чешуйчатых. Директор-распорядитель концерна по производству воздушных шаров знает, если верить слухам, решительно все об эластичности и прочности полиулетановых пленок. Управляющий отделом сбыта компании «Леденцы с хрустом» собаку съел на вязкости конфетной массы, древовидности леденцовых палочек и предпочтительности раскрасок продаваемой им продукции. Словом, любой человек в этой очереди — знаток своего дела. И каждый хочет получить консультацию у Гиббона или Мурло. Наваждение, да и только! Много ли знает Глумлинг про золотых рыбок? Наверняка так же мало, как Сомниферес про воздушные шары или Думкинсон про леденцы с хрустом. Может быть, они и правда чудодеи?

Автор выявил два основных побуждения, склоняющих администраторов обращаться к бизнес-консультантам. Это случается, во-первых, когда они хотят, чтобы им посоветовали провести уже намеченную ими реорганизацию. И во-вторых, когда надеются, что им отсоветуют проводить реорганизацию, которая для них невыгодна. Разницу между этими побуждениями лучше всего показать на конкретных примерах. По вполне понятным причинам фамилии консультантов и названия фирм изменены до неузнаваемости.

Трест «Самобеглые повозки» изготовлял автомобили допотопных и поэтому надежных моделей, а концерн «Легендарные здания» возводил панельные коттеджи, оборудованные легендами о том, как — и с кем — ночевала в них Елизавета Первая.

Директора «Самобеглых повозок» задумали упростить административную структуру треста. Они решили уволить половину служащих, а от оставшейся половины предполагали потребовать добросовестной работы. Однако им вовсе не

хотелось, чтобы их обмазали дегтем и вываляли в перьях на автостоянке перед зданием Правления. Поэтому, пригласив господ Глумлинга, Мурло и Брехенриджа, они вкратце объяснили им, в каком нуждаются совете. Обыкновенно консультант не задерживается там, где наконсультировал. Кончив дело, он загружает в реактивный лайнер 200 фунтов своего живого веса (20 000 фунтов гонорара почти ничего не весят) и отмахивает первую тысячу миль, пока служащие читают Введение к докладу, где высказывается благодарность за сотрудничество. У господ Глумлинга, Мурло и Брехенриджа метод оказался бригадным. Как только им разъяснили суть их будущего совета, они взялись за работу. Глумлинг задавал саркастические вопросы: «Это ваш *новейший* компьютер?.. Вы имеете понятие об оптимальной себестоимости?..» и проч. Мурло был деловит и резок: «У вас непомерно раздуты штаты. 52% — минимальный размер сокращения». А Брехенридж, завершая разгром, туманно пояснял, почему именно сейчас изменения совершенно необходимы. В результате их нашествия:

50% сотрудников уволено;

за 1 (один) миллион фунтов стерлингов куплена новая вычислительная машина — символ прогресса;

в здании Правления сломаны внутренние перегородки и небольшие кабинеты заменены огромной общей комнатой;

жухло-желтые стены перекрашены в серо-сиреневые цвета.

Совсем по-другому (на первый взгляд) закончилось вторжение Сомнифереса, Думкинсона, Гиббона и Мастерса в концерн «Легендарные здания». На директоров этого концерна давила группа акционеров, требуя модернизировать систему управления; главными подстрекателями были Лайет и Куссайнинг. Смысла требований никто как следует не понимал, но акционеры беззастенчиво утверждали, что директора, руководящие немодернизированным Правлени-

ем, получают неоправданно большое жалованье. Убоявшись нарастающих трудностей, председатель Правления обратился к бизнес-консультантам. От них ожидался совет оставить управление концерном без изменений (если не считать мелких перетасовок). У этой бригады было свое распределение обязанностей. Сомниферес неуверенно качал головой, Думкинсон глубокомысленно кивал, Гиббон выделывал иронически-угрожающие гримасы, а Мастерс уверенно и непонятно доказывал, почему реформы необходимы или (как в данном случае) не нужны. В результате их набега:

господа Лайет и Куссайнинг введены в Правление;

за 1 (один) миллион фунтов стерлингов куплена новая вычислительная машина — символ прогресса;

в здании Правления возведены внутренние перегородки, и огромная общая комната заменена небольшими кабинетами;

серо-сиреневые стены перекрашены в жухло-желтый цвет.

Как видим, советы двух бригад бизнес-консультантов прямо противоположны. Но гораздо важнее другое — они сделали возможным то, на что сами администраторы решиться не могли. В первом случае они присоветовали сокращение штатов, сняв таким образом вину с администраторов. Во втором — уверили держателей акций, что модернизация системы управления по возможности проведена и беспокоиться теперь не о чем. При этом было бы неправильно полагать, что бизнес-консультанты придают значение перегородкам или цвету стен. Они просто демонстрировали свою осведомленность и заботливость.

Приведенные примеры в высшей степени типичны, и все же бизнес-консультанты дают иногда дельные советы, которые заранее администраторами не продиктованы. Человек с минимальным преподавательским опытом легко поймет, как они это делают. Любой учитель, хотя бы один раз в своей жизни, экзаменовал учеников в области знания, ему совершенно неведомой — причем без всякой подготовки. Новичку это всегда невероятно трудно. Но преподаватель со стажем

прекрасно знает, что именно от него требуется. Он отбирает десяток аккуратно оформленных и написанных уверенным почерком работ. Читая их, он довольно скоро обнаруживает правильные ответы. И снижает оценки, если в остальных работах методы рассуждения и ответы другие. А бизнес-консультант может сравнивать учреждения, в которых бывает. Выбрав лучшие, он уверенно критикует непохожие на них. И в этом смысле его советы — а они, как ни странно, изредка действительно нужны — могут оказаться вполне здравыми.

Биологи утверждают, что полевые цветы опыляются пчелами, и, хотя этот процесс сейчас пытаются механизировать, сущность его остается прежней. Поле деятельности бизнес-консультантов — индустрия и коммерция; перепархивая из одного учреждения в другое, они способствуют их расцвету и размножению. Вероятно, многим пчелам кажется, что именно они придают пыльце живительные свойства. С насекомых спрос невелик; а вот пчелки бизнеса, похваляющиеся собственными идеями, наверняка привирают. Пыльца создается и оживает в полях, идеи — в мире предпринимательства. А уж перекрестный перенос идет тем интенсивней, чем больше размножаются пчелы. Пчеловоды еще помнят то время, когда их заставляли платить за медоносные пастбища для пчел. Но наука шагнула вперед, и теперь владельцы полей должны бы платить пчеловодам. Если такой закон введут, количество пчел заметно возрастет. Пчелки бизнеса размножились невероятно, а это значит, что шагнувшая вперед наука создала на них спрос. Ведь не будь консультантов, предпринимателям не у кого было бы просить совета, кроме как у своих же конкурентов. Однако может так случиться, что пчелы бизнеса расплодятся чрезмерно. Тогда многие из них уподобятся трутням, но далеко не все. Предпринимательству необходимо перекрестное оплодотворение, ему просто не нужно слишком много переносчиков идей.

Остается установить, как пчелы бизнеса отличают здоровый цветок от больного. Чем они руководствуются, отбирая

животворные идеи и отбрасывая порочные? Экзаменатор определяет хорошие работы по опрятности оформления и уверенности почерка, а что может взять за образец бизнес-консультант? Наши сомнения неминуемо усилятся, если мы вспомним обстановку в области просвещения. Каждому известно, что школьные инспектора, порхая из школы в школу, собирают самые идиотские системы и объявляют их обязательными для всех. Откуда мы знаем, что консультанты не поступают в точности так же? Было бы неэтично открывать все тайны их профессии, но в данном случае читатель должен быть застрахован от ошибок. Тем более что секрет необычайно прост. Серьезный консультант мгновенно определяет достоинства учреждения по внешнему виду служащих там женщин. Если управляющий А не способен найти себе привлекательную секретаршу, он наверняка ни на что не способен. Система его работы, без сомнения, не выдерживает критики. Что ему можно порекомендовать? Систему работы управляющего Б, который подобрал себе замечательно милую секретаршу. Мы не знаем, как именно он работает, но его деловая проницательность очевидна.

Следует, правда, запомнить, что привлекательность секретарши — дело очень тонкое. Цветущая сирена характеризует деловые качества своего патрона не лучше (а может быть, и хуже), чем засушенная старая дева. Если волны чарующих духов душным облаком обволакивают контору, превращая приемную в благоухающий будуар, учреждению грозят катастрофические потрясения. Глубокий вырез на платье может привести к глубочайшему расколу в коллективе, а походка «мягче бедрами» способна так взбодрить служащих, что самые жесткие меры не вернут их к спокойной работе. Полы учреждения не эстрада варьете. Но и совершенно бесполым учреждение быть не должно. Опытный управляющий подбирает такую секретаршу, которая видит в сослуживцах восхитительно мужественных старших братьев, а те оберегают ее, словно любимую младшую сестру. Все эти оттенки

понятны с первого взгляда. Атмосфера серьезного дружелюбия говорит консультанту о процветании фирмы, а бесполая враждебность и легкомысленная фривольность указывает на необходимость перемен.

Что же надо сделать, кроме покупки вычислительной машины и установки (или упразднения) перегородок? Бизнес-консультант вспоминает преуспевающую компанию «Капустные консервы», куда его недавно приглашали, — секретарша управляющего была там выше всяких похвал. Просто и со вкусом одетая, скромная и миловидная, приветливая и расторопная, готовая улыбнуться и помочь, она производила отраднейшее впечатление. А какие цвета преобладали в Правлении этой компании? Помнится, что секретаршу оттеняли нежно-зеленые тона. Так почему бы не начать реорганизацию с перекраски стен?

ПУНКТУАЛЬСТВО

Восходящему администратору очень полезно знать Общую теорию управления, разработанную бизнес-консультантами. Теорию вы теперь знаете. Но для ваших целей этого мало. Вам надо научиться применять ее на практике, а первое практическое правило управления предписывает администратору приходить вовремя. Это общее правило оказывается жизненно важным, когда вы включаетесь в работу комиссий. А комиссии постепенно станут существенной частью вашей жизни. В некоторых фирмах они, правда, отменены приказом. Но издать приказ гораздо легче, чем извести комиссии. Тут вступают в силу непреодолимые законы природы. Комиссии, несмотря на приказы, растут и размножаются. И весьма вероятно, что ваш административный вес будет измеряться количеством и качеством комиссий, в ко-

торых вы заседаете. Но сделаться веским членом многих комиссий можно лишь в том случае, если пунктуальство — или, в просторечии, аккуратность — станет вашей второй натурой. Пунктуальство, как покажет нижеприведенный протокол, предписывает администратору приходить вовремя, а готовиться своевременно.

П р е д с е д а т е л ь. Итак, проверим. Все собрались? Не считая Дика, должно быть девять человек. А у нас восемь. Боб, Артур, Джон, Лесли... где же Стивен? Вот, значит, кого нет. Дик, вас не затруднит позвонить ему? Ну а мы займемся делом. Могу я считать протокол прошлого заседания принятым? Поправок нет? Прекрасно. Благодарю вас, господа. Теперь о новой повестке дня. Ввиду настоятельной необходимости вынести решение по пункту IV я предлагаю начать обсуждение именно с него, а уж потом перейти к пунктам I, II и III. Мы все читали доклад архитектора — с некоторым, я бы сказал, удивлением и беспокойством. Кроме того, у нас есть инженерная смета на установку кондиционера... несколько неожиданная по стоимости смета. Деталей я сейчас приводить не буду. Мы должны решить в принципе, начинать нам реконструкцию или пересмотреть весь проект. Это очень важный пункт повестки. Он гораздо важнее, на мой взгляд, чем пункт I, где ставится вопрос о сносе пустующего склада горючего для расширения автостоянки. Решение по IV пункту нужно вынести сегодня.

Входит Стивен — запыхавшийся и смущенный;
под мышкой у него папка с документами для заседания
в другой комиссии.

С т и в е н. Прошу прощения, господин председатель, меня задержало совершенно неотложное дело...

П р е д с е д а т е л ь. Ничего страшного, Стивен. Мы только что начали. Экземпляр повестки дня на столе перед вашим креслом. Так на чем я остановился? А-а, да. Дело не

терпит отлагательства, и нам надо вынести определенное решение. Мы очень рады, Стивен, что вы все же смогли прийти. Я полагаю, у вас были действительно важные дела. Ведь мы обсуждаем вопрос, касающийся в первую очередь отдела, которым вы сейчас руководите. Может быть, вы и начнете прения?

С т и в е н *(очень неуверенно)*. Мне кажется, надо начинать реконструкцию, господин председатель. Поскольку дело не терпит отлагательства. *(Роется в папке с документами о компенсации жалованья рабочим по временной нетрудоспособности из-за несчастных случаев на производстве.)*

П р е д с е д а т е л ь *(с удивлением)*. Несмотря на доклад архитектора?

С т и в е н *(упавшим голосом)*. Конечно, господин председатель... Конечно, доклад надо рассмотреть. Тут можно привести доводы и «за», и «против». Но дело, как вы правильно сказали, не терпит отлагательства.

П р е д с е д а т е л ь. Решение, Стивен. Нам надо безотлагательно принять решение. А если судить по докладу и смете, реконструкция обойдется дороже нового строительства. Вам это кажется чепухой?

С т и в е н *(окончательно сбитый с толку)*. Ну, не совсем так. Нет, конечно. Ни в коем случае, господин председатель.

П р е д с е д а т е л ь. И все же, по-вашему, нам следует начать реконструкцию?

С т и в е н. Но ведь мы должны расширить автостоянку... разве нет?

П р е д с е д а т е л ь. При чем тут автостоянка?

Б о б *(мягко)*. Мы обсуждаем пункт IV, Стивен. Не I, а IV.

С т и в е н. А-а! Понятно. Все ясно. Пункт IV. Я не знал, что вы уже обсудили пункт I. Так, так. Значит, пункт IV...

П р е д с е д а т е л ь *(терпеливо)*. Надеюсь, вы изучили разосланные вчера материалы — инженерную смету и доклад архитектора?

С т и в е н *(фальшиво)*. Разумеется, господин председатель. А как же! И был очень озабочен предстоящими расходами.

П р е д с е д а т е л ь. Не о расходах сейчас речь. Мы должны решить в принципе — начинать нам реконструкцию или нет. Вот в чем вопрос. Да или нет?

С т и в е н. Совершенно верно, господин председатель. Это очень важный вопрос. Не могу с вами не согласиться.

Л е с л и. Разрешите мне, господин председатель. Я считаю доклад вполне убедительным, а проект совершенно нерентабельным.

А р т у р. По-моему, вы ошибаетесь, Лесли. Доклад просто бредовый.

Д ж о н. Я согласен с Артуром. Бред.

П р е д с е д а т е л ь. Не забывайте, господа, про инженерную смету.

Д ж о н. Вот-вот. Мне кажется, ее надо заказать другой компании.

Л е с л и. А зачем? Ну, допустим, у них получится на десять процентов дешевле. Проект все равно будет экономически невыгодным. Как, по-вашему, Стивен?

Очевидно, что Стивен не подготовился к дискуссии. Он помнил про заседание и собирался изучить необходимые материалы. Но его захлестнули другие дела. В результате он опоздал к началу обсуждения — всего лишь на три минуты. Само по себе опоздание ничем ему не грозило. Его погубила собственная неорганизованность. Он должен был позвонить председателю, извиниться и прийти через десять минут — бегло просмотрев материалы и взявши нужную папку. А теперь он не сумеет включиться в деловой разговор до самого конца заседания (председатель позаботится об этом), и его репутация будет непоправимо подорвана.

Пунктуальство может показаться на первый взгляд самой обычной чертой делового человека, основой элементарной

собранности. И, однако, это не совсем так. Истинно пунктуалистый человек заменяет в своей повседневной практике грубое сложение искусным вычитанием. Важное заседание назначено на 11.45. Пунктуалистый Питер делает этот момент точкой отсчета и потом движется по оси времени назад. Ему надо выйти из конторы в 11.40, проверить портфель в 11.30, дать указания заместителю в 11.25 и переключить на него телефон в 11.23. Значит, он еще может встретиться с Милном (десятиминутная беседа) в 11.10 и Макмилланом (шотландцы болтливы, кладем пятнадцать минут) в 10.55. Что еще? Два важных телефонных разговора — трех- и шестиминутный — надо начать звонить в 10.45. Пятнадцать минут уйдет на чтение инженерной сметы и доклада архитектора (IV пункт повестки) — следует сказать секретарше, чтобы принесла их к 10.30. Таким образом, производственное совещание необходимо начать в 10.15 — предупредить об этом Бриджит. Часы показывают 8.55, следовательно, остается час двадцать на корреспонденцию. Есть там что-нибудь важное? Докладная Болдуина — наложить резолюцию. Письмо от Старперла — подождет. На этот запрос, Мэрп, ответьте «нет», вежливо, но решительно. На этот — «да». Этим напишите, что мы согласны, но не раньше 28-го. Здесь — возможны переговоры. Здесь — откажитесь и дайте какие-нибудь вежливые объяснения: обязательства перед деловыми партнерами, например. Эти три письма просто подшейте к делу — отвечать не надо. С этими двумя я разберусь сам. Все остальное — в корзину.

Так, и только так, надо подходить к делу. Но недотепа Стивен поступает иначе. Принявшись в 9.00 разбирать папку с входящими бумагами — столько-то времени ушло на эту, столько-то на ту, — он, запыхавшись, подбегает к залу заседаний в 11.48. А всему виной дезорганизующее и грубое сложение. Теоретически мы знаем, что складывать дурно, но отказаться от этой пагубной привычки не можем. И погрязать в сложении нам помогают женщины. Почему именно они?

Да потому что женщина — домашняя хозяйка и мать — привыкла жить совсем по-другому. Для нее время всегда мчится вперед, и она умеет только складывать.

Изадор выпал из кроватки в 5.45. Малышка Лавина захворала — то ли корью, то ли ангиной, — пусть полежит. Лютус опять проспал, надо его скорее накормить, чтобы он успел на школьный автобус. Господи, молочник опять принес мало молока! Телефонный звонок. Лиана, милочка! Какая же ты умница, что позвонила! Бог с тобой, мы так радовались, что вы пришли. Рецепт? Да это очень просто, нужен только электрический миксер. Не помню сейчас, куда я задевала кулинарную книгу, я тебе попозже позвоню... Изадор свалился со стремянки. Малышка Лавина просит попить. Кто там звонит в дверь, булочник? Скажи ему, одну маленькую буханку черного. Не работает пылесос? Пни его ногой. Ну вот. Когда он первый раз выключился, я думала, что полетел предохранитель. Но, оказывается, его просто надо пнуть — легонько — и он включается. Боже мой, Изадорчик свалился в мусорный ящик! И порезался. Пластырь в ванной... впрочем, нет, я оставила его вчера на кухне. Снова телефон. Мистер Уилкинс, вы же обещали, что у вас будет розовая туалетная бумага! Очень вас прошу, закажите. Ну хорошо, пришлите пока шесть рулонов... Лавина рассыпала свою картиночную мозаику по всему полу... Лютус, а ты почему дома? Сломался школьный автобус? Ладно, я отвезу тебя в школу на машине. Не лезь к Лавине, заразишься. Да, кстати, нужно же вызвать врача. Телефон. Привет, Марджи. Спасибо, милая, с удовольствием зайду. Часиков в одиннадцать, хорошо? До встречи...

Опять телефон. Это ты, Лиана? Что? Я тебе уже диктовала этот рецепт? Прекрасно, а то я никак не найду кулинарную книгу. Спасибо, что позвонила. Пока... Лютус, я же тебя просила не подходить к Лавине. Ну зачем ты лезешь в ее комнату? Ты что, стараешься заразиться, чтобы увильнуть от экзаменов? Ох, придется мне поговорить о твоем поведении

с отцом. Впрочем, ты ведь уже болел корью, так что напрасно стараешься. Господи, что там опять? Изадор свалился в соседский мусорный ящик!

Таков день домашней хозяйки, и упорядочить его невозможно. Мешает масса привходящих обстоятельств. Всех домашних дел, как известно, не переделаешь, так что о повестке дня женщина даже не думает. Она работает в ином, чем мужчина, режиме, и закрывать на это глаза просто глупо. Только женщины, ввергнутые в пучину службы и потерявшие из-за этого женский облик, считают пунктуальство важным человеческим качеством. А большинству женщин оно представляется никчемной выдумкой. Короче, имя непунктуалистым — легион, и в такой ситуации пунктуалистое меньшинство даже усиливает мировую неразбериху. Положив себе за правило иметь в запасе пять минут, они получают десять, а опоздавших непунктуалистых это настолько раздражает, что в следующий раз они опаздывают на четверть часа — из принципа. Теоретически есть вероятность, что однажды им вообще не удастся встретиться, и они навеки потеряют друг друга из виду. Впрочем, крайности, как известно, смыкаются, и чрезмерный запас времени часто говорит о несобранности человека. Запас времени в пять или даже десять минут обычно способствует деловому успеху. Но уже получасовой запас может разрушить все ваши планы и привести к пустопорожней растрате времени. Мало этого, придя куда-нибудь за полчаса до срока, вы рискуете безнадежно опоздать. Представим себе, например, что некий путешественник прибывает из Нью-Йорка в Лондонский аэропорт с тем, чтобы через сорок минут вылететь, скажем, в Гамбург. Времени в обрез, но если самолет прилетает в Лондон точно по расписанию, таможенники не придираются, а немцы не склонны к излишнему пунктуальству, то успеть вполне можно. Однако реальная жизнь не укладывается в строгий график. Самолет из США прибывает с одиннадцатиминутным опозданием. Таможенники принимают торопливость путешественника за старый, как

мир, жульнический трюк. Вырвавшись из таможни, путешественник мчится по бесконечным аэропортовским коридорам и прибегает к выходу № 22 через полминуты после окончания посадки на гамбургский самолет (по расписанию). Но судьба улыбается ему. Рейс еще не объявлен. Не будет ли он любезен пройти в зал ожидания? Взмыленный и отдувающийся путешественник находит свободное кресло. Рейс, слава богу, отложили. Путешественник постепенно приходит в себя. В 16.25 (то есть через полчаса) по радио объявляют: «Компания ПАС с прискорбием извещает пассажиров, что рейс СК-734, Лондон — Гамбург, откладывается по эксплуатационным причинам. Следующее сообщение слушайте в 19 часов 25 минут. Спасибо за внимание». Радиографик свято соблюдается, и новое откровение раздается в назначенное время: «Вниманию пассажиров на Гамбург с посадочными талонами такими-то. Отложенный рейс СК-734 задерживается по техническим причинам. Очередное сообщение слушайте в 20 часов 15 минут. По предъявлении посадочного талона вы можете получить тошнотный чай или кофе рвотной температуры. Спасибо за внимание». Из дальнейших сообщений в 20.15, 21.10, 21.35 и 21.55 вы с прискорбием узнаете об очередных задержках по уважительным, существенным, разумным и вполне понятным причинам. В 22.10 раздается последнее радиообъявление: «Пассажиров на Гамбург просят подойти к справочному бюро, где им дадут разъяснения относительно рейса СК-734 компании ПАС». Работница справочного бюро скажет путешественникам, что рейс СК-734 откладывается по метеорологическим причинам. Из-за тумана над Гамбургом. Вылет перенесен на 7.15 утра. Переночевать их отвезут в гостиницу такую-то, а багаж они могут получить этажом ниже. Компания позаботится, чтобы их разбудили в 4.30. Завтрак назначается на 4.45, автобусы будут поданы к гостинице в 5.15 — если установится летная погода. Рассвет пассажиры встретят в зале ожидания аэропорта.

Вскоре оживет радиотрансляция и компания ПАС с при-

скорбием объявит, что рейс СК-734 откладывается по традиционным причинам и что следующее сообщение надо слушать в 8.40. Общая ненависть к ПАС и нескончаемые страдания сделают пассажиров друзьями по несчастью в полном смысле этого слова. Соседом нью-йоркского путешественника окажется сострадалец, который признается, что он служит в этой палаческой компании.

— Раз уж нам все равно нечего делать, — скажет он, — давайте-ка сходим в диспетчерскую.

Так они и сделают. Дежурный приветливо поговорит с ними о своей работе. Глядя на полукруглое стенное табло с информацией об отложенных и отмененных рейсах, он участливо скажет:

— Посмотрим, к примеру, что там происходит с вашим рейсом. СК-734? На Гамбург? Сведения о нем должны быть здесь. Ага, вот... господи, да вы же опоздали! Самолет поднялся пять минут назад!..

Действительно, все так и было. Посадку объявили в 8.25. Имея в запасе пятнадцать часов, путешественник ухитрился не успеть на свой самолет.

Как видим, слишком ранний приход может оказаться слишком поздним. Если вы пришли на вокзал за несколько часов до отхода поезда, то рискуете вообще не уехать, потому что решите не терять времени и займетесь каким-нибудь полезным делом. Недостаток целеустремленности может нарушить самые верные планы. Поэтому лучше всего иметь в запасе несколько минут — так, чтобы у вас не появлялось искушения послать телеграмму, отправить заказное письмо, обменять валюту или зайти в кафе. Без целеустремленности немыслим деловой успех. Без нее не добьешься, например, репутации пунктуалистого человека. Прихватывайте нужную папку и приходите на заседание за несколько минут (а не часов!) до его начала. Слишком ранний приход выглядит неприлично (и чреват, как мы убедились, опозданием), так что если вы зарезервировали несколько часов на уличную пробку, а

ее, по теории наибольшей пакости, именно сегодня не было, то спрячьтесь неподалеку от зала заседаний и выходите из укрытия минуты за три до начала прений. Да, но у вас есть подчиненные, и они далеко не всегда пунктуальны. Не пострадает ли из-за них ваша репутация? К сожалению, это более чем вероятно, и сейчас перед вами развернется весьма характерная драма.

— Бесси! Мне нужны документы для комиссии по кадрам.

— К сожалению, Бесс Граммоси еще не пришла, мистер Слабинг. А документация у нее или у нас?

— У нее. Вы не знаете, кому она сдает ключи?

— Ключи собирает мистер Успейемс. Я попрошу, чтобы он их принес.

— Да, пожалуйста, Валери. И если можно, побыстрее.

Пять минут спустя.

— К сожалению, мистера Успейемса тоже еще нет.

— Хм. Что же делать?

— Мне помнится, что, когда отделом заведовал Стармен, в комнате мисс Граммоси сидела Гармония Нетли. Сейчас-то она работает в бухгалтерии, но, возможно, у нее и сохранились ключи. Позвонить ей?

— Да-да, позвоните. Заседание начнется через пять минут.

— Сию секунду, мистер Слабинг. *(Снимает телефонную трубку.)* 2-573, пожалуйста. Будьте добры, попросите мисс Нетли. Хорошо, я подожду. Сейчас они ее найдут, мистер Слабинг... *(После продолжительного молчания.)* Что? Не могут найти? Но она в конторе? Ах, куда-то вышла... Эдна, это ты? Вот я и слышу — знакомый голосок. Как жизнь? Ну прекрасно. Слушай, ты случайно не видела Бесси? Правда? Только что? Ради бога, Эдна, куда она пошла? Вот неудача! Тогда нам и Гармошка не нужна. Что-что? Я говорю — Гармошка. Ну, Гармония Нетли, мы ее всегда так называем. А у вас ее как величают? Диссоней? Здорово! Надо будет запомнить. Да нет, больше ничего, Эдна. В четверг увидимся. Пока... Извините, мистер Слабинг. Бесси только что ушла.

А что же мистер Слабинг? Помчался на заседание? Позвонил и сказал, что, к сожалению, срочные дела помешают ему прийти? Или просто лопнул от злости? Так или иначе, но он явно не смог подготовиться своевременно и прийти вовремя. А виноват только он сам. Ему не удалось приучить своих подчиненных к деловой точности. Хотя ничего в этом трудного нет. Нужно только не пользоваться банальными временными категориями. Назначьте кому-нибудь встречу на 10.30, и он явится к 10.36. Для него — как и для большинства людей — это будет указанием, что надо прийти чуть раньше перерыва на ленч, то есть до 10.45. Объявите, что совещание начинается в 14.00, и оно начнется не раньше 14.10. Для многих служащих 14.00 звучит как «после обеда». Да и вообще любое «ровно» всегда воспринимается как «примерно», с точностью до двадцати минут. А вот предложите подчиненному явиться к 9.29, и он придет минута в минуту. Назначьте заседание на 10.13, и служащие поймут вас буквально. Скажите секретарше, что вы подпишете бумаги в 15.03, и они окажутся на вашем столе в 15.03. Почему? Да потому что подобная точность указывает на фантастически плотный, расписанный по минутам рабочий день. А еще из-за любопытства служащих. Почему это мы должны собраться именно к 10.13? Что будет происходить в 10.12? Неужели у него на учете каждая минута? Ваши подчиненные обязательно захотят это выяснить. И надо им показать, что в 10.09 у вас начинается международный телефонный разговор, который кончается в 10.13... а следующий, между прочим, назначен на 10.29. Шестнадцати минут вполне достаточно для производственного совещания — без пустых споров. Ведь в 10.32 к вам придет деловой партнер. Ясно, что вашим служащим придется отныне поворачиваться весьма проворно.

Прекратится ли со временем благое действие сверхточного расписания? Вырвутся ли ваши подчиненные из-под гипноза всех этих 11.16 и 16.11? Утратится ли пунктуальство

вместе с новизной? Возможно; однако вы легко сможете исправить положение. Доведите ваш график до секундной точности. Перенесите ежедневное совещание с 10.13 на 10.12,5, объяснив, что серьезность сегодняшних вопросов позволяет вам истратить на них дополнительно тридцать секунд. Не скажут ли служащие, что это абсурд? Когда-нибудь, пожалуй, скажут. И архипунктуальство придется сдать в архив. Но сейчас ваши подчиненные будут считать секунды полноправным мерилом времени. Тому, кто знает, что такое граната, даже четыре секунды могут показаться вечностью. Подобные уроки долго не забываются. Однако не следует усваивать их *слишком* хорошо, вспомним хотя бы тех инструкторов, которым отрывает руки-ноги, а то и головы, пока они в пятидесятый раз обучают новичков обращаться с боевой гранатой. Впрочем, конторская служба не столь опасна, поэтому смело внушайте служащим, что время — деньги, а секунда день бережет.

Долгие годы пунктуальство будет вашей защитой только от лишних осложнений — так корректность помогает спортсменам избежать штрафных очков. Но однажды именно оно приведет вас к блистательной победе в карьерном матче.

Допустим, что на сегодняшнем вечернем совещании будет обсуждаться очень опасный для вашей карьеры проект — его выдвигает этот осел Дурранд при поддержке дурака Ослера. Председатель комиссии только что позвонил из города Дальсмута: «Ужасно досадно — я опоздал на самолет. Следующий вылетает в 13.45. Так что я не успею к началу заседания. Придется уж вам исполнять обязанности председателя. Возьмите у Болбэса экземпляр повестки дня. Если больше ничего со мной не стрясется, я прилечу в 15.15. До встречи». Радостно потирая руки, вы ждете неопытного Болбэса.

— Так это, значит, только *проект* повестки дня? — удивляетесь вы. — Хорошо, благодарю вас, Болбэс. Я внесу необходимые уточнения. Пункт V надо обсудить после II. А III сделаем VIII. Добавилось еще два вопроса — поставим их

пунктами IX и X. А в остальном... да, все правильно. Что-что? Члены комиссии уже ознакомлены с повесткой? Вы ошибаетесь, Болбэс. Это всего лишь черновик. Впрочем, какая разница — ведь основные вопросы остались без изменений. Перепечатайте повестку начисто и размножьте ее. Да не мешкайте, Болбэс. Идите, идите, работайте.

Ровно в 14.30 вы откроете заседание. Возникнет легкое замешательство, и Дрэк поспешит выступить с протестом.

Д р э к. Еще не все собрались, господин председатель. Я считаю, что важность сегодняшних вопросов требует полного кворума.

И . О . П р е д с е д а т е л я. Господин Дрэк, все члены комиссии были оповещены о заседании. Вот передо мной экземпляр приглашения. Тут сказано — я цитирую — 14 часов 30 минут. Сейчас 14 часов 31 минута, и, следовательно, заседание уже началось. Пункт I — возражений не поступило — считаем вопрос решенным. Пункт II — есть уточнения?

Д р э к. Какие меры приняты по пункту VII, утвержденному на прошлом заседании?

И . О . П. Этот вопрос будет обсуждаться под пунктом IX. Что еще?

Д р э к. Получил ли секретарь ответ на письмо, которое он должен был написать по рекомендации комиссии, — я хочу узнать, проводятся ли в жизнь решения, принятые на прошлом заседании под пунктом VIII?

И . О . П. Вы плохо изучили повестку дня, господин Дрэк. Об этом мы поговорим, когда дойдем до пункта X. Что еще? Прекрасно. Пункт III. Предложения, внесенные в комиссию Дуррандом.

Д р э к. Я решительно протестую, господин председатель! Этот важнейший вопрос нельзя решать без Ослера, который вплотную занимался проектом Дурранда.

И . О . П. Не могу с вами согласиться, господин Дрэк, что

пункт III, поставленный сейчас на обсуждение, как-то особенно важен. Все пункты важны, поэтому их и включили в повестку. И вполне вероятно, что пункт VII или, скажем, V требует более пристального внимания, чем пункт III. Что же касается до отсутствующих — по неизвестным причинам — господ, то они, на мой взгляд, недвусмысленно демонстрируют свое отношение к нашей комиссии и ее работе. И тут, кстати, я хотел бы выразить благодарность активным членам комиссии. Итак, господа, пункт III — мы подробно обсуждали этот вопрос двадцать пятого марта и одиннадцатого мая. На первом заседании мы затребовали дополнительные данные, которые и были представлены. На втором — отложили решение ввиду непроясненной финансовой ситуации. Теперь ситуация прояснилась. Нельзя затягивать прения до бесконечности, и я считаю, что сегодня решение должно быть принято. Однако мы не можем терять время на повторение тех доводов, которые уже высказывались. Я предлагаю строго регламентировать дебаты. Высказанные ранее аргументы нас не интересуют. Допустимы только совершенно новые соображения. В рамках этих ограничений прошу желающих высказываться.

Д р э к. Предлагаю принять проект Дурранда.

И. О. П. Кто за это предложение?

Б р е д е. Я.

И. О. П. Господин Прибейник?

П р и б е й н и к. Предлагаю поправку — принять проект Дурранда, если это не повлечет дополнительных расходов.

Ф и л о н с. Поддерживаю поправку.

Дрэк. Это не поправка, господин председатель. Это отвод.

П р и б е й н и к. Ни в коем случае, сэр. Я целиком поддерживаю проект Дурранда, если расходы возьмет на себя другая организация.

И. О. П. Поправка выносится на обсуждение. Вы хотите что-нибудь добавить, господин Прибейник?

П р и б е й н и к. Только то, что наше финансовое положение не допускает сейчас расходов на этот проект.

И. О. П. Господин Дрэк?

Д р э к. Господин председатель, это же чудовищно! Проект мистера Дурранда — самый, быть может, остроумный и продуманный из всех, которые мы здесь разбирали. Он открывает перед нами широчайшие возможности долговременного развития и, кроме того...

И. О. П. Мы обсуждаем поправку господина Прибейника, господин Дрэк, а она не ставит под сомнение достоинства проекта. Скажите прямо, вы считаете, что у фирмы есть лишние деньги?

Д р э к. Я утверждаю, господин председатель, что тянуть и дальше с проектом Дурранда просто преступно. Принимая во внимание те выгоды...

И. О. П. Мы обсуждали их двадцать пятого марта. Господин Ослер сделал тогда подробнейший доклад.

Д р э к. Подумайте о нареканиях, которые падут — и по заслугам! — на наши головы, если мы откажемся от тех преимуществ...

И. О. П. Это обсуждалось одиннадцатого мая.

Д р э к. Я протестую, господин председатель! В таких условиях нельзя обсуждать серьезный проект.

И. О. П. Ваш протест будет занесен в протокол. Кто-нибудь еще хочет высказаться? Тогда приступаем к голосованию. Кто за поправку господина Прибейника? Трое. Кто против? Двое. Поправка принята. Переходим к обсуждению проекта Дурранда с поправкой Прибейника. У кого есть дополнительные соображения? Ни у кого нет? На голосование ставится предложение Дрэка. Кто за? Пятеро. Кто против? Таковых не имеется. Принято единогласно. Пункт IV. Закупка канцелярских принадлежностей. Вы знаете, господа, что мы рассматривали предложения нескольких фирм. Самым выгодным был бы контракт с компанией «Скриппс и

Шустер». Но надо обсудить качество их продукции. Господин Филонс?

Ф и л о н с . Что ж, я изучал образцы...

Входят Ослер и Дубинсон.

О с л е р . Прошу прощения, господин председатель. Уличная пробка.

И. О. П. *(ласково)*. Понимаю, понимаю, господин Ослер. И очень рад, что вам все же удалось прийти. Мы обсуждаем пункт IV. Закупка канцелярских принадлежностей. Слово имеет господин Филонс.

Ф и л о н с . Так вот, я изучал образцы *(говорит о деталях)*... а поэтому рекомендую заключить договор с фирмой «Шик и Блекс».

О с л е р . Вопрос к порядку ведения заседания, господин председатель, — пункт V еще не обсуждался?

И. О. П. Конечно, нет, господин Ослер. Обычно пункт V обсуждается после IV, которым, как я уже сказал, мы сейчас и занимаемся.

О с л е р . А проект Дурранда?

И. О. П. *(мягко)*. Пункт III? Он обыкновенно предшествует IV.

О с л е р . Вы хотите сказать, что решение принято без меня и господина Дубинсона?!

И. О. П. *(нежно)*. Вашу точку зрения превосходно изложил нам господин Дрэк. Надеюсь, вас обрадует, что его предложение принято единогласно? Итак, господин Филонс, мы вас слушаем.

Ф и л о н с . Я говорю, господин председатель, что предложение господ Шика и Блекса кажется мне наиболее приемлемым.

И. О. П. У кого-нибудь есть возражения? Благодарю вас. Пункт V. Программа подъема благосостояния служащих. Доклад «Г» — он рассылался вместе с повесткой дня. Ваше мнение, господин Ослер?

О с л е р. Улучшения, которые я хотел бы обсудить, суммированы на странице тридцать два. Я буду говорить о них в том же порядке, какой принят авторами доклада...

Торопливо входит постоянный председатель комиссии.
И. О. П. освобождает председательское место.

П р е д с е д а т е л ь. Приношу собравшимся глубочайшие извинения за столь большое опоздание. Я не успел на самолет, который доставил бы меня сюда вовремя. Вы свидетели, господа, что такое случается со мной крайне редко. Пунктуальство стало моей второй натурой, когда я понял, что успех сопутствует только тому, кто приходит вовремя. Да, господа, я утверждаю, что ум хорошо, а пунктуальство лучше.

В с е. Правильно! Правильно!

ПРЕДСЕДАНИЕ

Приходить вовремя, а готовиться своевременно — первое, но не единственное практическое правило администратора. Для того чтобы подняться наверх по карьерным ступеням комиссий, последовательно занимая должности секретаря, вице-председателя и председателя, надо правильно понимать, как работают, растут и размножаются современные комиссии. Эта область знаний именуется комиссологией. Вам незачем углубляться в абстрактно-теоретические тонкости, но изучить основы комиссологии необходимо. Вы должны представлять себе, в каком направлении развивается передовая научная мысль, и понимать сущность последних комиссологических открытий. Комиссология волнует сейчас лучшие умы мировой научной общественности, и серьезный администратор просто обязан следить за главными достижениями в этой цветущей области общебиологической науки.

Изыскания концентрируются, как известно, в Институте комиссологии, расположенном неподалеку от Лондона. Изучение комиссий идет одновременно в нескольких направлениях, и занимаются им отделы Истории, Эволюции, Футурологии, Патокологии, Космополистики и Сравнительного председания. Подробно с работой института можно ознакомиться по трехтомной монографии «Теоретическая и прикладная комиссология. Промежуточный период», опубликованной Диверсапт-Куплером в издательстве «Оксфордакадемпресс» (1960). Мы же из-за недостатка места и времени лишь бегло рассмотрим этапные открытия биокомиссологов.

Ученые Исторического отдела обнаружили, что слово «комиссия» первоначально не имело множественного числа и означало «хлопоты, затруднения» («Политическая экономия». Коллектив авторов). Поскольку всякая комиссия предполагала неприятности и беды, то группы зло- (а впоследствии и едино-) умышленников, хотя бы в два человека, стали называть комиссиями — так слово приобрело множественное число. Это — этимология. А современная комиссия родилась, когда единоумышленники установили, что для полноценной работы им необходимо три человека. Почему именно три? Да потому что в комиссии должен быть председатель, секретарь и по крайней мере один рядовой член. Тогда, собравшись, они могут приступать к организованной деятельности. Но что случится, если один или даже два члена комиссии не явятся на заседание? «Видимо, надо расширить состав комиссий, — решили основоположники, — иначе трудно собрать кворум».

Классическую современную комиссию образуют пять человек с трехчленным кворумом. Сотрудники Эволюционного отдела изучают рост и развитие комиссий в полевых условиях. Когда проблема кворума была временно разрешена с помощью рабочего трехчлена и таким образом эффект отсутствия свелся к нулю, начался процесс разрастания. Комиссии крепли и кустились подкомиссиями. Они расцвета-

ли и зрели, гордо вздымаясь к небу и затеняя землю кронами бесчисленных надкомиссий, а их возвышенные устремления странно контрастировали с глубинной работой корневой системы. В надлежащее время они увядали и распадались, засевая общественную почву семенами новых комиссий... Как видим, эволюционер-комиссолог наблюдает законченную картину обновления мира — от посева до созревания. И недостатка в экспонатах для изучения у него, разумеется, нет. На недавней Международной конференции, созванной Институтом комиссологии, зачитывались доклады о Комиссиях Общественного спасения, Обоюдоострой информации, Толкования однозначных терминов внутреннего мореходства и Американской национальной комиссии флагов победствия, которая является венцом комиссионного творения. Даже эта краткая аннотация ясно показывает, что комиссология имеет дело с общебиологическими законами от зачатия до прелюбодеяния и от рождения до преображения.

Эволюционный отдел института разработал базовые принципы комиссологии. Футурологический определил нынешние и будущие изменения комиссий. Однако самые удивительные открытия сделали, без сомнения, ученые двух смежных отделов — Сравнительного председания и Патологического.

Исследователи сравнительного председания определили четыре главные подотрасли своих изысканий — попугаизм, запугаизм, запутаизм и опутаизм. Они выяснили, что любой председатель стремится достичь своих целей с помощью минимальных усилий. Поэтому классификация председателей ведется по методам их председания.

Подчиняясь порядку изложения, принятому в работах института, скажем, что попугаист старается не допустить живых и осмысленных дебатов. Он создает на заседании атмосферу попугайного повторения сказанного. Простейший и, пожалуй, лучший его трюк — частичная или полная глухота.

— Пункт VII. Ходатайство Бедоуза Данеелсона о повышении жалованья. Могу я считать, что ходатайство отклонено?

— Видите ли, господин председатель, этот вопрос...

— Значит, могу. Прекрасно. Ходатайство отклонено. Пункт VIII...

Только очень громогласный и самоуверенный человек способен прорваться сквозь попугаизм председателя, чтобы продолжить обсуждение пункта VII. Есть еще несколько способов запопугаить обсуждение, и опытный попугаист знает их все.

Председатель-запугаист напоминает апоплексичного многотонного носорога, и, когда ему возражают, создается впечатление, что его сию секунду хватит удар. На заседании он обычно считает, что вопрос уже решен и обсуждению не подлежит.

— Резолюция по пункту IV, принятая на предыдущем заседании, фактически предопределила наше сегодняшнее решение, господа.

— Господин председатель, мы же поручили О'Брайли и Макквити лишь наметить предварительную схему.

— Сейчас поздно обсуждать наше решение. Слишком много уже сделано. О'Брайли и Макквити могут взыскать с нас плату за отвергнутый проект. А потом нам придется заключать контракт с другими архитекторами и терять драгоценное время.

— Да ведь они должны были сделать только примерный эскиз и составить самую общую смету.

— Мы уже связали себя обещанием рассмотреть их проект. Могу я считать, что вопрос исчерпан?

— Господин председатель, по-моему, комиссия не давала никаких обещаний.

— Так вы полагаете, что я превысил свои полномочия?

— Разумеется, нет, сэр. Я просто говорю, что мы не связывали себя обещаниями.

— Вы что, ставите под сомнение мою честность?

— Я не говорю о вашей честности, сэр.

— Именно, сэр, вы говорите о моей бесчестности!

— Вы ошибаетесь, сэр.

— Ставлю вопрос о доверии! *(Рычит.)* Председатель я или не Председатель?! *(Вопит.)* Доверяют мне здесь или не доверяют?! *(Визжит.)* Одернут ли наконец юнца, который оскорбляет меня грязными подозрениями?!! *(Успокоительный гул полного доверия.)* В таком случае я требую, чтобы господин Гаддлей снял свои обвинения.

— Я вас ни в чем не обвинял, господин председатель.

— Принимаю ваши извинения. А теперь вернемся к делу. Поскольку мы связали себя обещанием, нам остается определить порядок очередности работ. Двое приглашенных от О'Брайли и Макквити специалистов уже прибыли, и я предлагаю позвать их на заседание.

В тактике запугаиста важную роль играет слово «честность», особенно часто употребляемое жуликами. Поскольку возражающий Гаддлей выглядит оскорбителем, остальные члены комиссии считают своим долгом уладить недоразумение, а председатель воспринимает их миротворчество как поддержку своей политики. Все возражения немедленно отвергаются, и вскоре на земле вырастает еще одна чудовищная постройка.

Запутаизм комиссологи выявили довольно давно. Однако всего лишь два года назад началось систематическое изучение его географических границ, характерных особенностей и способов применения. Председатель-запутаист спокойно наблюдает, как дебаты тонут в разливе бессвязного лепета, а члены комиссии захлебываются в собственных словах и окончательно перестают понимать, о чем, собственно, идет речь. Выступают одновременно несколько ораторов, каждый из них толкует о своем, и темы их рассуждений пересекаются только внешне. Возникает совершенно бессмысленная говорильня.

— ...Согласитесь, что эта новая система на автостоянке чересчур усложнена... Усложненная реклама меня ничуть не пугает, мне просто не очень нравятся сами специалисты. Почему Гуд и Гарланд? Чем они лучше других?.. Уж если говорить о других, то я уверен, мы не найдем лучших юристов, чем Картоун и Тайлоун... Уверяю вас — все эти картонные талоны на лобовом стекле внесут только неразбериху. А если я захочу взять машину напрокат? Куда мне ее поставить?.. Именно поставки меня и волнуют, ведь мы пока не производим всех товаров, которые войдут в рекламу... Их реклама — доскональное знание юридических тонкостей, какой вам еще нужен эталон?.. Да не нужен мне никакой талон, мне нужна удобная автостоянка для специалистов... Нет, не нравятся мне эти специалисты... Господь с вами! Специалисты высшего класса. Загляните в «Бюллетень юриста» — и вы поймете, что такое Картоун и Тайлоун... Талон, талон! Ну, а когда синий талон выцветет, как вы его отличите от белого?.. Не понимаю, о чем вы толкуете. Мы же не обсуждаем Рекламное бюро Синни и Беллоу. А Гуда и Гарланда я знаю лично. В общем-то, вполне достойные люди. Но иногда их заносит. Умничают... Умничают? Вот уж не знал, что наши юристы умничают. Немного отстают от жизни — пожалуй. Их старомодная педантичность приводит к тому, что они слишком резко делят все явления на черные и белые... Но это же страшно неудобно! Черные и белые талоны внесут еще больше путаницы... Этого-то наши умники и не понимают... Совершенно верно, они не могут приспособиться к новым условиям... Почему это я должен приспосабливаться? Устроить удобную автостоянку — их долг... Да они его давно выплатили. Это Синни и Беллоу на грани банкротства... Я говорю — *черные* и белые. Синие — это для директоров. Они-то меня не заботят... А меня вот заботят. Хорошая реклама — основа успеха... У спеха, как говорится, дела-то мелки. А наши юристы

знают свое дело... Это дело общественное... Общественный скандал... Скандальная подтасовка... Где потасовка? На автостоянке?.. Да нет, в суде... А кого судили?..

Корабль заседания безнадежно тонет в громком гаме, а председатель снисходительно улыбается и время от времени переспрашивает: «Простите, я не совсем понял — вы за поправку?» — или едко вставляет: «Эти слова следовало бы занести в протокол», — так что и без того запутавшаяся комиссия запутывается окончательно. После двадцати пяти минут нечленораздельного гомона ораторы замолкают, чтобы перевести дух. И тогда председатель с грохотом обрушивает на стол свой председательский молоток. В наступившей тишине он подводит итоги прений: «С этим пунктом как будто все ясно. Предлагаю перейти к следующему. Вопрос нам предстоит обсудить сложный, связанный с предыдущим решением комиссии, и я не буду включать его в повестку дня, тем более что неофициально он уже дебатировался. Господин Смутли, вы, кажется, хотели осветить данный вопрос».

На этот раз шумное бормотание длится минут пятнадцать, и, когда оно стихает, председатель удовлетворенно говорит: «Благодарю вас, господа. Разрешив этот вопрос, мы можем перейти к следующему пункту повестки...»

После двухчасовой крикливой путаницы запутаист подводит итоги: «Повестка дня исчерпана, господа. У кого-нибудь есть дополнения? В таком случае заседание откладывается». Через пару дней члены комиссии получают аккуратно оформленный протокол с единоличным решением председателя по каждому пункту. «Молодец у нас секретарь, — говорят рядовые члены друг другу, — нашел-таки смысл в наших прениях».

Обычно председатели добиваются своих целей тайно, однако некоторые из них открыто утверждают свое диктаторство. Парадокс здесь заключается в том, что комиссия как

бы создана для обезличенных — на всякий случай — решений, но встречаются председатели, желающие нести ответственность и славу единолично. Особенно часто это происходит при всякого рода общественных расследованиях и начинается уже с определения задач новой комиссии. В официальном сообщении о ней сказано:

Особая Комиссия, учрежденная Высочайшим приказом для расследования причин детской преступности, выявления географических зон и количественных пиков ее распространения в разные периоды, учета ее влияния на общество и среднюю школу, а также для оценки принятых мер по борьбе с нею и выработки предварительного законодательства, которое, по мнению Комиссии, повело бы к уменьшению и окончательному уничтожению преступности несовершеннолетних.

Подобное описание скорее всего будет сокращено. Газеты нарекут новоявленную организацию Комиссией детской преступности. Но Изадор Самс, предполагаемый председатель, постарается (если он диктатор-запутаист) внести путаницу в определение задач комиссии. Легче всего это сделать, добавив совершенно не идущие к делу темы расследований. После нескольких поправок определение будет выглядеть примерно так: «...для расследования причин правонарушений среди детей, подростков, дебилов и престарелых с уклоном в порнографию, наркоманию и кровосмешение, отягченное нанесением телесных повреждений, не считая вымогательства и кражи новорожденных...» При таком нескончаемом и запутанном описании, отягченном непроясненностью, входит ли вымогательство и кража новорожденных в ведение комиссии, пресса уже не решится назвать ее Комиссией детской преступности. Журналистам придется писать «Комиссия Самса», а уж «Доклад Самса» последует автоматически. Таким образом председателю достанется вся ответственность — ну и, разумеется, слава.

Председатель-опутаист добивается своих целей иными средствами. Он опутывает членов комиссии тенетами науч-

ности. Факты и цифры, графики и диаграммы, карты и схемы, технические детали и теоретические обобщения сменяют друг друга, словно в бешеном калейдоскопе. Когда заседание кончается, члены комиссии еще долго барахтаются в паутине процентности и сетях основных тенденций. Этот метод культивируется сейчас во всех сферах деятельности, но система просвещения вырастила самых махровых опутаистов. Причем собственно преподавательская среда почти не одаривает мир этими созданиями. Они зарождаются в недрах методических кабинетов и, как внимательные стервятники, кружат у школ — на разной высоте, но с одинаковой любовью к мертвечине. Они разрабатывают общие теории о среднестатистических учениках и гнездятся в различных комиссиях. Приведем же небольшую вступительную речь классического опутаиста, оглашающего пункт XIV.

— Пункт XIV. Отчет подкомиссии по рассмотрению промежуточного доклада Балаболла, с иллюстративным материалом сопутствующих диаграмм А — У и наиболее релевантных отзывов заинтересованных организаций под №№ I—XVII. Вышеупомянутый отчет, написанный, как мы все понимаем, с полным знанием дела, убедительно показал, что набор тестов на достижение успеха не дает в разбираемом случае таких же стабильных результатов, как профессиональное тестирование — особенно при исследовании церебральных (в отличие от висцерально-соматических) учеников, высокий процент которых является слишком экстратенсивным, чтобы удовлетворять Поведенческой модели, поверяемой по методу Бине — Стэнфорда. Систематизация статистических материалов дается в приложении XXXIV, а фактографическая обработка — на графике 79-А. Вы сами можете вывести процентную кривую, характер которой говорит, как я убежден, о совершенно однозначной тенденции. Вы спросите, применима ли здесь Иллюзия Мюллера —

Лейера? И допустимо ли ссылаться на Детский псевдорефлекс доктора Пауллоу, по крайней мере в исключительных и атипичных ситуациях? Думается, что это было бы ошибкой. Наша первоначальная классификация в эндоморфных, мезоморфных и эктоморфных соотношениях представляет нам вполне достоверные данные для моделирования октогенеза детского поведения. Могу от себя лично добавить, что Зыбчатая гистограмма дает такой же неопровержимый анализ, как и Коэффициент согласия. Мне кажется, что в свете вышеизложенного мы должны одобрить отчет подкомиссии и принять ее рекомендации от 1 до 8. Благодарю за внимание. Поскольку возражений нет, переходим к обсуждению пункта XV.

Колесница заседания уверенно катится вперед на зыбчатых колесах этой околесицы. Члены комиссии, окончательно опутанные диаграммными кривыми и непрямыми соотношениями, просто не в состоянии потребовать разъяснений. Да не помогли бы им и разъяснения, потому что они были бы еще более нелинейными, чем разъясняемая тема. «Видите ли, — сказал бы председатель, — Модель поведения не является прямым синонимом Поведенческой схемы, так же как Схематическое поведение нельзя назвать — в строгом смысле — антонимом Поведенческого схематизма. Следовательно, мы вынуждены вернуться к первоначальному варианту». Понимая свою обреченность, члены комиссии молча, покорно и понуро соглашаются с председателем. Им даже не приходит в голову, что можно найти выход из этой ловушки. А между тем клин, как известно, вышибается клином. И если среди заседателей окажется хотя бы один опутаист, планы председателя будут неминуемо сорваны. При лобовом столкновении двух опутаистов члены комиссии попадут в двойной бредень. Но зато у них появится возможность проголосовать против предложений председателя.

Итак, сети опутаиста можно спутать встречным опутаиз-

мом. А вот существует ли целебное средство против попугаизма, запугаизма и запутаизма? Скажем прямо, это маловероятно.

С комиссологией тесно смыкается новая наука — подкомиссология, изучающая сущность подкомиссий. Она пробивала себе дорогу в жизнь сквозь вражду академиков-консерваторов. «Что есть подкомиссология? — вопрошал еще недавно известный ученый. — Это всего-навсего подложная комиссология». «Разве подкомиссология не подраздел комиссологии?» — поддакивал ему другой маститый специалист. Однако молодая наука уже подтвердила свое право на существование — она существует. Хотя бы только поэтому консерваторов следует подвергнуть суровой критике. Биосоциологи должны сотрудничать, а не враждовать. Подкомиссология не может быть оторвана от комиссологии. Надо помнить, что одна из задач подкомиссии заключается в том, чтобы уничтожать враждебные образования в матерней комиссии. Некоей группе, возглавляемой Н, постоянно мешает группировка, которой руководит НН. Естественно, что Н предлагает распределить работу комиссии по четырем подкомиссиям. Добившись разделения, он, естественно, стремится перенести все важные дела в ту подкомиссию, где он намеревается стать председателем, а большинство членов его поддерживают. НН-ские сторонники, под председательством НН, захватывают власть в другой подкомиссии, но не получают ничего, кроме мудреного названия. Эта деятельность, предусматриваемая рабочим статусом комиссий, фактически отражает один из этапов борьбы между Н и НН. Подобные явления происходят на стыке двух наук. И успешно изучать их может только объединенная комиссия комиссологов и подкомиссологов.

Если комиссология и подкомиссология — это самостоятельные, но родственные отрасли знания, то что можно сказать о дуплексподкомиссологии? Она изучает распочковавшиеся подкомиссии и со временем может стать независимой

подотраслью. Допустима ли в науке столь узкая специализация? Думается, что нет. Здесь на помощь ученым должен прийти здравый смысл. Разговоры о дуплекс- и ультрадуплексподкомиссологии необходимо прекратить — в особенности на университетских кафедрах. Профессора должны помнить, что существуют базовые академические дисциплины и что архисуперузкая специализация не сулит им ничего, кроме широчайшего тупика.

Как видим, даже беглый обзор убедительно показывает, что наши знания в прикладной и теоретической комиссологии неуклонно углубляются — вместе с умножением комиссий, которые можно исследовать. Однако было бы наивно думать, что рост комиссий приветствуют все слои населения. Влиятельная группа жен, например, брошенных, по их словам, ради блуда со словом, ни больше ни меньше как объявила о находке Одиннадцатой Заповеди, которая гласит: «Не словоблудь». Подобное ретроградство может вызвать лишь осуждение. Аппарат администрирования должен действовать, предоставляя материал для изучения науке и средства к существованию тем людям, которые не способны заниматься чем-нибудь другим. Перефразируя мудрое изречение его королевского высочества герцога Эдинбургского, можно сказать, что человек не оправдает своего существования, если наука перестанет существовать.

ГЛУПОСТНОЕ БЕЗЛИКОВАНИЕ

Предположим, что, используя глубокое знание прикладной и теоретической комиссологии, вы необычайно продуктивно работали в комиссиях и уже добились высокого положения. Если не случится какой-нибудь катастрофы, за вами постепенно утвердится репутация искусного администрато-

ра. Вы станете человеком, на которого можно положиться. А поднявшись, вы начнете с удивлением замечать полную беспомощность большинства сослуживцев. Вам будет совершенно непонятно, зачем они нужны. Какую пользу может извлечь фирма из их должностной глупости? И тут вы должны задать себе фундаментальный вопрос: что такое искусность и мастерство? Чем эти качества отличаются одно от другого? Как заурядный служащий подымается наверх? И есть ли у него такая возможность?

Прежде всего, чем характеризуется мастерство? Умением сделать что-нибудь достаточно сложное. А искусность — это умение сделать что-нибудь сложное чужими руками. Музыканту достаточно его мастерства, дирижеру нужна еще и искусность. Искусность всегда дефицитна. Ее, правда, не ценят так же высоко, как гениальность, но всегда стараются заполучить, хотя порой это крайне трудно. И вместе с тем она часто остается незамеченной. Многие люди, например, считают вполне естественным, что огромный концерн работает без потрясений, его продукция постоянно улучшается, расходы неизменно сокращаются, а сотрудники всем довольны. И однако ничего в этом естественного нет. Подобная естественность сродни естественной красоте газона, который вечно разравнивают, пропалывают и подстригают. Красота газона не возникает сама по себе. Ее создают и оберегают. А работой концерна руководит человек. В его кабинет нескончаемо вплескиваются озлобленные, озабоченные и озадаченные люди. А выходят деловые и спокойные работники. Он не волшебник и не раздаривает счастье. Он принимает решения, и люди успокаиваются.

— Ума не приложу, что мне делать с молодым Нудли. Только и знает, что ворчать да жаловаться.

— Застоялся без серьезной работы. Надо перенести его в транспортный отдел.

— Имогена постоянно болеет. Не пора ли нам от нее избавиться?

— Да нет. Ее недомогания связаны с длительной командировкой Нарцисса. Он вернется через десять дней.

— Как поступить с бригадой Трутенса, пока реконструируется Седьмой завод?

— Переведите их в подсобные рабочие на Третий, а через неделю дайте трехдневный отпуск.

— Трупп просится на свое старое место, он прослышал, что оно освобождается.

— Да, в октябре. Просится, говорите? Не выйдет. Скажите ему, что он может перейти на химический завод Финолса и Фталейна.

— У нас тут лежит заявление от Торби из упаковочного цеха.

— Отказать.

— Сильвейнус опять впал в депрессию.

— Да, я слышал. Пошлите-ка его на конференцию в Лоудэрвилл.

— Бедуэд просит повышения жалованья.

— Не получится. Впрочем, скажите ему, пусть зайдет ко мне в десять ноль-ноль.

— Только что обнаружилась кража двухсот фунтов из фонда мелких расходов.

— Перекройте все выходы. Скажите начальнику охраны, чтобы ждал меня через три минуты в зале совещаний.

— Кажется, я заболел, сэр.

— Примите-ка вот эту таблеточку. Прилягте на десять минут, а потом отправляйтесь домой. Завтра подгóните все дела.

— Я подал заявление об уходе...

— Ни в коем случае! Возьмите на завтра отгул, съездите куда-нибудь, отдохните. А в понедельник жду вас к 9.30.

Мы видели искусность в действии, и измерять ее надо как свершенным, так и не случившимся. Завод не сгорел. Забастовка не состоялась. Билл не уволился, а Бет не отра-

вилась. Но люди не ставят это в заслугу управляющему — ведь то, чего не было, оценить очень трудно. Да и где доказательства, что беды действительно стучались в ворота концерна? Однако признано это или нет, но дела в концерне ведутся искусно. Блаженна организация, о которой можно так сказать.

Искусный управляющий способен мгновенно принимать действенные решения. И он не тратит ни секунды на то, что уже решено. Беспомощный управляющий делает все наоборот. Давайте же посмотрим, как работает он.

— В литейном чрезвычайное происшествие. Рабочего придавило болванкой.

— Кто сменный мастер? Джо Муди? Тогда все понятно. И зачем только мы взяли его на эту должность?

— В новом цехе осел фундамент — стена может рухнуть каждую минуту.

— Почему вы сообщаете это мне? Строительством руководили Кнутс и Прянинг. Я всегда подозревал, что они проходимцы.

— У электриков обнаружена коммунистическая ячейка.

— Интересно, куда смотрит отдел кадров? Может быть, они думают, что за них буду работать я?

— Дрэкселл расторг с нами договор.

— Так я и знал! Надо было выдерживать сроки поставок.

— Выработка опять упала.

— Неужели опять? Вот вам заверения бизнес-консультантов! Незачем было их и приглашать.

Беспомощность выражается всегда одинаково; постоянна даже очередность самооправданий: «Я тут ни при чсм. Кто за это должен отвечать? Вот результат их (ваших, наших, но никогда — моих) ошибок! И зачем только они это сделали?! Почему никто не признает своей вины? Почему никто ничего не предпримет? И как это я согласился на эту должность?..» Разумеется, из подобных причитаний не выведешь руководства к *действию*.

241

Искусность в отличие от беспомощности встречается сравнительно редко. Больше того, ее не всегда замечают, даже если она под рукой. Во многих организациях, где учитывают каждую копейку и секунду, безразлично относятся к искусности. Вместо нее выдвигается беспомощность, и это, в общем-то, естественно, потому что она сама всплывает наверх. Да еще потому, что при назначении на ответственную должность отвергается любой кандидат, если против него можно сказать хоть слово. *А* неплох, но немного богемен; *Б* хорош, но чересчур активен; *В* подходит, но уж очень он властный; *Г* — горлопан; *Д* — какой-то несчастный; *Е* тошнотворно сочится елеем, и говорят, что он извращенец, а не скромник; *Ё* — ёрник, да к тому же и недотепа; у *Ж* чересчур железная логика; *З*, к сожалению, сильно заикается; *И* очень часто пререкается с начальством. Забудьте про *К* — он теряет память; *Л* — ленив; *М* — пьет. *Н* — нерадив и работать не станет; *О* — обидчив; *П* — мот; *Р* — резонер: *С* — суетлив... Может быть, попробуем выдвинуть *Т*? Он талантлив, но тактичен. Точен. Трудолюбив. Толковый работник, ничего не скажешь, слишком толковый, чтобы убирать его оттуда, где он работает, ему весьма не просто подыскать замену. *У*? Что же, он всем хорош. Давайте-ка возьмем его на заметку и продолжим наше обсуждение. *Ф*... кто знает *Ф*? Как он хоть выглядит? Никто не помнит. Вряд ли он необычайно толст. Иначе его бы заметили. Он явно не очень высокий и наверняка не слишком низкорослый. Видимо, не особенно глуп. Но и умом, должно быть, не блещет — это неминуемо было бы отмечено. Хороший ли он работник, уживчивый ли человек? Возможно, ни то ни другое. Возможно, он умер. Против него немыслимо выдвинуть какие-нибудь возражения. Никто не уверен, что узнает его при встрече. Он не возбудил ничьей зависти, злости или восхищения. Назначить его немедленно! Эта должность просто создана для него!

Итак, *Ф*, гений безликости, выдвинут. Если он стал управляющим, организацию неминуемо ждет катастрофа. А вот ес-

ли его назначили заместителем управляющего, Номером Вторым, события могут развиваться по-разному. Тут многое зависит от характера его безликости. Нередко случается так, что он маскирует безликостью распаленную неприязнь ко всем, кто умнее, находчивей, энергичней и одареннее, чем он сам, и, значит, ему ненавистны все люди. Но часто носитель безликости настолько превосходит (как он думает) других людей, что завидовать решительно не способен. Существует еще несколько вариантов безликости (с неизменным уклоном в глупость), и о них можно многое рассказать, но у нас сейчас другая задача. Дело в том, что высокопоставленный глупец бывает иногда полезным. Некоторые ученые даже считают, что крупный администратор должен быть отчасти глуповат. Не считая это безусловно доказанным, мы лишь отметим, что отдельные формы глупости в определенных обстоятельствах очень и очень ценны. Их ценность, правда, оказывается реальной только в том случае, если глупость не растворяется в безликости полностью. Допустим для примера, что новоявленный Второй был до выдвижения абсолютно безликим. Он не совершал ошибок, не возбуждал к себе вражды — словом, не делал ничего. Но теперь ему необходимо администрировать. Если его безликость растворила в себе даже глупость, за него будет работать кто-нибудь другой. Но если безликость чуть-чуть нейтрализовалась выдвижением, глупость тотчас же активизируется, и он попытается действовать сам. При глупости средней концентрации его решения будут ошибочными в большинстве случаев. Но если раствор глупости окажется насыщенным, ошибочными будут *все* его решения. И вот тут-то безликость обернется незаменимостью.

Изредка встречаются учреждения, где работает человек, который всегда прав. «Нет, — спокойно говорит он, — проект слишком сложен. А поэтому неосуществим». И обсуждение заканчивается. Такой человек работает где-то в верхах и пользуется неограниченным доверием, а сравнить его можно со стариной Диком из вашего отдела. Дика у вас все знают.

Возникает, скажем, необходимость определить качество хлопка. Можно обратиться в производственную лабораторию. А можно послать за Диком. Длительные лабораторные исследования позволят вывести формулу для предварительного заключения. Дик же пощупает хлопок и не задумываясь определит: «Второй сорт». Будьте уверены — так оно и есть. Упаси нас боже считать лабораторные исследования ненужными (ведь когда-нибудь Дик уволится), но никому и в голову не придет спорить с Диком. Тот, высший администратор, работает почти так же уверенно, как Дик. При обсуждении общей политики фирмы выдвигаются разные предложения, их обсуждают, сопоставляют, изменяют и отвергают. Потом, когда у членов Правления не остается сил на споры, незаметный человек, сидящий в углу, вынимает изо рта трубку и произносит свою первую реплику: «Я думаю, что с решением следует подождать, пока мы не получим сведения от Болдинга». На секунду создается ощущение, что заговорила мудрость веков — сконцентрированная безошибочность человеческого гения. И дебаты прекращаются. В некоторых организациях таких мыслителей несколько, и выступает то один из них, то другой. А в некоторых последнее слово неизменно принадлежит одному — человеку, который всегда прав.

Теоретически человек, который всегда прав (если таковой имеется), раньше или позже должен стать управляющим — и порой это действительно случается. Но в реальной жизни его, как правило, недолюбливают и руководить фирмой назначают другого. Ради карьерных соображений человек, который всегда прав, должен изредка ошибаться, чтобы успокоить сослуживцев. Иначе они, отвергнув несколько раз его разумные предложения, проникнутся к нему острой неприязнью. «Что ж, поступайте как знаете, — предупредит он их однажды, — но мы потеряем заказы Берлогуэра». Они поступят по своему усмотрению, и Берлогуэр расторгнет все контракты. Человек, который всегда прав, не напомнит о своем предупреждении. Он вообще не будет возвращаться к

этой теме. Но сослуживцы не простят ему своей ошибки, словно он нарочно накликал беду. Люди не склонны прощать тех, кому они навредили, да и человека, чьим добрым советом пренебрегли, выносят с трудом. Неприязнь будет понемногу усиливаться — так возрастает нелюбовь окружающих к соседу, если он раз за разом правильно предсказывает плохую погоду. Поэтому человек, который всегда прав, вовсе не обязательно подымается на самый верх. Равно как и служащий, искушенный в делах. А вот организацию, где работают такие люди, определенно ожидает успех. С выгодой для себя или без нее, они постоянно будут приносить пользу другим. У подобной организации есть компас, а уж руководствуется ли она его указаниями, это особый разговор.

Однако человек, который всегда прав, встречается не чаще искусного администратора. В обычной фирме управляющему просто приходится сравнивать мнения опытных управляющих отделениями. *А* предлагает дешевого поставщика. *Б* считает, что это поведет к дополнительным расходам в будущем. *В* колеблется, *Г* заболел. Как поступить директору? А что, если обратиться к человеку, который всегда не прав? И тут опять на сцену выходит *Ф*, новоявленный Второй с активизированной выдвижением глупостью. Не попросить ли у него совета, чтобы поступить наоборот? Если выбирать нужно один вариант из двух, его совет окажется незаменимым. Если предложений три, исключится по крайней мере одно. Метод явно перспективный. Но с непременным условием: необходимо, чтобы *Ф* был не прав всегда. Почти всегда здесь явно не подходит. Следовательно, назначение *Ф* (его полная фамилия Феноумен) влечет за собой тест на абсолютную погрешность. Он состоит из решения уже решенных временем задач. Мистер Дуарлей шесть недель руководил отделом кадров и, полностью развалив работу, был уволен. Реклама АБВ-113 привела к сокращению продажи товаров на двадцать три процента. Финансовый проект ГДЕ-311 зарекомендовал себя с наилучшей стороны,

а потом совет директоров чуть не угодил под суд. Назревавшую в прошлом году забастовку подготавливал сварщик Марк Веролоумс, а сорвалась она благодаря лояльности машиниста маневрового тепловоза Джона Вернанта. Феноумен ничего не знает об этих событиях, и, базируясь на них, можно основательно проверить его способности.

Гленн Главнер. Поскольку господин Лоуфкер уходит (это достоверно, однако разглашению пока не подлежит), мы должны подобрать нового руководителя отдела кадров. Нам рекомендовали нескольких служащих, в том числе господина Дуарлея. Кто-нибудь знаком с его деловыми качествами? Что вы скажете, Пит?

Питер О'Петри. Я считаю, что это подходящая кандидатура. Господин Дуарлей — старательный, аккуратный и уравновешенный работник, а кроме того, он пользуется уважением сослуживцев. Да, мне кажется, что он справится с новыми обязанностями.

Сэмьюэл Смекаллинг. К сожалению, я не могу согласиться с Питом. По-моему, господин Дуарлей — неопределившийся и легкомысленный человек. Он может развалить нам всю работу.

Главнер. Господин Феноумен?

Феноумен. Видите ли, я знаю господина Дуарлея всего несколько месяцев. Но он производит на меня благоприятнейшее впечатление. Уважает вышестоящих, прислушивается к разумным советам. Да, достойный человек. Не представляю себе лучшего кандидата на эту должность.

Главнер. Благодарю вас. Теперь нам надо обсудить новую форму рекламы нашей основной продукции. Образцы перед вами. Что вы об этом думаете?

Смекаллинг. Очень эффектно. Незамеченной реклама не останется. Впечатляющий рисунок и запоминающийся текст. Такая реклама способна оживить торговлю.

О ' П е т р и. Сомневаюсь. Тут могут возникнуть весьма нежелательные ассоциации. Эмблема фирмы напоминает свастику. Изображение скорее всего оскорбит лейбористскую партию, а текст наверняка не понравится членам Кавалерийского Клуба.

Г л а в н е р. Господин Феноумен?

Ф е н о у м е н. Я вполне согласен с господином Смекаллингом. Реклама прекрасно представляет нашу продукцию. Думается, что страхи господина О'Петри надуманны.

Когда Феноумен поддержал новую финансовую систему, проверка стала волнующей. Один раз может ошибиться каждый. Два раза — каждый второй. Три раза подряд ошибается далеко не каждый, и тут уже напрашиваются предварительные выводы.

Г л а в н е р. Следующий вопрос касается сварщика Марка Веролоумса, нашего кадрового рабочего и активного деятеля профсоюза. Он, несомненно, мастер своего дела. Мы узнали, что ему предлагают повышенное жалованье на заводе Бардалфа и Моттли в Тринадцатом управлении. Стоит ли нам его удерживать? Как вы думаете, Пит?

О ' П е т р и. Он опытный рабочий. Вряд ли мы найдем сварщика его квалификации. А если и найдем, то ему придется платить примерно столько же, сколько предлагают Веролоумсу в Тринадцатом управлении. Мне кажется, нам не следует отпускать Веролоумса.

С м е к а л л и н г. А я не думаю, что его следует удерживать. Профсоюзная деятельность только мешает ему работать, да и она в последнее время выглядела несколько подозрительно. По-моему, пусть уходит.

Ф е н о у м е н. А я согласен с господином О'Петри. Квалифицированного сварщика сейчас не так-то просто найти. Веролоумс — думающий работник — я не раз это замечал — и прекрасный специалист. Он благотворно влияет на профсоюз. Нет, его нельзя отпускать.

Остальные обмениваются многозначительными взглядами.

Г л а в н е р. Аналогичный вопрос возникает в связи с машинистом Джоном Вернантом. Ему тоже предложили где-то более высокое жалованье. Он, как и Веролоумс, активный профсоюзный деятель. Отпустить его или попытаться удержать? Как вы думаете, Сэм?

С м е к а л л и н г. Что ж, работает он хорошо. Локомотив у него всегда в порядке. Аварий не случается. И он всегда идет навстречу, если надо поработать сверхурочно. Я считаю, что ему можно повысить жалованье.

О ' П е т р и. Да, Вернант неплохой работник. Но машиниста сейчас найти очень легко. Почему бы нам не взять человека помоложе, ведь ему и платить придется меньше, чем Вернанту.

Г л а в н е р. Господин Феноумен?

Ф е н о у м е н. Пусть уходит. Он угрюмец, и у него слишком длинный язык. Не может он хорошо влиять на профсоюз. Не прибавляйте ему ни пенни. Да, да — ни пенни!

Г л а в н е р. Благодарю вас, господин Феноумен.

Теперь можно с уверенностью сказать, что Феноумен строго последователен. Он ошибся пять раз из пяти. Остается завершающая проверка — задача, еще не решенная временем.

Г л а в н е р. Наш последний вопрос касается приглашения бизнес-консультантов. Мы вели, как вы знаете, длительные переговоры с представителем Махленберга, Подкупли и Кобела. Совет директоров ждет нашей рекомендации. Нужен ли нам подробный анализ принятой у нас системы управления и организации труда? Что вы скажете, Пит?

О ' П е т р и. Мне кажется, нам уже поздно отступать, мы отняли у консультантов слишком много времени. Думаю, мы просто обязаны их пригласить.

С м е к а л л и н г. А по-моему, вы ошибаетесь, Пит. Затраченное время можно оплатить, и на этом кончатся наши обязанности. Я не чувствую доверия к этим специалистам.

Г л а в н е р. Господин Феноумен, нам известно, что через пять минут у вас начинается другое заседание. Однако мы надеемся услышать и ваше мнение.

Ф е н о у м е н. Да, мне пора. Но я должен сказать, что расширенная консультация Махленберга, Подкупли и Кобела была бы нам очень полезна. Их честность, практический опыт и теоретические познания выше всяких похвал. Каждый из партнеров — серьезнейший специалист в своей области, а сама фирма пользуется всеобщим уважением. Их отчет будет важной вехой в нашем развитии. Да, их обязательно надо пригласить. Я должен идти и скажу только, что обрывать столь успешные переговоры по меньшей мере неразумно. Положитесь на мою рабочую интуицию, господа! *(Уходит.)*

Оставшиеся смотрят друг на друга с недоверчивым ликованием. Все сложилось до неправдоподобия удачно. Феноумен блестяще прошел проверку на Абсолютную погрешность.

Г л а в н е р. Итак, сомнений быть не может, господа. Пять из пяти.

О ' П е т р и. Вы знаете, я почти восхищаюсь Феноуменом.

С м е к а л л и н г. Значит, вопрос с бизнес-консультантами решен. От их услуг придется отказаться.

Г л а в н е р. Конечно. Я позвоню им сейчас же. Справедливость требует, чтобы они были предупреждены как можно раньше. *(Звонит.)* Это контора Махленберга, Подкупли и Кобела? Простите, кто у телефона?.. Могу я поговорить с мистером Махленбергом?.. Нет?.. А с мистером Подкупли?.. Что-что?.. С ума сойти!.. В самом деле?.. Невероятно!.. Поразительно!.. И, как я понимаю, залог невозможен?.. Да-да, разумеется... благодарю вас, вы очень любезны... Большое спасибо. Ну еще бы!.. Тысяча благодарностей. Всего хорошего. (Кладет трубку.) Это был инспектор полиции, он дежурит в их конторе.

О ' П е т р и. А что случилось? Почему полиция?

Г л а в н е р. Они обанкротились. Махленберг арестован за подлоги.

С м е к а л л и н г. Неужели Подкупли и Кобел тоже мошенники?

Г л а в н е р. Нет, эти тут ни при чем. Подкупли обвиняется в шпионаже.

О ' П е т р и. И он работал на пару с Кобелом?

Г л а в н е р. Вряд ли. Кобел, как сказал инспектор, растлевал несовершеннолетних.

С м е к а л л и н г. Выходит, Феноумен прошел полную проверку!

Г л а в н е р. И какую проверку! Стопроцентная погрешность! Он совершенно незаменимый работник — антиводитель и противоуказатель. Компас со стрелкой, повернутой на юг... Кстати, он же будет сейчас выходить из Правления! (*Хватается за телефонную трубку.*) Это вы, Меткаф? Говорит Главнер. Перекройте автомобильное движение у Главного выхода по крайней мере на десять минут.

С м е к а л л и н г. В чем дело, Гленн?

Г л а в н е р. Неужели вы не понимаете, Сэм? Феноумену придется переходить улицу. Мы просто не можем допустить, чтобы его сбила машина!

БУМАГОПИСАНИЕ

На подступах к вершине вашего учреждения, покорив, скажем, должность помощника заместителя, вы начнете осваиваться с жизнью наверху. Вам, например, придется быть Первым, когда управляющий и его заместитель уйдут в отпуск. Вы увидите воочию, как работают высшие администраторы, и вплотную познакомитесь с их затруднениями. Самое тяжкое из них — бумажное море — вам, впрочем, давно

известно. Однако на высшем уровне это бедствие приобретает совершенно невиданный размах. Бумажное море превращается здесь в ревущий океан, способный захлестнуть вас с головой и утопить. От исхода борьбы с ним зависит ваша дальнейшая жизнь. И если вам не удастся справиться с этим грозным разливом, вы пойдете ко дну.

Бумажный потоп, угрожающий сейчас всему миру, родился в нашем веке. Античные писцы, заполнявшие письменами папирусные свитки, чиновники Древнего Китая с их каллиграфией на шелке, и даже клерки восемнадцатого столетия, торопливо строчившие свои витиеватости гусиными перьями, не могли наводнить землю письменной продукцией. И только в наше время, когда всеобщая полуграмотность, бумажное изобилие, печатные станки и средства массовой информации завоевали мир, океан вышел из берегов. Возможность мгновенной связи с любой точкой планеты привела ко всеобщей централизованности. Еще сто лет назад всякая широко разветвленная организация или большая империя вела нескончаемую борьбу против самостоятельности отдаленных районов и филиалов. Для согласования решений с центром просто не было времени, да и традиции такой не было. Теоретические властители в беспомощной тревоге читали об отторгнутых провинциях, изгнанных губернаторах, вновь открытых филиалах и проданных кораблях, а их заглушенные расстоянием приказы постоянно запаздывали. И лишь трансокеанская телефонная связь посадила местных владык на короткие поводки. Приблизительно с тысяча восемьсот семьдесят пятого года началось обуздание наместников, которое привело, помимо всего прочего, к распаду колониальной системы и дипломатии. Самостоятельные действия полномочных представителей сменились беспомощной болтовней чиновных мальчиков, пришпиленных к юбкам всевозможных правительственных комиссий, а сами правительства просто не знали, о чем пререкаются их чиновные несмышленыши. Процесс централизации, охвативший граж-

данское управление, дипломатию и коммерцию, пришел в конце концов к логическому завершению: с некоторых пор вся полнота власти сосредоточивается, как правило, в одних руках, и властители неминуемо теряют голову от перегрузок.

Разумеется, центральная администрация стала пользоваться средствами всеобщей связи, как только они появились. После многовековой беспомощности администраторы смогли наконец проводить свою политику не только изо дня в день, но из минуты в минуту. Подробные донесения и детальные отчеты непрерывно стекались в центр, а на периферию уходили нескончаемые инструкции и безапелляционные распоряжения. Короче, центральная власть получила возможность властвовать. Но ничто не дается безвозмездно. И возмездием явилось нынешнее бумажное наводнение. Окружив себя ратью помощников, администраторы вечно расхлебывают вызванный ими потоп. Они трудятся, погрузившись в письма и докладные по пояс, но стоит им на неделю заболеть, и бумажный разлив захлестывает их до подбородка. Опасаясь утонуть, управляющие выходят на работу, как бы плохо они себя ни чувствовали, и порой это приводит к печальным для всех последствиям.

После пятидесяти лет неослабного централизованного контроля, когда у подчиненных не осталось ни малейшей самостоятельности, а у начальников — ни одной свободной секунды, люди начали задумываться, действительно ли все, что технически возможно, всегда и везде практически разумно. Новые коммерческие империи, созданные в результате бесчисленных слияний, избегают строгой централизации, если она не ведет к увеличению основного капитала. Там, где центральная власть необратимо окрепла, поговаривают, что неплохо бы ее слегка обуздать. Но пока очень немногие организации дали машине обратный ход. Только одна корпорация стереотипных магазинов полностью пересмотрела систему централизованного контроля. Было решено, что управляющий должен доверять директорам магазинов, те —

продавщицам, а продавщицы — покупателям. И сразу же иссякло несколько бумажных рек: карточки прихода и ухода, отчеты по жалобам и недостаткам в торговле, копии складских накладных. Оказалось, что считать людей честными очень выгодно, хотя среди большинства действительно честных граждан встречаются иногда и жулики. Ведь ежегодный приток бумаг уменьшился на 22 000 000 единиц общим весом в сто пять тонн, а члены Правления избавились от статистических данных, которые не приносили решительно никакой пользы. Доверие привело к значительному сокращению штатов и лестному вниманию со стороны других фирм, что, как известно, тоже всегда выгодно. Огромная корпорация справилась с бумажным океаном.

Перемены начались, когда председатель Правления посетил субботним вечером один из магазинов. Обнаружив, что все продавщицы задержаны для сверхурочной работы и заполняют карточки наличных товаров, он поинтересовался, зачем эти карточки нужны. «Зачем? — недоуменно переспросил его директор. — Да чтобы их заполнять. Взгляните сами, сэр. Вот одна из карточек, она должна быть заполнена». — «А зачем?» — снова спросил председатель. Никто не смог ему ответить. Никто этого не знал. Никто этого не знал никогда.

Карточки наличных товаров были изобретены на заре бумажного бума. А нам сейчас важно запомнить, что изменения в корпорации начались, когда председатель Правления, отложив совещания и деловую переписку, посетил один из магазинов. Причем посетил в субботу вечером — иначе он ничего бы не заметил. Еще один практический закон управления гласит, что администратор не способен спасти своих подчиненных, пока не спасется сам. Человек, целиком погруженный в бумаги, неминуемо теряет самостоятельность. Он делает только то, что предлагают его вниманию, а сам ничего и никому предложить не может. Его захлестывает бумажный поток.

Для подтверждения этой мысли сравним рабочий день

двух гипотетических управляющих — Медли и Бойкинза. Медли, придя утром в контору, обнаруживает, что папка входящих бумаг растолстела до 18 дюймов. Слой сведений, в которых нуждается сам Медли, равен одиннадцати дюймам, а остальные бумаги ждут его резолюций. Медли вынимает из папки первый документ, и в эту минуту прибывает утренняя почта. Большую ее часть — восемь дюймов — составляют циркуляры министерства торговли. Их немедленно сваливают в корзину, однако некоторые письма все же требуют ответа. Как только Медли начинает диктовку, раздается первый телефонный звонок. Медли без отдыха борется с водопадом бумаг, но ему постоянно приходится отрываться — то у него совещание, которое начинается в 11.30 и длится до половины первого, то еще что-нибудь. Потоп грозит захлестнуть его с головой. Медли делает отчаянное усилие, и уровень бумаг начинает понижаться. Потоп временно усмирен. Орошая кабинет кровавым потом и яростными слезами, Медли сражается до самого вечера. Он уходит из конторы, исчерпав папку до дна. «Я опять победил», — устало думает он, влезая в машину. Да, он заслужил свое жалованье и совершенно справедливо сомневается, что кто-нибудь другой способен работать так же самоотверженно. Ну, а если его свалит болезнь? Он едва-едва справлялся с бумагами, пока все у него было в порядке. А если заведенный порядок нарушится? Это ведь вполне вероятно...

Бойкинз относится к делу иначе. Для него бумаги — только досадная помеха в работе. И если ему придется потратить весь день на разбор почты, он будет считать, что время просто потеряно. В его конторе порядок особый. Почта прибывает к 8.45, и до 9.15 с пятьюдесятью письмами должно быть покончено. Бойкинз пишет ответы сам и, как правило, на полях документа. Его реплики чрезвычайно лаконичны: «Сожалею — невозможно»; «Хорошо, буду»; «Совершенно согласен» — и реже: «Вздор!» На некоторые письма он диктует короткие ответы. Короткие по необходимости, по-

тому что письма, не разобранные до 9.15, будет разбирать кто-то другой. В 9.15 стенографистка уходит. Оставшиеся вопросы Бойкинз обсуждает на производственном совещании, которое начинается в 9.20 и длится не больше десяти минут. После совещания Бойкинз хватает телефонную трубку и до 9.40 успевает поговорить с восемью деловыми партнерами из других стран. Он знает по опыту, что в это время международные телефонные линии, как правило, свободны и заказы выполняются вдвое быстрей, чем днем. В 10.00 Бойкинз уходит из конторы, чтобы посетить какой-нибудь завод или Правление одного из филиалов. Во время своих инспекторских визитов он никогда не торопится, потому что утром успешно расправился с бумажными делами. Ему некуда торопиться, и он интересуется решительно всем. «Добрый день, Фред, — приветствует он пожилого мастера, — как дела?.. Ну что, Билл, этот новый парень из Пятого освоился с работой?» Он щупает радиаторы отопления, проверяя, не слишком ли они горячие. Замечает не выключенную с ночи лампочку. Обнаруживает, что засорился водосток, и приказывает кому-нибудь его прочистить. Спрашивает рабочего о самочувствии прихворнувшей жены. Он видит все и, обсуждая заводские дела, решается на те или иные изменения. А что, если в Одиннадцатом цехе установить портальный кран?.. Обдумывая это нововведение, он замечает парнишку, который никогда раньше не попадался ему на глаза. «Откуда у вас этот рыженький?» — спрашивает он между делом когонибудь из старых рабочих. А вечером восхищенный новичок рассказывает своей матери: «Представляешь, со мной разговаривал сам шеф, спрашивал, где я учился, как будто ему это интересно!» Если завод ожидают потрясения — что бывает при Бойкинзе очень редко, — он предвидит их чуть ли не за год. Если где-нибудь случится пожар, Бойкинз наверняка окажется там раньше всех, и люди прекрасно это понимают.

В Правлении филиала Бойкинз все тот же. Он, например, никогда не приезжает без предупреждения. Почему? Да по-

тому, как он объясняет, что подготовка к его приезду уже сама по себе приносит пользу — служащие наводят порядок в конторе, подгоняют срочные дела. Так что, если ему и не удастся приехать, кое-какая полезная работа все же будет сделана. Правда, его визиты никогда не срываются, больше того, он никогда не спешит. И замечает абсолютно все, даже новый теннисный корт. Повидавшись с кем нужно в клубе филиала, он идет обедать — непременно в столовую для служащих. И ни слабое руководство, ни, скажем, назревающее неповиновение не ускользнет от его внимания. Он считает, что нелады в отношениях между служащими можно почувствовать, наблюдая, как люди группируются. Заметив, что управляющий филиалом с несколькими подчиненными обосновался в одном углу столовой, а его заместитель, окруженный единомышленниками, — в другом, Бойкинз приступает к расследованию. И не уезжает, пока не поймет, в чем дело. Если одного дня ему недостаточно, он непременно позвонит на следующее утро своему заместителю — ровно в 9.20. К этому времени почта будет просмотрена, и, ответив «да» или «нет» на двадцать, допустим, вопросов, Бойкинз продолжит свои изыскания в филиале. Некоторые люди считают его идеальным управляющим.

Бойкинз уверен, что хороший начальник не должен терять самостоятельности. Бумажный разлив не отрезает его от жизни. Он разрешает возникающие перед ним задачи еще до того, как они попадают на бумагу. Ему удается справляться с трудностями раньше, чем ему письменно докладывают о них. Он встречает бури в открытом море, и они не успевают обернуться бумажным потопом. Для сохранения самостоятельности надо прежде всего четко понимать, какие дела являются первоочередными. Председатель Правления Во-Далинг Компани Телеболтэн не понимает этого; посмотрим же, как складывается его деловое свидание с господином Тутэнсом, заведующим отделом сбыта фирмы «Кит и Честер».

Телеболтэн. Входите, входите, мистер Тутэнс. Присаживайтесь. Извините меня — я только подпишу эти письма *(молча скребет пером)...* и отвечу на докладную главного инженера, пожалуйста, не сердитесь! *(Снова скребет пером и молчит. Телефонный звонок.)* Алло! Это вы, Генри? Превосходно! Замечательно! Да-да, я обязательно осмотрю ваш новый завод, как только у меня будет полегче со временем... Так-так... Может быть, вы пошлете мне письменный докладец?.. Понятно, Генри. Но не забывайте про накладные расходы. Нет, Генри, все это не так просто. Нужно еще убедить совет директоров и добиться согласия финансового отдела. Звякните, когда у вас будут расчеты, о которых мы говорили. Ладно, Генри. Это будет здорово. Пока... Прошу прощения, мистер Тутэнс! Так на чем мы остановились? А-а, мне же нужно ответить на эту докладную. *(Молча скребет пером. Телефонный звонок.)* Боб? А я как раз собирался вам звонить. Да-да, я слышал. Скверно, очень скверно. Но она поправляется? Вот и прекрасно. Слушайте, Боб, я тут обдумал наш вчерашний разговор. Вообще-то это можно устроить, но необходимо найти дельного администратора. Кого? Нет, Боб, Радли не справится. А главное, он уже получил другое назначение. Да, подумайте, Боб. Пока... *(Молча скребет пером. Телефонный звонок.)* Это вы, Питер? Что ж, хорошая мысль, давненько я не играл в гольф. Роджеру? Хорошо... Ладно, значит, до субботы... Подождите-ка, а кто будет четвертым?.. Да ведь он всегда был мазилой. За сколько ударов он теперь кончает игру?.. Я понимаю, что подучился, а все же... знаю, конечно... Послушайте, Питер, у меня другая идея. Что, если мы пригласим Нэвилла?..

> Тутэнс выходит из кабинета Телеболтэна
> и направляется к конторке швейцара,
> на которой стоит телефон.

Ладно, Питер, в субботу увидимся. Как семья? Ну и прекрасно. А где вы провели отпуск? Понятно. Мы думаем съездить в Испанию. Нет, Шила там никогда не была. Ладно. До

субботы... *(Молчание. Телеболтэн с сомнением оглядывает свой кабинет. Вроде бы кто-то хотел с ним поговорить? А-а, бог с ним. Хватает ручку, скребет. Телефонный звонок.)* Ах, это вы, мистер Тутэнс! Очень рад, что вы позвонили. Да, нам понадобится оборудование, которое изготовляет ваша фирма. Несомненно, мистер Тутэнс. Хорошо, мы опробуем два станка, присылайте. Если они нам подойдут, заказ будет большой. Пятьдесят по крайней мере и, вероятно, еще пятьдесят к концу года. Какая у вас оптовая скидка? Маловато... Понимаю, мистер Тутэнс... Хорошо, присылайте два станка. Всего хорошего, мистер Тутэнс.

Телеболтэн ошибочно полагает, что посетитель никуда не убежит, и занимается в его присутствии другими делами. Если бы он хотел от него отделаться, такая политика была бы верной. Можно подумать, что фирма Кита и Честера кажется Телеболтэну сомнительной или недостаточно крупной. Но это не так. Просто он считает, что лист бумаги важнее, чем живой человек, а телефонный разговор важнее того и другого. Сами по себе Генри, Боб и Питер не кажутся ему особенно значительными фигурами. Телефонный разговор — вот что представляется ему самым главным, и его партнеры уже догадались об этом. Телеболтэн частенько ошибается в людях и почти постоянно упускает выгодные сделки.

Когда дело касается бумаг, особенно плохой пример подают администраторам государственные чиновники. Методы у них схожи, а цели-то диаметрально противоположные. Для чиновника документ — это венец всего. Почему? А потому, что ему нужна только отчетность. Любая стадия его карьеры должна быть документально зафиксирована на случай ревизии. Ну-ка, что он предпринял тогда-то? Он ли порекомендовал то-то? С кем он проконсультировался, отвергая такой-то проект? Ему для спокойной жизни нужен архив всех его деяний. Получив докладную от *A*, он отсылает ее

своему непосредственному начальнику *Б*, предварительно обсудив сущность дела с *В*, о чем имеется протокольная запись, зарегистрированная 27 марта в деле № 43. Затем, учтя рекомендации *Б* и *Г*, он осуществил следующее... Чиновнику необходимо доказать, что он провел верные изыскания, собрал верные данные, принял верное решение, разработал верные рекомендации и вовремя подал верную докладную записку соответствующему должностному лицу. Что произошло на самом деле, его не касается. Важен архив, а не реальные события. Допустим, в тюрьме произошел бунт, пятеро охранников ранены, двое убиты, деревообделочная мастерская сгорела, а десять преступников сбежали. Чиновника, получившего такое донесение, заботит архив, а не само происшествие. Какие действия будут выглядеть правильными на бумаге? Как наиболее убедительно сформулировать, что за бунт отвечает другое ведомство? Как повести расследование, чтобы происшествие выглядело менее значительным? Подобный подход, быть может, и помогает государственному учреждению, но не спасает от убытков промышленную фирму. Ведь при любом распределении ответственности потерянный контракт все равно уже потерян, бывший партнер стал врагом, заказ передан другой компании, а товары не раскупаются. В предпринимательстве живые люди и действительные события важнее архивных данных. Если доходы не перекрывают затрат, управляющего могут уволить, как бы правильно он ни оформлял протоколы заседаний. Убытки не компенсируешь архивными записями...

Но как же все-таки бороться с бумажным морем? Телефон тут нисколько не лучше, чем пишущая машинка, потому что, пожирая время, он даже не регистрирует принятых устно решений. Конференции, постоянно отрывающие людей от их основной работы, тоже не спасают положения. Глубинным источником бумажного разлива оказывается стремление к сверхцентрализации — стремление, порожденное нуждами делового мира. Да, разумная централизован-

ность явно необходима. Корпорация стереотипных магазинов гораздо выгоднее и жизнеспособней, чем сеть мелких лавок, главным образом потому, что распределение, завоз и закупка товаров осуществляются в корпорации централизованно. Нужен, конечно, и централизованный контроль. Значит, надо точно определить права центральной власти. В каких случаях она должна поощрять местную самостоятельность? На этот вопрос пока не найдено однозначного ответа. А приблизительным мерилом здесь может быть соотношение между величиной Правления и общим количеством работников. И это очень важное — если не важнейшее — мерило.

Администраторы упорно не желают определять допустимых норм на управленческие расходы. Прекрасно понимая, что компания компании рознь, автор все же считает возможным вывести хотя бы усредненные соотношения между административными и производственными затратами. Сами предприниматели, если об этом заходит речь, утверждают, что пятнадцать процентов общих издержек производства съедает управленческий аппарат; однако это скорее практический максимум, чем теоретический минимум. Британские университеты тратят на содержание администраторов от шести до десяти процентов наличных денег. Говорят, что есть учреждения, где на управление тратится гораздо больше средств, чем на все остальное. Тут, правда, надо сказать, что общеадминистративные расходы не следует путать с затратами на содержание центрального Правления. Общеадминистративные расходы характеризуют качество руководства, а стоимость Правления указывает на степень централизации. В одной процветающей фирме штат Правления составляет 2,34 процента от общего числа работников, а затраты на него слегка превосходят это количественное соотношение. Наверняка существуют вполне преуспевающие компании, в которых общеадминистративные расходы съедают десять процентов всех затрат, и половина этих сумм идет на содержание Правления. Вообще чем больше статистических материалов

требует Правление, тем выше в компании процент служащих. Если затребованные данные надо к тому же анализировать и классифицировать, штат служащих автоматически возрастает, а если кому-нибудь придет в голову оценивать работу классификаторов и анализаторов, количество служащих увеличится вдвое. Поскольку сбор материалов, их дальнейший анализ и следующая за анализом проверка — суть ступени контроля, постольку размеры Правления (а значит, и стоимость его содержания) характеризуют степень централизации. Если она чрезмерна, чрезмерны и затраты на нее. Однако разумное соотношение управленческих и производственных расходов не может быть универсальным. То, что хорошо для корпорации стереотипных магазинов, вряд ли подойдет Национальному управлению угольной промышленности. И все-таки широкие сравнения необходимы. Если мы и не найдем идеального соотношения, то будем хоть знать среднеразумные пропорции.

Итак, бумажное море порождается сверхцентрализацией, а вот всемирный бумажный потоп вызван склонностью человека к размножению. При нынешней технике одинаково легко размножить документ и в десяти и в пятидесяти экземплярах. Средний человек инстинктивно предпочитает максимум. Ведь если потребуются дополнительные копии, потом их будет сделать и хлопотней и дороже. Но кроме склонности к размножению, у человека есть тяга к порядку, и он рассылает *все* наличные экземпляры. Во-первых, при этом освобождаются шкафы. Во-вторых, никто не сможет обвинить его в беспорядочности, потому что копию документа получат решительно все. Как видим, потоп питают мощные источники. Он ширится и набирает силу, бушует и заливает землю. Копии документов рассылаются директорам и управляющим, инженерам и бизнес-консультантам. Их получают психологи и общественные деятели, публицисты и методисты, экономисты и конформисты, старики и ученики. Изготовляются экземпляры для юристов и дантистов, докторов и

профессоров, счетоводов и коноводов, не говоря уж о заводилах. Их расклеивают на досках объявлений и дверях, стенах конференц-залов и кабинетов, в мужских и дамских комнатах, на лестничных площадках и в коридорах. Все, абсолютно все должны быть оповещены. Письменные столы служащих завалены теперь многослойной информацией. И никто этой информацией не пользуется. Потому что на ее изучение не хватит жизни.

Склонность к размножению, охватившая многих администраторов и всех чиновников, достигла небывалого расцвета среди ученых. Научные учреждения стараются держать исследователей в курсе всего. Чтобы они знали о новейших работах своих коллег, на их головы обрушиваются тяжкие потоки печатных и репродуцированных сведений. Когда исследовательское учреждение перерастает мыслимые на земле размеры, становится очевидно, что нужда во взаимной информации перекрыла возможности научных изысканий. Абсолютная полнота информации достижима лишь при иссякших источниках новой информации. Это противоречие беспокоит многих ученых, и правильно беспокоит. Однако настоящее бедствие таится в лавинном размножении научных журналов. Размножение это основывается на уверенности, что научную периодику необходимо читать. Зачем, собственно, нужен новый журнал? А затем, что старый рано или поздно попадет в лапы профессора *А*, который признает только свои идеи. Под его редактурой журнал будет публиковать статьи исключительно *А*-ского направления и обсуждать книги, написанные только *А*-скими учениками. Его противник, профессор *Б*, чьи статьи отвергаются особенно последовательно, захочет — и неизбежно начнет — издавать свой собственный журнал, поначалу несколько более либеральный. Ограничения коснутся лишь самого *А* и его прямых сторонников. Но потом *Б* откажется публиковать *В*, пишущего, по его мнению, запутанно и расплывчато, с новизной лишь в грамматических ошибках. Но *В* уже знает, как

ему поступить. Он сделается редактором новейшего и в первое время самого терпимого к запутанным идеям журнала. Правда, полуграмотные, как ему кажется, статьи *Г* он печатать все же не станет. И получится, что в эпоху всеобщей полуграмотности *Г* не может публиковаться из-за собственной полуграмотности. Сомнения будут мучить его, но... недолго — и вскоре появится еще один журнал. *Г* осознает свой долг и уклоняться от него не захочет. Так дантисты получат свой семьдесят девятый ежемесячный научный журнал. Что же касается до науки в целом, то количество — равно как и постоянный прирост — периодических изданий не поддается точному определению. В зале периодики одной университетской библиотеки автор насчитал 33 000 названий. А ведь каждое название — это редакция со штатом сотрудников. И все они по горло завалены бумажной работой. Словом, те немногие ученые, которые еще не разучились думать, стали обмениваться идеями в частных письмах. И некоторые из них считают, что количество научных изданий обратно пропорционально прогрессу в науке. Весьма вероятно, что усилия, истраченные на публикацию научных статей, могли бы двинуть вперед научную мысль.

Наука порождает все больше изданий; не отстают от нее ни техника, ни коммерция. На стол высшего администратора обрушиваются ливни разнообразнейших бумаг, и его искусность характеризуется быстротой, с которой он их рассортировывает. Эту завизировать не глядя. Эту переслать выше. На эту ответить в общем, а эту вообще не заметить. Эту посчитать беспочвенной, а эту вернуть, как неверную. Здесь согласиться, а здесь — нет, эту потерять, а этой дать ход. Эту в корзину, а эту в архив, эта срочная, а та подождет. Эту распечатать, ту перепечатать, эту отправить, а ту подшить. Проверить по телефону, верить ли их письмам, и уверить их письменно, что вам можно верить. Уточнить написание фамилии Ваадербрехнихс и расшифровать подпись его главного инженера. Передать Райнеру, чтоб явился утром, и написать Позднеру,

чтобы больше не приходил. Поблагодарить Полдинга за оказанную помощь и посоветовать Поулдни держать себя в руках. Дать Порции добавочную работу и отпустить Норму — она выглядит больной. Расхлебать до вечера папку входящих, разослать с вечера пачку исходящих и, если вы администратор из настоящих, не позже вечера уехать домой.

ВТОРОСТЕПЕНСТВО

Вопреки вашим ожиданиям, вам удалось добраться до вершины. Вы уже завоевали должность Второго и, может быть — кто знает? — станете вскоре Первым. Вообще-то вам и раньше доводилось играть вторую скрипку, но не на таком высоком уровне. Пришло время для последнего решительного усилия, от которого будет зависеть вся ваша дальнейшая жизнь. Как сделаться идеальным Вторым? Эта задача требует тщательного изучения. Тут прежде всего мы столкнемся с терминологическими трудностями. Каким служебным титулом должно быть определено ваше второстепенство? Дело в том, что административные титулы почти не поддаются строгим определениям. И однако за их неопределенностью скрываются устойчивые общественные связи. В любом организованном сообществе обязательно есть главный распорядитель — Первый. И почти наверняка у него есть помощник — Второй.

Так было, так есть и так, видимо, будет всегда. В первобытном обществе семейной ячейкой правит отец или дед — Сам (как до сих пор иногда называют главу семьи), за которым стоит его старший сын — Второй, помощник и предполагаемый наследник. Авторитет власти еще и сейчас опирается на патриархальные основы с тремя составляющими: благоговением (перед искусностью старшего), любовью (к

защитнику) и страхом (наказания). Титул Второго, или Приближенного (то есть самого одаренного), освящен, как видим, уважаемой и древней традицией.

Однако во всяком ли человеческом сообществе есть признанный Второй? Нет, ибо любое правило порождает исключения. При политической диктатуре или деспотии не бывает действенного Второго и объявленного Преемника. Не бывает потому, что сила режима держится на предполагаемой незаменимости Первого. Помощник подрывает славу властителя. А Преемник угрожает его самовластию. Короче, диктатуре противопоказана должность Второго. Вместо него назначается несколько равных друг другу заместителей, и силу каждого из них подрывает зависть остальных. Но в индустрии и коммерции деспотизм не прививается. Иногда, правда, возникают деспотические корпорации, но они и кончают подобно деспотиям, то есть разваливаются со смертью властителя. Человечество предпочитает более стабильные сообщества, которые не лопаются от одиночного пистолетного выстрела и не распадаются от одного сердечного приступа. Так что индустриальная или коммерческая диктатура всего лишь исключение из общего правила.

Другим отклонением от нормы можно считать организацию, где Второй фактически подменяет Первого. Ходят слухи, что в некоей компании решительно всем распоряжается мистер Болтик, хотя должность управляющего там занимает господин Маршалл. Такое отклонение от нормы в общем-то нормальное явление. Людей вроде Болтика интересует власть, а не титулы, и они готовы делить ее с Маршаллами, жаждущими только званий. Когда-то в германской армии с большим тщанием подбирали начальника Генерального штаба и не придавали никакого значения выбору Верховного Главнокомандующего. Можно привести множество примеров успешного совластительства, и особенно часто оно наблюдается в исключительно мужских сообществах. Священники, давшие обет безбрачия, такие, как кардинал и его

духовник, очень часто прекрасно уживаются и согласно властвуют. Но если кто-нибудь из совластителей женат, в системе появляется один неустойчивый элемент, а если женаты оба, неустойчивость удваивается. Женатый начальник, подчиняющийся своему заместителю, обычно живет и под каблуком у жены, а она в борьбе с соперником постоянно побуждает мужа отстаивать свои права. Жена заместителя едва ли командует мужем, но у нее, как она говорит, нет сил терпеть показное превосходство начальниковой супруги. Жена епископа в романе Троллопа могла нейтрализовать влияние капеллана не потому, что была необычайно энергичной, а просто потому, что постоянно была при муже. И даже если оба администратора холосты, кто поручится, что завтра они не женятся? Когда курносенькая секретарша способна вызвать в учреждении гражданскую войну, положение никак не назовешь устойчивым. Вершина пирамиды должна быть наверху.

Давайте же рассмотрим жизнь Второго в обычном учреждении, где номинальный начальник действительно руководит всей работой. Тут вам может прийти в голову, что все Вторые похожи друг на друга. Да, довольно легко представить себе идеальных и, как дождевые капли, одинаковых заместителей, создав некий собирательный образ надежного, деловитого, тактичного и доброго (к подчиненным и детям начальника) служебного дядюшки. Но общепринятые представления всегда поверхностны. На самом-то деле Вторые вовсе не одинаковы. Одни постоянно тушуются, другие стараются быть на виду. Одни общительны, но непроницаемы, другие молчаливы, но совершенно понятны. Одни радостно энергичны, но их парализует бездеятельность Правления. Другие угрюмо пассивны, но если на них пожалуешься совету директоров, начинают активно работать. Короче, они отличаются друг от друга и по характеру, и по внешности, и по манере поведения. Но все же их можно разделить на две основные категории — довольных своим положением (*А*) и желающих занять место начальника (*Б*). Это разделение не

всегда легко провести, потому что люди постоянно меняются, однако названные категории, несомненно, существуют, и к одной из них примыкает любой заместитель.

Категорию *А* образуют так называемые вечные заместители — администраторы, которым не хватило честолюбия. Они слегка рассеянны и не слишком много внимания уделяют делам фирмы. Их занимают поступки местных политиков, городской гольф-клуб, Ассоциация налогоплательщиков и Торговая палата. В их отношении к своему дому чувствуется умиротворенная оседлость, они заботливо лелеют спаржу и ежегодно бетонируют подъездные аллейки. Они добросовестно — но не более того — относятся к служебным обязанностям и никогда (или почти никогда) не опаздывают на работу. Их беда заключается в том, что они пережили возраст честолюбия и теперь находят утешение в детях, радуясь университетским успехам сына или здоровью внука — первенца замужней дочери. Вечный заместитель лучится спокойствием и довольством. Его можно узнать именно по внешнему виду. Иногда в силу привычки он еще поговаривает о своем повышении, но внешность обесценивает его слова.

Быть успокоившимся заместителем — тонкое искусство, и тут неважно, остался ли человек на вторых ролях из-за своих природных данных или жизненных обстоятельств. Искусство это заключается в постоянном отождествлении себя с героем. Обычный зритель, сидя в кино или перед экраном телевизора, отождествляет себя с тем артистом, которого видит сию минуту. Он не знает про картонные пейзажи ковбойских кинопавильонов и десятикратные пересъемки одного эпизода. Ему неважно, почему от первого же удара человек неминуемо падает, а потом встает на ноги как ни в чем не бывало. Он просто сжимает кулаки или хватается за воображаемый пистолет, перевоплощаясь в киногероя. А вечный заместитель отождествляет себя с начальником и так участвует в драматических событиях. Он уверен, что это «мы» приняли решение, «мы» сокрушили идиотский проект на

расширенном совещании Правления. «Первый знает свое дело, — утверждает Второй. — Его не проведешь». Однако совершенно очевидно, что он имеет в виду и себя. Достижения Первого становятся как бы и его достижениями. Поэтому заместители категории *А* с годами приобретают общие черты, хотя поначалу они, так же как и все люди, не походят друг на друга. Хороший начальник Штаба должен составлять диспозиции в стиле Главнокомандующего, чтобы тому не приходилось их править. Идеальный заместитель категории *А* не имеет собственного мнения и, подобно канарейке, поет с голоса начальника.

Категория *Б* гораздо обширней, чем категория *А*, заместители этой категории хотят, как уже было сказано, стать начальниками. Их можно разбить на три группы — I, II и III.

Заместителя I группы назначает на должность его нынешний начальник. Он сравнительно молод, уверен в своем будущем и никогда (как он говорит) не мечтал о подобном повышении. «Это просто счастье, — частенько восклицает он, — работать под руководством Алана Главли! Я узнаю что-нибудь новое буквально каждый день. Алан превосходный человек и замечательный работник. Да, мне здорово повезло». Громогласно и всей душой преданный начальнику — особенно если тот его слышит, — Боб Победоуз считается восходящим администратором. Он (по его словам) не понимает, почему выдвинули именно его, когда вокруг столько достойнейших людей, но как бы то ни было его все же выдвинули. И уж он постарается оправдать доверие Алана. Когда начальник уезжает, Боб блестяще справляется со своими обязанностями. «Нет, — говорит он, — Алан поступил бы иначе... Да, — признает он, — это согласуется с нашей общей политикой... Видите ли, — заключает он, — такой сложный вопрос нельзя решать без Алана...» И, когда Алан Главли заговаривает об уходе на покой, Боб возглавляет депутацию сослуживцев, убеждающих Алана остаться: «Может быть, вам нужно немного отдохнуть, сэр, — разглагольствует

Боб, — но мы все надеемся, что после отпуска вы вернетесь. Нам было бы очень трудно работать без вас, и мы уверены, что вам рано уходить на покой». Служащие считают Боба прекрасным парнем и пророчат ему большое будущее.

II группа охватывает заместителей, назначенных на этот пост предшественником их нынешнего начальника. Марк Бедуэд — типичный пример заместителя Б-II. Он замечательный администратор — опытный, энергичный и уважаемый сослуживцами. Говорят, нынешний Первый Вон Говэн был выдвинут Правлением только потому, что Марк Бедуэд считался идеальным Вторым, способным помочь неопытному (в то время) Говэну. И никто не отрицает, что Марк («Папаша», как его называют между собой служащие) делал тогда чуть ли не всю работу Вона. Он немного занудлив и выглядит гораздо старше Говэна, хотя они почти ровесники. Все уверены, что без Марка Правление просто развалилось бы. Он помнит, как зовут самого низшего служащего, и каждый, кто к нему обращается, получает совет или помощь. Именно Марк всегда указывает, что предлагаемый проект вовсе не нов — его испробовали в 1937-м, допустим, году. Если нужно сделать какое-то сложное дело, за него берется Марк. Он искренне и безыскусно гордится доверием Правления. Никто не сомневается в его лояльности по отношению к начальнику, хотя многие считают, что Марк одареннее Вона. «Пусть это сделает Марк», — нередко говорит Говэн, и все понимают, что работа будет выполнена хорошо и своевременно. Если судьба фирмы зависит от какого-нибудь одного человека, то это, безусловно, Марк, по крайней мере так думают многие служащие. Он не просто нужен — он необходим фирме.

Скелетон Скрипс, еще один заместитель категории Б-II, вне всякого сомнения, одареннейший администратор компании «Телектроникс». Причем не только одареннейший, но один из самых искусных. Быть бы ему управляющим, не приди в компанию Виктор Пик. Скелетон чуть постарше Марка, а выглядит даже старше своих лет; в отношениях с

Виктором он холодно вежлив. Пик на восемь лет моложе своего заместителя и пытается оживить их натянутые отношения дружеской непринужденностью, но это ему не очень-то удается. А Скелетон просто переполнен скрытой враждебностью. Когда его спрашивают о положении дел в компании, он кратко излагает план перспективного развития и, пожав плечами, добавляет после красноречивой паузы:

«Удачен ли этот план, покажет время. Иногда, знаете ли, кое-кто... впрочем, неважно. Вы, конечно, знакомы с Пиком? Удивительный человек! Своего рода уникум». Скрипс часто произносит эти слова, а они звучат столь двусмысленно, что наводят на грустные размышления. Не говоря ничего порочащего, Скелетон все же умеет поставить под сомнение компетентность Виктора: «Хорошо, что опытность Пика известна решительно всем, а то могло создаться впечатление, что он просто не понимает конъюнктуры рынка... но ему, разумеется, виднее. У него есть интуиция, а это, говорят, иногда поважнее, чем опыт. Что ж, поживем — увидим и мы...» Скрипс — мастер, почти магистр, многозначительного умолчания, и его поднятые брови выражают больше недоверия, чем самые резкие слова. Из его умолчаний собеседнику становится совершенно ясно, что Пик ничего в делах не смыслит.

И наконец, III группу категории *Б* составляют бывшие начальники, превратившиеся в заместителей после объединения фирм. Таков Брайен Проданс, ставший Вторым, когда его фирма «Болтен, Фрайзер и компания» влилась в трест «Спрутс и Калмар». Отношения между управляющим и его заместителем слишком приторны, чтобы считать их нормальными. «Давайте-ка спросим, что об этом думает Брайен», — то и дело говорит Сесил Главнидж. — «Бог с вами, Сесил, — отвечает обыкновенно Проданс, — вы у нас мастер, мне остается только учиться». — «Спасибо, Брайен, — возражает Главнидж, — но именно в этих вопросах вы разбираетесь лучше меня». — «Нет, Сесил, — парирует Проданс, — вы знаете больше любого из нас...» — и так далее до

бесконечности. Плетение вежливых словес продолжается, и Главнидж мечтает о том, чтобы Проданса куда-нибудь убрали, а Проданс... Проданс мечтает о том же. Начальник, ставший заместителем, — довольно частое явление в деловом мире, и у него есть только два пути: отставка или перевод.

Из четырех обрисованных заместителей на повышение может с уверенностью рассчитывать лишь Боб Победоуз. Боб получит место управляющего небольшой фирмой, которая занимается примерно тем же, что и компания, руководимая Аланом Главли. А рекомендацию — в частном письме — ему напишет Алан, подчеркнув, что Боб — лучший из выращенных им помощников. Года через три Главли выйдет в отставку, и Боб почти наверняка займет его место. Ничего подобного не ждет Марка Бедуэда, потому что он — незаменимый заместитель. Вон Говэн никогда его не отпустит. Если Бедуэд, подстрекаемый женой, попытается добиться повышения, Говэн в рекомендательном письме сделает упор на его порядочность и опыт заместителя, не сказав ни слова о самостоятельности. «Мистер Бедуэд не работал управляющим, — закончит свое письмо Говэн, — но с обязанностями заместителя он справлялся прекрасно». Такая рекомендация поможет Марку стать вечным заместителем в глазах высших администраторов, и он останется им навсегда, если только его начальник не сгорит на работе в прямом смысле этого слова. Мечтает ли Марк о большей должности и ответственности? Неизвестно. Неизвестно даже самому Марку, ибо досада и довольство отмерены в его личности почти равными порциями. Возможно, ему не хватило честолюбия. Но тут необходимо подчеркнуть, что отвергнутый однажды заместитель *наверняка* превратится в заместителя вечного. Ведь если его выдвинут чуть позже, это будет означать, что в прошлый раз Правление ошиблось, а такого с Правлением быть не может. Как видим, карьерные возможности Марка обратно пропорциональны его деловым качествам. И, набираясь опыта, он постепенно отрезает себе пути к повышению.

Однако положение Скелетона еще безнадежней. Его, как и Марка, отвергли ради молодого администратора. Но ведут они себя по-разному. Вообще-то у обойденного служащего есть только две линии поведения. Он может показывать свою лояльность начальнику, тем самым доказывая, что не затаил в душе зла. И может доказывать свое превосходство над начальником, тем самым показывая, что совершена ошибка. Обе линии поведения — тупиковые, но вторая заводит в тупик быстрее. Взаимное отвращение Виктора и Скелетона неминуемо превратит их жизнь в ад. Скелетон мог бы поступить управляющим в какую-нибудь небольшую фирму, но Виктор этого не допустит. Теоретически он был бы рад избавиться от Скрипса. А на практике ни за что не даст ему хорошей характеристики. Повышение Скрипса, по мнению Пика, слишком высокая цена за избавление от неудобного заместителя. Взаимная неприязнь связывает этих двух администраторов крепче самозабвенной любви. Больше того, когда Виктору станет невмоготу, он, по всей вероятности, только ухудшит положение. Потому что его рекомендательные письма станут вдруг чересчур частыми и восторженными. И столь горячий энтузиазм сразу же вызовет подозрения.

— Если этот парень действительно кладезь премудрости, почему Пик так жаждет от него отделаться?

— Ну, может быть, ему неприятно, что заместитель умнее его самого.

— В таком случае нельзя особенно доверять его рекомендациям. Давайте-ка вернемся к кандидатуре Стадмена из филиала «Дикс и Голэй».

Скрипса даже не внесли в список кандидатов. И чем успешнее он будет доказывать, что обойден несправедливо, тем упорнее его будут отвергать. Кому понравится подчиненный, который постоянно напоминает начальникам об их ошибках? Так что Скрипс обречен на второстепенство. Если бы его сделали начальником, он работал бы не хуже, а быть

может, и лучше Пика. Но несправедливость испортила ему и характер, и карьеру. Он вышел из игры.

А что ждет Брайена Проданса? Его судьба, безусловно, не столь безнадежна. Между начальниками существует особая связь, нечто вроде начальственного братства. Вступив в это братство, ты становишься навеки избранным, а вылетев из него (не по своей вине), сохраняешь моральное право быть принятым вновь. Если Проданс не слишком стар, Главнидж сам поможет ему подняться. Потому что начальник без должности угнетает остальных начальников. Он как бы снижает их значительность, возвышаясь над другими заместителями немым напоминанием о тщете человеческих достижений. Неписаный закон требует опять возвести его в начальники. И уж во всяком случае он вовсе не нужен Главниджу как заместитель.

Из очерка о заместителях категории *А* (довольных своим положением) и *Б* (рвущихся в начальники) должно быть ясно, что репутации вечного заместителя надо всячески избегать. Это действительно ясно; но как быть, если волею случая вы уже обрели подобную репутацию? Такое, к сожалению, может случиться со всяким. Представим же себе — всего лишь на одну минуту — что вы превратились в обойденного однажды заместителя. Допустим, что вас отвергли ради администратора, который моложе вас на шесть лет. И предположим, что вы-то уже смирились со своим положением, но ваша супруга непримирима. Она посматривает на вас с тем горестным сожалением, которое предназначено только вечным заместителям. И уже кто-то слышал, как ваша дочь назвала вас «мой убогий предок». Положение серьезное, чтобы не сказать — критическое, ибо именно в таких случаях принято восклицать «сейчас или никогда». Что же вам надо сделать?

Прежде всего задать себе вопрос: «По справедливости ли меня отвергли?» До сих пор, обсуждая таких заместителей,

как Боб Победоуз, Марк Бедуэд, Скелетон Скрипс и Брайен Проданс, мы считали, что они способны — или по крайней мере когда-то были способны — стать начальниками. Всякому ясно, что найдется немало подобных заместителей. Но существуют и другие, тоже достаточно честолюбивые и вполне квалифицированные заместители, которые, однако, не могут работать начальниками. Чем это объясняется? Что отличает прирожденного начальника от вечного заместителя? Скромность не позволит вам говорить о себе, поэтому давайте-ка спросим вашу жену, справедливо ли с вами обошлись. Допустим, что она ответит так:

— Справедливо? Да вы просто спятили! Каждый знает, что Тони был бы прекрасным управляющим. На нем вся работа здесь держалась! Уж, наверно, у него есть кое-какой опыт, если он трудится в фирме с 1946 года, с того времени, как демобилизовался из флота. Тогда он работал, будто продолжал воевать! Просиживал за письменным столом до утра, лишь бы подготовить для начальника нужные материалы. Тони ведь работяга, каких мало! И его все любят. Буквально все! Никто из подчиненных даже и не подумает возражать, если он скажет, что надо поработать сверхурочно. Они сразу поймут, что это совершенно необходимо и что сам Тони уйдет из конторы позже всех. Я не хочу хвастаться, но лучшего управляющего им было не найти. И что же они сделали? Раскопали где-то этого выскочку Проулэза с его вульгарной красоткой женой. По-моему, все их Правление просто спятило!..

Допустим, ваша жена совершенно права. Допустим, вы даже еще лучше, чем она думает. Но это не доказывает, что вы прирожденный начальник. Скажите откровенно, вы уверены в себе? Только ваша собственная уверенность заставит поверить в вас других людей. Вам тут первое и последнее слово. Иногда газеты публикуют тесты для самопроверки, и человек, ответив на двадцать, а то и тридцать вопросов, узнает, кто он такой. Вам, славному покорителю второй по вели-

чине вершины в компании, вам, прекрасному и опытному заместителю, нужно ответить всего лишь на три вопроса, читайте же их.

ВОПРОС ПЕРВЫЙ. *Если вы, подобно другим людям, иногда болеете, то в какой день недели у вас подымается температура?* Вспомните хорошенько. Вы, конечно, можете ответить: «Да, наверно, в любой. Я, собственно, никогда об этом не думал», — и ответите, как вечный заместитель. Ибо прирожденный начальник не задумываясь скажет: «Все мои недомогания начинаются в пятницу вечером и кончаются в понедельник утром». Помните, что заместитель, способный стать начальником, не болеет никогда, по крайней мере в первые годы после своего выдвижения. Другие служащие имеют право простужаться и болеть, например гриппом, они даже могут заболеть все разом — и это значит, что *вы* должны остаться на рабочем посту. Да, вам необходимо быть в конторе, какая бы страшная эпидемия ни косила людей. Однако есть ли у человека возможность планировать начало болезни? Безусловно. Прирожденный начальник подсознательно управляет своим здоровьем. С понедельника до пятницы он держит в узде всех своих микробов. «Сегодня тебе болеть нельзя, — нашептывает ему внутренний голос, — ты обязательно должен присутствовать на совещании... У тебя завтрак с лордом Херриком, — шипит внутренний голос, — перестань чихать!» Внутренний голос замолкает только в пятницу. Вы уже справились, хотя и не без напряжения, со всеми срочными делами, и в 15.30 секретарша приносит вам на подпись несколько писем. И тут вдруг ей становится ясно, что у вас совершенно больной вид. Когда она с усвоенным в Школе секретарш материнским участием говорит вам об этом, вы начинаете чихать. «Ох, мистер Сильванли, — ласково ворчит секретарша, — да ведь у вас грипп!» И вам начинает казаться, что

она, пожалуй, права (как всегда), а внутренний голос, буркнув: «Ладно уж. Болей», — замолкает. Вам дано увольнение до понедельника. Едва держась на ногах, вы уходите домой. Вас еще хватает на то, чтобы запастись лимоном, согреть себе виски и забраться в постель. Ночью температура у вас подымается до сорока двух градусов, и вы размышляете сквозь бред, есть ли у вас надежда выжить. Никто не болеет так тяжко, как здоровяки. В субботу днем вы посылаете за своим юристом (который, разумеется, не приходит, потому что уехал на рыбалку), чтобы изменить завещание — вам хочется пожертвовать некоторую сумму медико-исследовательским учреждениям. К ночи смерть начинает ломиться в вашу спальню. Однако двери оказываются крепкими, и воскресным утром вы уже чувствуете себя получше. Днем болезнь едва ощущается. А в понедельник вы снова сидите за своим письменным столом. Внутренний голос — природный дар. Если у вас его нет, вам не бывать начальником. Ах, он у вас есть? Вы уверены? Тогда читайте следующий вопрос.

ВОПРОС ВТОРОЙ. *Готовы ли вы делать то, что другие не могут или не хотят?* Теоретически любой служащий должен строго выполнять свои обязанности. А практически каждый занимается на работе чем хочет. У одного есть склонность налаживать контакты с другими фирмами и общественностью. Другой, следуя пословице «подальше положишь — поближе возьмешь», так прячет документы, что они исчезают в архиве навеки. Третий непрерывно чертит схемы реорганизации Правления. Четвертый целыми днями бродит по конторе, выключая лишние светильники. И лишь один человек — начальник — делает то, что необходимо. Ему в дополнение к его прямым обязанностям нужно заботиться решительно обо всем, и он не знает, чем будет заниматься завтра. Возможно, списком очередников на отпуск или выбором оптимального цвета для стен. Может быть, перерас-

ходом горючего или мерами противопожарной безопасности. Весьма вероятно, что ему придется искать мойщиков окон или электромонтеров для смены проводки. Короче, есть дела, за которые не берется никто, кроме начальника. Не берется потому, что не хочет их делать, а начальник знает, что они должны быть выполнены, и деваться ему некуда. Готовы ли вы к этой радужной будущности? В самом деле готовы? Значит, переходите к последнему и самому сложному вопросу.

ВОПРОС ТРЕТИЙ. *Способны ли вы уволить Барделла Милна?* Конечно же, он вам известен. В каждой организации есть свой Барделл. Он абсолютно честен, всегда старается сделать как лучше, и все сослуживцы ему симпатизируют. Он болтается по учреждению и беспрестанно болтает, к галстуку у него прилипли какие-то крошки, брюки обсыпаны пеплом, в кармане заляпанного пиджака — пачка неотправленных писем, а на лице — доброжелательнейшая улыбка. Он безобидный путаник, искренне любящий свою милую жену и пятерых детишек-школьников. При обычных обстоятельствах почти всегда есть возможность не увольнять его, но мы предположим, что у вас такой возможности нет. В прошлом этот служащий мог бы, вероятно, понадобиться фирме, мог бы даже стать незаменимым, как человек, который всегда не прав... Но времена сейчас настали тяжелые, конкуренция растет, доходы уменьшаются, и вам не до экспериментов. Милна необходимо выставить. Причем именно вы, начальник, должны вызвать его и сказать: «С первого октября я упраздняю вашу должность, господин Милн. Вам придется подыскать себе другую работу. Что касается меня, то я готов сделать для вас все, кроме ложного шага». Лицо Барделла побелеет, а руки начнут дрожать. Он станет бормотать что-то о своих прежних заслугах, о жене и детях, а вы ему скажете: «Мне очень жаль, Барделл, но мое реше-

ние окончательное». Хватит у вас на это моральных сил? Если хватит, то знайте, что проверка еще не завершена. Вам надо сказать Милну в глаза: «Вы уволены», — и, тотчас же забыв об этом, заняться другими делами, а вечером уснуть сном праведника.

Хорошему заместителю (которым вы уже стали) нужны знания, искусность, тактичность и мастерство. Хорошему начальнику необходимо сцементировать эти качества раствором жестокости, и только тогда он удержится наверху. Порой генерал просто обязан взорвать мост, хотя ему известно, что часть его солдат осталась на том берегу. Капитану иногда приходится закрыть водонепроницаемые переборки, предоставив запертых в машинном отделении механиков их собственной судьбе. И ни тот ни другой не должен при этом поддаваться эмоциям. Приказы произносятся с холодным спокойствием, и жесткая складка у губ в сочетании с твердым прищуром глаз, словно родовые признаки, отмечают истинных начальников. Способны ли вы стать командующим — пусть не военным, а гражданским? Помните, что уволить Барделла мало. Надо еще сохранить сон праведника. Вам некогда предаваться праздным раздумьям о дальнейшей судьбе Милна или правомочности своих распоряжений: вас ждут неотложные дела, и весьма вероятно, что следующий вопрос, который вам надо решить, касается увольнения еще одного сослуживца.

Предположим теперь, что вы с успехом прошли предложенную вам самопроверку. Все ваши болезни начинаются в пятницу вечером и благополучно кончаются в понедельник утром. Вас радует любая отвергнутая другими работа. Вы способны уволить Барделла Милна. Однако, несмотря на ваш опыт и черты истинного начальника, вас обошли по службе. Правление, потеряв здравый смысл, назначило на должность начальника молодого администратора, и вы ос-

тались заместителем. От ошибок не застрахован никто, а неудача может постичь каждого; и вот после многолетней успешной службы вы потерпели неудачу. Явился новый начальник, и вам пришлось приветствовать его от имени подчиненных. Вы тепло поздравили его со вступлением в должность, отметив про себя, что он лысоват и мешковат. Ваша жена сразу же увидела, что его супруга явно молодится, а ее наряд (давайте уж смотреть правде в глаза!) просто вульгарен. Итак, формальности закончены, и вам надо срочно решать, что делать.

До недавней поры на этот вопрос не было ответа. Заместитель мог сделаться начальником только в том случае, если его патрона терзала перед отставкой или смертью продолжительная болезнь, и Второй просто волею обстоятельств становился Первым. Но люди, которым платят ежегодное жалованье, живут, как правило, долго и безболезненно. Заместителю нечего ждать милости от болезней начальника. Гораздо правильней заставить его уйти. Раньше считалось, что администратора можно выпроводить в отставку с помощью бумажных баррикад и непрерывных авиакомандировок. Да, когда-то этот метод был безотказным, но те времена миновали. Человек, знакомый с действием ДДТ, сразу же поймет, в чем тут дело. Первые несколько лет ДДТ отпугивает вредителей — не уничтожает, а просто отпугивает. Потом вредители перестают его замечать — привыкают. А потом начинают любить. И через десяток лет они уже не могут жить без ДДТ. Примерно то же самое случилось с нашими высшими администраторами. Они теперь относятся к авиации с доброжелательностью на грани любви. Так что для их отпугивания нужны новые методы. И сейчас — впервые — они будут обнародованы.

Новейший метод упразднения начальника требует применения административной науки. Если вы не знакомы с ней, пригласите на работу доктора администрирования, ну, хотя бы из Ворчестера. Ученые сейчас многочисленны и де-

шевы, поэтому вы легко найдете нужного вам специалиста в любой Школе дельцов. Допустим, вы выбрали доктора Бесли, и ваш выбор тем более удачен, что его жена — известный составитель Поведенческих моделей. Затем вы убедили начальника исследовать вашу контору. Стоимость всей исследовательской программы возместит (как вы объяснили начальнику) Административный институт им. Гекаты, который уже выделил в распоряжение доктора Бесли трех помощниц. И вот на сегодняшнем совещании обсуждается Промежуточный доклад приглашенного вами доктора.

Д у н к а н. Пункт III. Доклад доктора Бесли, рассылавшийся вместе с повесткой дня. У кого-нибудь есть замечания?

М а к б е т. Мы попросили доктора Бесли, чтобы он кратко прокомментировал свой доклад. Позвольте мне представить его...

Д у н к а н. Благодарю вас, Второй. Ваше слово, доктор Бесли.

Б е с л и. Господа! Мне хочется изложить наш Промежуточный доклад в наиболее доходчивой форме. Обнаруженные нами факты требуют немедленных действий. Ждать окончательных выводов просто некогда — положение в фирме постоянно ухудшается. Коротко говоря, мы исследовали вашу организацию методом нелинейного расширения оптимальных колебаний...

М а к б е т. Надеюсь, вы проводили коррекцию внутренней надежности?

Б е с л и. Разумеется. Способы коррекции даны в приложении К. Используя статистику случайных переменных и Стохастическое моделирование, опираясь на наш опыт в изучении Теории решений и Операционных воздействий, мы неминуемо должны были прийти к совершенно определенным выводам, которые и суммированы на страницах 34—37...

Д у н к а н. Все это весьма интересно, однако я не совсем понимаю...

М а к б е т. Простите меня за вмешательство, сэр, но мне хотелось бы дать некоторые пояснения. Я тоже был удивлен, когда узнал, что доктор Бесли отказался от проверенной Теорагмы Филькинтрупа. Мы обсудили этот вопрос, и я должен был признать, что квадратичное программирование в данном случае неприменимо. Остальные же методы доктора Бесли не вызывают, как я полагаю, никаких сомнений.

Давайте остановим это мгновение, называемое в бое быков Мигом Истины. Теперь уже Первый должен мысленно воскликнуть: «Сейчас или никогда!» — ибо для сохранения власти ему надо выкинуть Промежуточный доклад в мусорную корзину и назвать докладчика его настоящим именем.

Д у н к а н. Все это представляется мне пустословием и бредом. Я решительно не понимаю, о чем вы тут толкуете, да, признаться, и не интересует меня эта филькин-трупная грамота. Если у вас есть какие-нибудь конструктивные предложения, выскажите их по-человечески. И не разговаривайте со мной, как с вычислительной машиной. Я, видите ли, человек, машинного языка не знаю и знать его не хочу.

Эта резкая отповедь, низведшая рассуждения доктора Бесли до идиотского чириканья, могла бы разрушить замыслы Макбета. Все участники заседания наверняка хором подтвердили бы, что Промежуточный доклад наполнен вздорной болтовней. Лютус Рафф, основатель фирмы, мог назвать доктора Бесли его истинным именем. Но в нынешних администраторах нет жизненной лютости Раффа. Надо быть очень смелым человеком, чтобы презрительно обнародовать свое невежество перед собственными подчиненными, которые с умным видом внимают Бесли. Девятеро начальников

из десяти не выдержат сейчас такой проверки на смелость. Средний начальник будет глубокомысленно кивать головой, слушая околесицу доктора администрирования. И заседание покатится по рельсам, заранее проложенным Макбетом.

Д у н к а н. Благодарю вас, Макбет. Доклад слегка перенасыщен научной терминологией, но в общем совершенно понятен. *(Вопросительно оглядывает присутствующих.)*

В с е *(торопливо)*. Конечно, конечно! Абсолютно понятен.

М а к б е т. Быть может, я покажусь узколобым начетчиком, но мне не все ясно в рассуждениях, приведенных на странице 41. Почему, собственно, динамическое программирование должно включать в себя теорию игр?

Б е с л и. Я ждал этого вопроса. Признаюсь, я не везде строго придерживался принятого мною в докладе машинного языка. На странице 41 подводятся итоги эвристических линейно-сбалансированных выкладок, которые предваряют применение методики неопорного функционирования.

М а к б е т. Но эта методика оказывается неустойчивой в сочетании с комбинаторным анализом на семнадцатой странице, ведь если, как вы утверждаете,

$$\pi = \frac{1}{mm} - (p + h^2),$$

то невозможен точный расчет вероятностных отклонений.

Б е с л и. Да, при многоличностных взаимодействиях невозможен. Он был бы возможен — я признаю это — в иной системе отсчета. Однако полученные результаты в принципе не отличались бы от моих.

М а к б е т. Это-то совершенно очевидно. Ведь закон Зоннинга — Ограниченса не нарушен.

Б е с л и. Именно! Здесь важен метод Минимакса — Киберса. Так что основная методика не вызывает, надеюсь, возражений.

М а к б е т. К сожалению, нет. Но ваши горькие алгоритмы вызывают у меня функцию огорчения.

Б е с л и *(с веселым смехом)*. Неплохо, неплохо.

В с е *(неуверенно)*. Х м - х ы м - х а м — х м . . .

М а к б е т. К делу, господа. Насколько я понимаю, выводы доктора Бесли требуют активации побуждений в нашей организации. Но я предлагаю не предпринимать никаких шагов, пока мы не получим часть II Заключительного доклада, которая будет готова через три недели. Три недели — ни днем больше! — в нашем распоряжении еще есть, вы согласны, господин Бесли?

Б е с л и. Вам следует принять определенное решение к концу этого месяца.

М а к б е т. Я тоже так думаю. И нам нужно в деталях обсудить часть II, прежде чем мы наметим общую программу.

Д у н к а н *(опасливо)*. В деталях?

М а к б е т. Мы должны тщательно проанализировать обстановку.

Д у н к а н *(обреченно)*. Да, это надо сделать.

М а к б е т. Поблагодарим же доктора Бесли за помощь, господа.

В с е. Да! Да! Неоценимая помощь.

Б е с л и. Мне, безусловно, не удалось бы так глубоко исследовать создавшееся положение без поддержки Института им. Гекаты. Мисс Ведьмер и две ее сестры, сотрудницы этого института, провели огромную работу. Могу я передать им вашу благодарность, господа?

Д у н к а н. Да, это надо сделать.

Б е с л и. Они, без сомнения, будут очень тронуты.

Д у н к а н. Итак, доктора Бесли ждут его научные изыскания. Большое спасибо, доктор... Переходим к пункту IV. Ассигнования на ремонт крыши в генераторной. Ваше мнение, мистер Макдуф?

При обсуждении пункта IV начальник попытается захватить инициативу, но почва уже выбита у него из-под ног. На будущей неделе ему опять придется беседовать с доктором Бесли — без какого бы то ни было представления о предмете беседы. А вскоре подоспеет и Заключительный доклад. Тут доктор Бесли явит все свое мастерство, обнародовав рабочую модель Должностной структуры центрального Правления. Это будет поистине сокрушительный удар.

Увидев диаграмму, Дункан издаст придушенный стон. «Нет, — еле слышно прохрипит он, — только не это!» Но *это* уже свершилось. Дункан сляжет в постель, предоставив Макбету командовать запланированной реорганизацией. Когда он начнет приходить в себя, достаточно будет показать ему Должностную структуру или произнести фамилию Бесли, и он опять почувствует себя совершенно разбитым. Его отставка близится, и все понимают, кого назначат начальником. А Макбет прекрасно знает, как он распрощается с доктором Бесли. «Вон!» — коротко скажет он, еще раз доказав, что наемный убийца, сделавший свое дело, должен уйти. Вам претит подобный метод упразднения начальника? Вы содрогаетесь, думая об этой хладнокровно запланированной жестокости? Что ж, такие чувства делают вам честь. У вас более высокие моральные принципы, чем у многих служителей церкви. Ваше бескорыстие позволит вам стать — и остаться навеки — заместителем управляющего в любой фирме. Ибо Врожденного Начальника отличает от Вечного Заместителя безусловная жестокость. Для достижения своих целей он прибегает к любым средствам, и, если научное администрирование покажется ему убийственно действенным, он не задумываясь воспользуется этим оружием. Отшатнувшись от туманных ужасов первостепенства, вы вскоре придете к заключению (и будете совершенно правы, со своей точки зрения), что игра не стоит свеч. Однажды, сидя у камина с зажженной трубкой и чашечкой кофе, вы раздумчиво скажете своей жене: «Честолюбие, конечно, неплохая черта характера, но, знаешь, мне нравится

быть Вторым. А порой я даже начинаю подозревать, что мне уж, пожалуй, не суждено быть Первым». И ваша супруга, которая лет шесть назад пришла к тому же выводу, со спокойной улыбкой подтвердит ваши подозрения.

ДОКЛАД ПАРКИНСЕКСА

Индустриальная империя, в которой вы добиваетесь власти, — это не застывшая система металло-кирпичных конструкций на бетонном основании. Она возникла в результате биологических процессов, где удобрение почвы и обсеменение, опыление и оплодотворение играют решающую роль. Деловой мир можно уподобить джунглям с деревьями, сосущими соки из земли, и лианами, душащими деревья; или полю с пчелами бизнеса, опыляющими махровые цветы компаний; или, наконец, саду, в котором вызревают плоды технического прогресса и кормятся паразиты. Однако эта страна чудес подчиняется строгим законам естества и половые различия здесь можно определить как фундаментальные. Викторианские писатели, изображавшие деловой мир, почти не касались половой жизни, хотя в их книгах ясно виден ухмыльчивый и уклончивый намек на нее. Теперь у нас принято говорить обо всем свободно и откровенно, наших детей снабжают в школах научно-иллюстрированными описаниями жизни пчел и цветов, а мы, взрослые, стараемся (слишком, быть может, усердно) внушить друг другу, что интимные тайны природы чисты и прекрасны. Короче, пора открыто сказать, что бесполых учреждений не бывает.

Да, все заводы и фабрики, тресты и компании имеют половые признаки. Их, правда, так же нелегко распознать с первого взгляда, как и половые различия в животном или растительном мире. Уловить их может только специалист.

А значит, вам для достижения успеха необходимо стать специалистом и в этой области. Вы должны точно знать, мужская или женская особь предпринимательства предлагает вам работу. И определить это, несмотря на уверения некоторых ученых, довольно просто. Дело в том, что половые признаки предпринимательских и человеческих особей аналогичны. Не надо только чересчур формализовать задачу, ограничивая исследования лингвистическими рамками. Если мы рассмотрим торговое, к примеру, предпринимательство, то обнаружим, что оптовый концерн при общей склонности к мужскому началу часто оказывается женской особью, а розничная компания приобретает мужские черты. Формальный, на лингвистическом уровне, анализ обычно дает лишь приблизительные, а то и прямо ошибочные ответы. Нет, для истинно научной оценки необходимо вычленить основообразующие половые признаки предпринимательства.

Мужской промышленный трест характеризуется прежде всего мужественной внешностью. Он может быть очень опрятным, но никогда не станет прихорашиваться. Он откровенно конструктивен в планировке и не пользуется косметикой дизайна. Внешняя грубоватость органически сочетается у него с прямотой в рекламе: он напористо утверждает, что торгует самой дешевой и лучшей продукцией. Ему свойственна широкая общительность и любознательность — его представители охотнее посещают другие организации, чем принимают гостей у себя. Несколько хвастливой внешности соответствует пренебрежение к деталям: небрежность в переписке, грязноватые окна и давно не проверявшиеся противопожарные приспособления — вот обычный перечень его упущений. Мужской облик треста довершается отсутствием бережливости. При уменьшении годового дохода он не ищет внутренних резервов, а старается увеличить основной капитал. Замечено, что ему свойственно стремление к случайным деловым связям и недолгому хозяйственному флирту. Разумеется, здесь дается самая общая схема, предпола-

гающая некоторые частные различия. Мужские тресты верны, как правило, своим обязательствам, но некоторые из них склонны поживиться на стороне, и, пожалуй, все они считают, что это не слишком большой грех. Свои сыновние филиалы и дочерние компании они содержат в строгости, предоставляя им самим бороться за жизнь, и сурово наказывают их, если они слишком часто теряют деньги.

Женская фирма характеризуется противоположными признаками. Ее фабричные корпуса расположены на территории с изящной кокетливостью, их стены аккуратно выкрашены в пастельные тона, а у въездных ворот благоухают цветочные клумбы. Однако привлекательная внешность таит в себе чисто дамскую скромность. Некоторые производственные процессы, например, совершаются в глубокой тайне, старые деловые связи, как правило, скрываются, и даже о возрасте фирмы никогда не говорят вслух. Здесь суетливо внимательны к мелочам, строго соблюдают принятую однажды технологию и настойчиво подчеркивают (иногда в ущерб истине) высокое качество продукции. Женская фирма экономна и предусмотрительна. Во время спада она резко сокращает затраты и урезывает дивиденды. Она замкнута на себя и не слишком общительна. Ее представители чаще приглашают гостей, чем ездят куда-нибудь сами. Но особенно характерно ее отношение к молодым компаниям. Она постоянно заботится о своих отпрысках и, если им грозит финансовая опасность, способна преодолеть свою обычную бережливость.

Изучая историю предпринимательства, мы обнаружим, что бракосочетание фирм — слияние — с предварительным сговором и смотринами, стало узаконенным и воистину повальным явлением в те двадцать лет, которые прошли между двумя мировыми войнами. Из-за всеобщей нужды в деньгах браки тогда заключались только по расчету. Надо помнить, что Великая депрессия 29—31-го годов приходится как раз на середину этого периода. Начиная с тридцатого и вплоть

до тридцать седьмого года к слияниям прибегали фирмы, совершенно обессиленные экономическим спадом. Они надеялись найти в браке финансовую поддержку и утешение. Конечно, и в те времена не все союзы были одинаково вынужденными, но, как правило, фирмы буквально падали друг другу в объятия, подталкиваемые ударами кризисного урагана. И надо сказать, что многие заключенные тогда союзы оказывались на диво удачными. Доклад Паркинсекса посвящен именно межвоенному двадцатилетию. Этот монументальный двухтомный труд невозможно пересказать в одной короткой главе. Читатели, которые хотят основательно изучать послекризисное воспроизводство предпринимательства, должны прочитать сам Доклад с подробными главами о браках и добрачных отношениях, извращениях и разводах.

Второй том Доклада считается особенно удачным. Спокойно и неторопливо автор разворачивает перед читателем широкую панораму слияний, дает высокую оценку устойчивым связям и шаг за шагом показывает, как к ним можно подойти. Он настойчиво подчеркивает, что взаимное Доверие невозможно без обоюдной Откровенности. Если контракты одного партнера горят из-за плохого качества его собственной продукции, он не должен утверждать, что их сжигает пылкая добросовестность другого. Партнерам не следует скрывать друг от друга своих ошибок, и вместе с тем недостатки на заводах у одного из них не могут оправдать упущений на фабриках другого. Очень важно, чтобы обе стороны были чисты и здоровы. Ведь даже совсем юная фирма, побывавшая в лапах престарелого картеля, может быть заражена какой-нибудь скверной задолженностью.

Следует особо отметить главы Доклада, посвященные дочерним и сыновним предприятиям, а также приложение Ф, которое рассказывает о незаконнорожденных филиалах. Автор Доклада убежден, что слияние не может быть полным без потомства. Он, правда, не считает, что решительно все бездетные браки обречены на распад, но приведенная им

статистика показывает, что прочность союза прямо пропорциональна количеству рожденных отпрысков. Процент неудавшихся слияний, как видно из Доклада, в последние годы неуклонно повышается, и читатель с огорчением узнает, что брачные узы, на которые возлагалось столько экономических надежд, оказались не слишком крепкими. Иногда партнеры всеми силами стараются сохранить союз. Они обсуждают самые глубокие компромиссы. И тем не менее приходят к официальному разрыву. Слияние оканчивается бракоразводным процессом, и юные филиалы растут потом, как беспризорные неликвиды.

Доклад Паркинсекса, замечательный сам по себе, оказывается уникальным при сравнении его с другими исследованиями. Научная объективность помогает автору вскрывать глубинные корни брачных слияний без сенсационной нескромности. Однако вопрос о широком распространении Доклада пока остается открытым: так, например, до сих пор еще не решено, надо ли рекомендовать его юной фирме на заре ее деловой жизни. Тут высказывались самые разные соображения, но люди искренние и мудрые уверены, что серьезная осведомленность лучше невежественной добродетели. Несовершеннолетняя фирма просто не поймет, о чем говорится в Докладе, а те компании, которые заинтересовались истиной, уже достаточно созрели, чтобы узнать ее. И лучшей работы, чем Доклад Паркинсекса, они не найдут.

Викторианцы предпочитали не просвещать своих дочерей — и особенно богатых наследниц — из страха перед тайным побегом. Романтика подобных историй доходчиво изложена в художественной литературе. Нам хорошо известна последовательность умыкания — подкупленная служанка, любовное письмо, девушка у окна, юноша под окном, свидание в домашней часовне, лестница, побег, погоня, обручение. Родители, впрочем, боялись не столько свадьбы уводом, сколько увода без свадьбы. Предательский увод неизменно заканчивался требованием денег. За приличное вознаграж-

дение умыкатель возвращал девушку без позора, но и без венца. За хорошее — соглашался на свадьбу. В обоих случаях пострадавшее семейство теряло спокойствие, престиж и деньги, а все остальные удваивали бдительность. Аналогичным пугалом двадцатого века сделалось насильственное слияние. Для женской фирмы насильственное слияние равносильно умыканию или совращению. Консервативные деловые круги смотрят на этот акт с ужасом и невольным восхищением, с неприязнью и скрытой завистью. Впрочем, насильственное слияние ведет иногда к счастливому и прочному союзу. Однако современный концерн-умыкатель, как правило, полигамен. У него всегда масса жен, наложниц, любовниц, зависимых, сыновних, дочерних, а порой и внучатых предприятий. Именно такое объединение зовется в наши дни концерном и славится широчайшим кругом интересов.

Чем же заменяет умыкатель двадцатого века викторианские лестницы, побеги и молниеносные венчания без всяких документов? Это драматическое событие лучше всего и показать в драматической форме, заменив недельные переговоры минутными репликами участников драмы. Предположим, что действие происходит в Правлении фирмы «Воррик и Кнутсен», контролирующей двести пятьдесят стереотипных бакалейно-гастрономических магазинов. Покойные основатели фирмы Воррик и Кнутсен смотрят с портретов на живых преемников — свояков, Воррена и Кольтера, управляющего и казначея. Кроме них, на заседании присутствуют члены Правления Сельдер, Сайрус и Килькен. Стены конференц-зала обшиты панелями из светлого дуба с бледными нарциссами на них, окна занавешены несколько будуарными шторами, а в остальном убранстве зала преобладают серебристо-сиреневые тона. Ясно, что фирма женская, консервативная, пожилая и скрытная. В углу стоит бронзовая статуя Родена «Запор». Когда занавес подымается, члены Правления, сбившись в кучу, испуганно кудахчут, а управляющий разговаривает по телефону.

У п р а в л я ю щ и й *(в телефонную трубку).* Да, понятно... Конечно... Ясно... И вы уверены, что это действительно так?.. Большое спасибо, Дик. Пока. *(Остальным.)* Наши опасения оправдались, господа. Фирма «Маклерс и Банкери» скупает наши акции для Исаака Пейсера. В его руках сейчас около двенадцати процентов всех акций.

К а з н а ч е й. Ничего страшного, ведь двадцать процентов акций — наша собственность.

К и л ь к е н. Но он все еще покупает. Сегодня утром акции поднялись до одиннадцати пунктов.

С е л ь д е р. Почему он на нас напал?

С а й р у с. Что мы ему сделали?

У п р а в л я ю щ и й. Он хочет прибрать к рукам наш основной капитал и нашу самостоятельность, причем по дешевке. А вкладчики, если они попадутся на эту удочку, получат в концерне Пейсера акции без права голоса. Господи, что-то с нами будет?

Входит стенографистка и подает
Управляющему какое-то сообщение.

У Пейсера уже шестнадцать процентов наших акций! Что ж, ничего не поделаешь. Придется объявить об увеличении промежуточных дивидендов.

В с е. Об увеличении промежуточных дивидендов?!

К а з н а ч е й. Немыслимо!

К и л ь к е н. Да и не вижу я в этом никакого смысла.

У п р а в л я ю щ и й. Вы, Килькен, вообще ничего не видите. Нам придется объявить, что мы выплачиваем восьмипроцентные промежуточные дивиденды.

К а з н а ч е й. Но ведь это пятнадцать процентов годовых! У нас нет таких резервов. Мы же планировали снизить продажные цены.

У п р а в л я ю щ и й. Да, это трудно, я понимаю. Но у нас нет выбора. Согласны, господа?

В с е *(неохотно).* Что ж... ничего не поделаешь...

Управляющий *(снимает телефонную трубку).* Сообщите вкладчикам, что мы подняли промежуточные дивиденды до восьми процентов. Сделайте упор на наши блестящие перспективы. *(Остальным.)* Я уверен — это сработает.

<center>Телефонный звонок.</center>

Да, Воррен слушает. Что?.. Что-что?! Извините... благодарю вас. *(Остальным.)* Вкладчики не верят, что мы сможем выплачивать такие дивиденды, если Пейсер выйдет из дела и заберет свою долю. У него сейчас девятнадцать процентов наших акций.

Казначей. Да не будем же мы платить пятнадцать процентов годовых, когда все это кончится! Неужели они не понимают?

Управляющий. В том-то и беда, что понимают.

<center>Телефонный звонок.</center>

Боже мой!.. *(Снимает телефонную трубку.)* Да, мистер Пейсер... Это официальное предложение?.. Сколько? Пятьдесят два шиллинга? Вздор! Но я передам вашу цену Правлению. *(Закрыв телефонную трубку, остальным.)* Как вы думаете? *(Все отрицательно качают головами.)* Разумеется, не согласны! Мы еще поборемся, мистер Пейсер! Я уверен, что вкладчики последуют нашему совету и перестанут продавать акции. *(Отбой. Набирает номер.)* Передайте вкладчикам, что Правление призывает их не продавать акции. *(Кладет трубку.)*

Казначей. Не забывайте, Воррен, что мы сами владеем двадцатью процентами всех акций. Ему не добраться до контрольного пакета, поэтому он и сделал свое предложение. Он зависит от нас, вот что я думаю.

Управляющий. Пожалуй. И кроме того, нас поддерживают вкладчики.

Сайрус. Да, но какой процент вкладчиков за нас?

Управляющий *(сняв телефонную трубку).* Сколько акционеров приняло предложение Пейсера?.. Понятно...

<center>292</center>

А сколько отказалось?.. Понятно. Благодарю вас. *(Остальным.)* Он уже контролирует сорок три процента всех акций, а мы — только тридцать один. Придется объявить о новом увеличении дивидендов. Согласны, господа?

В с е *(мрачно)*. Согласны... ничего не поделаешь...

У п р а в л я ю щ и й *(снимает телефонную трубку)*. Известите вкладчиков, что мы подымаем промежуточные дивиденды до двенадцати процентов... Что? Не может быть! Господи! *(Остальным.)* Он контролирует сорок семь процентов акций. Посмотрим, как отнесутся вкладчики к нашему последнему сообщению.

С е л ь д е р. Боюсь, что никак не отнесутся — просто не заметят.

С а й р у с. А я думаю, не стало бы еще хуже.

К и л ь к е н. Да почему? На вкладчиков это должно произвести впечатление.

<center>Входит служащий и, положив перед Управляющим
вечернюю газету, уходит.</center>

Что он вам принес?

У п р а в л я ю щ и й. Господи боже! Пейсер объявил, что вкладчики получат обещанные нами двенадцать процентов, как только он завладеет контрольным пакетом. Вот это уж наверняка произведет на них впечатление! Что же делать?.. *(Снимает телефонную трубку.)* Сколько процентов акций мы сейчас контролируем?.. И все?.. А Пейсер?.. Не может быть! Вы уверены? Что ж, спасибо за сообщение. *(Остальным.)* Он контролирует пятьдесят один процент и теперь не зависит от нас.

К а з н а ч е й *(стонет)*. Он завладел контрольным пакетом!

С а й р у с *(воет)*. Он может сместить Правление!

С е л ь д е р *(вздыхает)*. Т е п е р ь о н п о л н ы й х о з я и н.

К и л ь к е н. Нет! Мы будем жаловаться в газеты! В «Таймс»! Да-да, жаловаться... и в Бюро расследования методов торговли!

<center>293</center>

Управляющий. Не обольщайтесь, Килькен. Пейсер победил. Нам пора сдаваться, пока он не поставил слишком жесткие условия.

Пусть эта драматическая сцена послужит вам уроком. Насильственное слияние может произойти в любую минуту, и восходящий администратор не должен упускать этого из виду. При слиянии все выгоды получает агрессивный мужской концерн.

Именно в таком концерне и должен служить восходящий администратор, потому что сразу после слияния начинаются очень полезные для предусмотрительных служащих перетасовки. Администраторы женской фирмы, как правило, съезжают вниз. Их дальнейшая служба чревата крупными неприятностями, и винить они могут только себя. Из-за собственного невежества они поступили работать в потенциально второстепенную фирму. Такой судьбы надо всячески избегать. Мужественность и активность — вот ваши козыри. И когда вы станете высшим администратором, приложите все силы, чтобы ваша фирма приобрела мужские черты. Тогда при слиянии вы окажетесь наверху.

ТРЕТИЙ ЗАКОН ПАРКИНСОНА

Давайте предположим в нашей последней главе, что вы, читатель этой страницы, добились самого высокого положения. Книга о преуспеянии (зачитанная вами до дыр) неизменно помогала вашему восхождению. Но пора оглядеться. Куда, собственно, вы идете? Какова ваша конечная цель?

Разумеется, целей, как и людей на земле, огромное множество, но представим себе, что вы хотите стать управляющим металлургическим концерном «Суперс Гейгант», раскинувшего свои филиалы по всей планете — от Исландии до

Тасмании. Он образовался в результате бесчисленных слияний и поглощений, а его основной капитал исчисляется миллиардом миллиардов. Когда-то трест «Гейгант и Айкинс» (образовавшийся от слияния фирмы «Гейгант, Сабер, Зубел, Тигерс и компания» с торговым домом «Айкинс, Дрейфелл и братья Труссеры») был поглощен другим трестом — «Суперс, Слоун и Нудист» (который возник в свою очередь при слиянии компании «Суперс, Облак и Тучел» с фирмой «Слоун, Ракли и Краббс»). Короче, концерн «Суперс Гейгант» затенил своими отнюдь не мягкими крылами суровый ландшафт современного делового мира. Миллионы людей живут под его сенью, получая поддержку и средства к существованию. Рабочие и служащие, инженеры и техники, союзники и смежники, вкладчики и подрядчики, пенсионеры и комиссионеры безмолвно поклоняются этому чуду двадцатого века. Их верность неистощима, ибо концерн снабжает своих подданных всем необходимым для жизни.

Его можно назвать современным Левиафаном, идолом, которому приносят ежедневные жертвы, владыкой, которому шлют мольбы, или божеством, перед которым все падают ниц.

Но что это? — вы замечаете признаки недовольства. В лондонских клубах и кулуарах парламента слышатся бунтарские шепотки. Вам встречаются люди, которые считают всевластие «Суперса» опасным и вредным. Со всех сторон до вас доносятся приглушенные рассуждения о том, что «Суперс» почти ничего не делает для общего блага. Поговаривают, что он заботится лишь о доходах акционеров, а львиную долю прибылей получают члены Правления. Он пожирает массу национальных ресурсов и ничего не дает взамен. «Суперс» называют бездушным спрутом, который не приносит никакой пользы нации.

А между тем эта самая мощная промышленная империя в мире подтачивается тайным недугом. Его администраторы ощущают странную неуверенность, стараются в чем-то оправдаться и смягчить общую политику концерна. Времена

безжалостной конкуренции миновали. Битва за мировое господство выиграна. И теперь, когда процветание стало безусловным, можно подумать о великодушии и общественном благе. Управители концерна хотят приносить пользу людям, и даже не просто людям, а всему человечеству. Профессионализм администраторов — одна из причин смягчения общей политики концерна. Сегодняшний управляющий — это не просто администратор, но человек, знающий, что такое профессиональная этика. «Выгодное ли это дело?» — вот его всегдашний первый вопрос. Второй вопрос: «А не возрастут ли налоги?» — раньше был завершающим, но теперешний администратор задает и третий вопрос: «Этично ли это?» Когда-то вершиной профессионального мастерства считалось умение надуть партнера. Сейчас все изменилось. Слово «этика» приобрело свой буквальный — или почти буквальный — смысл. В наши дни делец стоит в одном ряду со священником, врачом и судьей, а потому всегда должен быть абсолютно корректен. Покупать дешево, чтобы продавать дорого, не называют теперь (вслух) главной задачей дельца. Администраторы «Суперса» стремятся по мере своих сил послужить обществу, а поэтому с гуманной терпимостью относятся к торговым конкурентам (которых почти не осталось), по-отечески пестуют компании, поставляющие сырье, и никогда не обманывают покупателей. Высший суперсчанин — первый претендент на звание администратора-профессионала, он пересыпает свою речь — для доказательства профессиональных знаний — научно-управленческими терминами, а его душа переполнена идеалами самых уважаемых деловых клубов. Он этичнейший из самых этичных в обществе людей — дельцов. Благотворительность «Суперса» превращает филантропические организации в посмешище, лишая их служащих престижа и работы. Щедрость этого концерна просто убийственна.

Однако, несмотря на общую мягкость политики, положительное влияние на общество, дальновидность и щед-

рость, «Суперс» *непростительно* велик. Слияния и поглощения, объединения и реорганизации, невиданные (а пожалуй что, и почти невозможные) по масштабам, создали катастрофически огромную организацию. И, подобно вымершим динозаврам, «Суперс» оказался слишком громоздким, чтобы приспосабливаться к новым условиям.

Безжизненная сложность «Суперса Гейганта» чувствуется и в застывшей организационной структуре, и в устойчивой иерархичности, и в окостенелой безликости служащих. Размеры, а не деяния обрекают концерн на гибель, но люди этого пока не могут осмыслить. Гибельная сложность структуры вызвана огромным количеством работников и чудовищной разветвленностью. Все решения оказываются безликими, а гигантские расстояния искажают их до неузнаваемости, и получается, что управляют концерном мифические «они». Да, приказ издан Правлением, но по чьему совету или указанию? Усложненная структура требует жестких внутренних законов и устойчивых обычаев. Она порождает бумажный потоп, питаемый ливнями докладов и отчетов. И она же приводит к безликой однородности служащих. Есть, правда, люди, которые борются с профессиональной безликостью. Некоторые управляющие пытаются изменить положение. Но безликость возникает естественно, никто к ней нарочно не стремится. Служащие должны быть взаимозаменяемыми, а значит, безликими. Их необходимо причесывать под одну гребенку. Иначе система не будет работать: она ведь и так достаточно сложна. Изменения, вносимые в нее индивидуальными поступками, моментально разладят ее выверенный механизм. Беллетристика уже дала нам стандартный тип полковника в отставке («Тысяча дьяволов! Что?»), раздражительного генерала и рассеянного профессора. Офицеры старой британской выучки были незаменимыми именно из-за своей взаимозаменяемости, ибо при любой должностной перетасовке дисциплина, мировосприятие и когда-то заведенные порядки оставались неизменными. То же самое проис-

ходит и со служащим, посланным Межконтинентальным нефтяным трестом в Гонолулу. Административная нефтес-мазочная выучка давно унифицирована, поэтому у вновь прибывшего администратора все идет как по маслу с того самого мгновения, когда он заменяет своего предшественника. Если один полковник замещает другого, подчиненные видят те же традиционные бакенбарды и желчность, а замена одного нефтяного служащего другим ничуть не отличается от смены караула у королевского дворца, потому что эти перемещения никак не меняют основной картины.

Итак, сложность управленческой структуры прямо пропорциональна размерам фирмы. Но и возраст играет тут не последнюю роль. Очень немногими компаниями управляют сейчас их основатели. В наше время у кормила власти стоит или правнук основателя, какой-нибудь Расшуллер III, или группа специалистов. В обоих случаях компания теряет свою первоначальную жизнеспособность. Расшуллер III лишен, как правило, яростной мужественности прадеда. У него нет основного стимула — стремления вырваться из оков бедности или социальной незначительности. Он титулован и богат, образован и обаятелен. Для управления процветающей империей, которую он сам никогда не смог бы создать, III вполне подходит. А каков будет IV? Любая империя рано или поздно доживает до немощного, интеллигентского или эстетствующего наследника. Фактическая власть неизбежно переходит тогда к специалистам, управляющим — пристяжным администрирования.

Современный пристяжной навеки пристегнут к упряжке Правления, потому что в ней нет фактического коренника, или властителя. Управляющий «Суперсом» добился своего поста с помощью знаний, прилежания, преданности, предусмотрительности, предприимчивости и везения. Да, ему крупно повезло, ибо в его характере не было самостоятельности. Некоторые из его соперников обладали этим качеством, и поэтому их давно уволили — за неповиновение. Став

управляющим, он проявил все необходимые для управления качества, а именно искусность, гибкость, крепкое здоровье и выносливость.

Но теперь его служебная деятельность подходит к концу. Неважно, уволится ли он из-за болезни, несчастного случая или по старости; если вы неизменно следовали авторским советам, вас обязательно назначат его преемником. Как это произойдет? А очень просто. Наиболее влиятельный член Правления позвонит своему старому приятелю — крупнейшему магнату финансового мира — и перечислит ему несколько фамилий. Ни одна из них не вызовет у финансового магната ответной реакции, и члену Правления все станет ясно. Вас они даже не упомянут, но назначение получите именно вы. Ваши многолетние труды увенчаются наконец полным успехом. И вот, когда вы обоснуетесь в своем величественном кабинете, вам вдруг почудится, если вы внимательно прислушаетесь, что Правление наполнено смутными шорохами распада и разрушения, разрухи и умирания. Древоточец ли скребется под толстым ковром или это нашествие жуков-могильщиков? Не чересчур ли велик совет директоров? Не слишком ли много подписей на каждом счете и чеке? Не узковата ли специализация у высших администраторов... и почему они так обособлены друг от друга? Не великоват ли поток отчетов и докладных? Не сушит ли специалистов их чрезмерная образованность? Постойте-ка... да уж не катафалк ли остановился там у дверей?..

То, что вас окружает, не назовешь беспорядком: это упадок. Упадок, или загнивание, или, как его иногда называют, декаданс, — сложное явление, и вам необходимо познакомиться с ним поближе. Декаданс ассоциируется в вашем воображении с греховной дамой, соблазнительным будуаром и французскими винами, однако (резонно думаете вы) при чем здесь металлургический концерн? А дело в том, что у вас не совсем верное представление о загнивании. Возьмем дерево, оно почти никогда не загнивает от болезни и никогда (по

свидетельству очевидцев) — от грехов. Дерево начинает загнивать, когда достигает максимальных для его вида размеров и перестает расти, потому что завершен биологический цикл. Организации, так же как и растения, не живут вечно. Зрелость неминуемо сменяется старостью и загниванием.

Именно этот период переживает сейчас «Суперс Гейгант». Его рост прекратился. Он еще способен в последнем слиянии поглотить своего главного конкурента. Но тут уж может вмешаться Международный суд. Да и вряд ли оно выгодно, это слияние. Гораздо полезнее делать вид, что конкурентная борьба продолжается, тайно согласовывая с последней женской корпорацией (тоже разросшейся до гигантских размеров) цены, стандарты качества и размеры заработной платы. Таким образом «Суперс», то увеличивая, то сокращая различные отрасли производства и чуть изменяя время от времени рекламу, сохранит на постоянном уровне долю в прибылях. Он будет казаться неколебимым утесом среди суетливых фирмочек предпринимательского пейзажа. Но не мощью, а старческим окостенением вызвана его величавая неподвижность.

Что же произошло? Да просто концерн подпал под действие третьего закона Паркинсона: «Рост приводит к усложненности, а усложненность — это конец пути». Путь «Суперса» закончен, и упадок прозревается решительно во всем. Посмотрите-ка свежим взглядом на эти здания. Вот мастерская 1912 года, первый росток будущего концерна, — теперь здесь музей. Вот завод, построенный в 1925 году, огромный, приземистый, наспех сляпанный барак — только бы прикрыть станки от непогоды. А этот дом, построенный в 1934 году, после первого великого слияния, предназначался специально для Правления, на него не пожалели дубовых панелей, кованых украшений, мрамора и бронзы. За шоссе высится лихорадочно быстро возведенный корпус 1944 года, который обречен, подобно всем временным постройкам, десятками лет занимать участок, предназначенный для чего-то

другого. И наконец, вон здание, сооруженное в 1960 году для отдела по связям с обществом, кадрового, помощи и советов служащим, культурного и спортивного — раньше о таких отделах даже не помышляли. Здание представляет собой каркас из легких сплавов, облицованный древесно-стружечными плитами, стеклопластиком, полиэтиленом и бумагой. Участок перед зданием, принимаемый посетителями за пустырь, где когда-то лопнула канализационная труба, оказывается японским садиком, а старые пометки строителей, сделанные обломком кирпича, — фресками Сакуры Макаки. Современные постройки замечательны не только своей легковесной конструкцией, но также звукоизоляцией из минеральной ваты и воздушным отоплением. Спроектированные профессором Трухенбаумом из Бесчестерской Высшей архитектурной школы, они, без сомнения, являются последним криком зодческого искусства. Неизвестно, будет ли концерн все той же незыблемой твердыней через двадцать лет, но постройки последнего периода рухнут, по всей видимости, года через четыре.

Внимательно осмотрев здания, пошлите за платежной ведомостью и узнайте, ценится ли в концерне техническое творчество. Администраторы, грубо говоря, делятся на творцов и управителей. Что важнее, новая продукция или спокойная обстановка? На словах творчество и прогресс поддерживают решительно все, но реальное положение дел характеризуется распределением жалованья. Кого у вас больше ценят, инженера или бухгалтера, химика или счетовода? Как добился своего поста нынешний директор завода, — нашел ли он промышленное применение отходам производства или просто в его цехе никогда не было скандалов? Концерну нужны и творцы, и управители, но кто из них оценивается дороже? Если творец зарабатывает меньше управителя, значит, загнивание уже началось.

И наконец, чтобы завершить ваши изыскания, посетите какую-нибудь дальнюю заставу суперс-гейгантовской импе-

рии — экспериментальную ферму в Исландии, например, или исследовательскую лабораторию в Тасмании. Посмотрите, чем там занимаются ученые, и задайте им важнейший вопрос: когда они последний раз видели управляющего? Если они ответят, что в прошлом году, дело плохо. Если скажут, что лет пять назад, еще хуже. А если они заявят, что не видели его никогда, значит, «Суперс» неизлечим. При загнивании больших империй мелочно-диктаторская суета в центре зачастую сопровождается пренебрежением к основным проблемам и отдаленным провинциям. Распад центральной власти чувствуется прежде всего на окраинах, куда с трудом дотягивается рука центра. Именно там — у фортов стены Адриана — особенно ясно чувствовался упадок Римской империи. Неукомплектованность когорт не так страшна, как отсутствие инспекторских смотров. Бывает, что империя еще существует, но ее силы уже на исходе и скоро совсем иссякнут. Загнивание превратится в распад.

Чем же его остановить? Отвечаем в двух словах — Вдохновенной Твердостью. А что такое вдохновенная твердость, какова сущность этого таинственного понятия, заново определяемого каждым поколением?

Вдохновенная твердость — это искусство так сформулировать главную цель, что все остальное начинает казаться пустым и совершенно неважным. Когда вдохновенный вождь говорил о Святом Граале, Вечном Городе, Величии Франции или Чести Полка, слушатели забывали про грядущие лишения и опасности. Именно вдохновенная твердость Спайка Суперса позволила ему сплотить вокруг себя людей накануне первого великого слияния. «Глядите в будущее, парни! — воскликнул он. — Если мы провернем это дело, четверть национальной индустрии окажется под нашим контролем!» Его пламенная твердость выжгла у подчиненных все мысли о повышении жалованья и тридцатичасовой рабочей неделе. Она осветила радостным сиянием сверхурочную — без оплаты — работу. Зато как вырастал человек в

своих глазах, когда, измученный и почти прозрачный от усталости, он приходил домой и, взяв с жены обет молчания, говорил ей: «Ну, Сьюзен, старина Спайк объявил конкурентам священную войну. И он ее выиграет, нечего и сомневаться. В четверг эта новость облетит весь мир. Господи, я просто с ног валюсь!» Считайте, если хотите, что муж Сьюзен не имел к слиянию никакого отношения. Думайте, если вам нравится, что его и вообще-то вскоре уволили. Зато его жизнь была освещена пламенем вдохновения, и собственные дела казались ему просто чепуховыми. Именно с таким настроением люди сражались при Аустерлице и Трафальгаре или высаживались в Нормандии. Под руководством вдохновенного полководца солдат забывает о смерти. Под управлением вдохновенного администратора рабочий, затянув потуже ремень, не требует повышения жалованья, чтобы спасти от краха родную фирму. На заре предпринимательства, когда деловая жизнь была полна опасностей и приключений, люди иногда трудились, не думая о деньгах. «Да, в наше время жили *настоящие люди!*» — гордо говорят они. Но те яростные времена давно прошли. Теперь размеры предприятий приводят к усложненности, а усложненность — к тяжеловесности; привычные правила, устоявшиеся обычаи, окостенелая безликость и ленивые споры — все говорит о гибельной тяжести организационной структуры. А тяжесть, как известно, тянет к земле.

Ваше положение напоминает в общих чертах положение хозяина гостиницы, который вернулся после долгой отлучки и обнаружил, что его гостиница пришла в упадок. Стены обшарпаны, комнаты не убираются, обслуживают постояльцев из рук вон плохо, а кормят и того хуже. Прекрасные когда-то работники обленились и распустились. Есть несколько способов их исцеления, но лучше всего объявить, что послезавтра в гостиницу на вечерний прием съедется двести человек, через четыре дня состоится банкет, а в конце недели — бал-маскарад. Повара, официанты, буфетчики и коридорные будут по-

ставлены перед неразрешимой на первый взгляд задачей, которую им необходимо, однако, решить как можно быстрее. Их решимость работать немедленно окрепнет, и послезавтра гостиницу нельзя будет узнать. Любую организацию можно исцелить тем же способом — по крайней мере на время.

Способны ли вы возродить у служащих любовь к опасностям и приключениям? Способны сплотить «Суперс» на борьбу с легионами конкурентов, которые не считают пятидневную рабочую неделю вершиной прогресса и не спорят до изнеможения, а яростно трудятся? Да, если вы каким-то чудом сохранили в душе молодость, вам это удастся. Ибо лишь молодость ведет к успеху, помогает завоевывать новые миры и позволяет человеку вовремя меняться. При желании молодость можно сохранить до самой смерти, возраст тут не помеха. Каждый ваш поступок, каждый жест должен быть молодым — походка, умение мгновенно перестраиваться, готовность обдуманно рисковать и безоглядно веселиться. Третий закон Паркинсона не властен только над тем, кто знает, что такое упадок, и умеет с ним бороться. Над таким человеком — над вами — не властно даже земное притяжение. Вас не пригнет к земле тяжелый груз старых правил и древних обычаев концерна. Молодая легкость вознесет вас над ними, и вы легко удержитесь наверху.

Но... организации, как и растения, не живут вечно. Да, сохраненная вами молодость и вдохновенная твердость помогли вам спасти концерн, а тем временем человек, которому не надо сохранять молодость, потому что он и так молодой, переступил порог весьма жизнеспособного треста. Молодой администратор сидит за своим первым письменным столом. Он чуть ли не живет в конторе. Его карьера только начинается.

ЗАКОН
МИССИС ПАРКИНСОН

MRS PARKINSON'S LAW
1968

Перевод М. Ковалевой и Р. Райт-Ковалевой

ОТ АВТОРА

Ежедневно население мира разделяется на две части: на тех, кто идет на работу, и на тех, кто работает дома. Свои прежние книги я писал в основном для тех, кто работает вне дома, то есть главным образом для мужчин. Я более подробно разбирал проблемы управления и организации, пути личного продвижения и способы уклонения от уплаты налогов. И вот теперь я решил — хотя и с опозданием — принести свои извинения второй половине рода человеческого и в этой книге обратиться к проблемам чисто домашним. Я пишу главным образом — но не исключительно — для женщин, и речь здесь пойдет о мужьях и женах, о детях и гостях, о домоводстве и электропроводке, о пылесосах и автомобилях. Надеюсь, что помощь, которую я предлагаю хозяйке дома, окажется полезной и своевременной, а вот название, которое я выбрал для этой книги, очень легко неверно истолковать. По первому впечатлению может показаться, что книгу написала миссис Паркинсон или по крайней мере, что книга написана о ней. Несомненно, я всецело обязан ее помощи и сотрудничеству, и более того — в некотором смысле закон миссис Паркинсон выведен из ее опыта. В свое время она редактировала в газете полосу объявлений и консультаций, где обсуждаются самые сложные вопросы личной жизни, и поэтому ей удалось накопить совершенно исключительный опыт во всем, что касается домашних разладов и не-

урядиц. Однако ни в коем случае не следует думать, что вся книга отражает только ее мысли.

Было бы неправильно считать, что это книга миссис Паркинсон, но еще большая ошибка — полагать, что это произведение автобиографическое. Я задался целью рассмотреть жизнь самой нормальной и обычной английской или американской семьи. Наша семейная жизнь началась в Сингапуре, где все обстоятельства были совершенно нетипичны, да еще в довершение всего шла гражданская война. А ежедневные поездки на работу и обратно, обычно разлучающие мужа с женой, в семье писателя как раз отсутствуют. Сложности, которые возникают, когда приходится разъезжать с лекциями, вполне реальны, но мало кому интересны. Словом, автобиографического материала здесь почти нет, но зато в своих путешествиях я много повидал. Пришлось мне быть и самодеятельным архитектором, и строителем, и это тоже пошло мне на пользу. Опираясь на все эти знания, накопленные за долгие годы, я постарался по мере сил и возможностей проанализировать семейную жизнь с тех же позиций, с каких раньше подходил к деловой и социальной сфере. Сравнивая машбюро с кухонной раковиной, я осознал, что главная разница здесь — контраст между коллективом и одиночкой. Служащий работает вместе с другими, домашняя хозяйка в наши дни вынуждена работать одна. Понимание бедственного положения домашней хозяйки и привело к открытию закона миссис Паркинсон, впервые обнародованного в «Мак-Коллз мэгезин». Углубившись в изучение домашней обстановки как первопричины этого положения, я стал разбираться и во всех его логических последствиях, начиная с детского садика и кончая миром «-надцатилетних» — так что получилось уже не эссе, а целая книга.

Как и в предисловиях к другим книгам, я должен выразить благодарность всем тем, кто оказал мне помощь и поддержку, и в особенности всем своим домашним, а также

миссис Д. К. Нил, которая печатала и не раз перепечатывала рукопись. Как всегда, я в долгу перед издателями моих книг в Англии и в США за то, что они не торопили меня с работой и великодушно помогали советами, а также перед художником мистером Робертом Осборном, чьи блестящие иллюстрации украсили книгу. Что же касается той, кому книга посвящена, то без ее помощи мне бы никак не обойтись, хоть я и очень старался подчеркнуть, что, несмотря на заглавие, книга все же написана мной. И если вся ответственность за фактические или логические ошибки целиком ложится на меня, то все похвалы я должен разделить с ней. Я не сомневаюсь, что сама она написала бы гораздо более интересную книгу того же названия и только домашние заботы все время мешают ей вернуться к литературе. А пока пусть простит меня — если сможет — за то, что я поминаю имя ее всуе.

Посвящается Энн

РОМАНТИКА

Лет жизни нашей — семьдесят, как сказал псалмопевец, но он забыл добавить, что из отпущенного ему срока человек может лет пятьдесят быть женат и при этом быть мужем одной и той же женщины. Полвека деятельной жизни не такой уж большой срок, чтобы успеть создать какие-нибудь большие ценности, но для диалога с другим человеком времени более чем достаточно. За пятьдесят лет все наши запасы вдохновения, жизненного опыта, остроумия, все наши знания и выдумки могут истощиться — впрочем, для этого иногда достаточно и пятидесяти недель, а то и пятидесяти минут. Настанет час, когда все анекдоты будут рассказаны, все комплименты израсходованы, все взгляды на жизнь высказаны — словом, вся информация станет общим достоянием. Спору нет, некоторые профессии куда интереснее других. У летчиков-испытателей и воров-домушников, пожалуй, найдется о чем порассказать. Наверно, и тайные агенты могут поведать о своих приключениях; хотя им придется кое-что скрывать, рассказ от этого почти не пострадает. Но жизнь обыкновенной супружеской пары протекает гораздо спокойнее — в ней нет более драматических событий, чем ссора с сослуживцами, удачная покупка в универмаге, штраф за стоянку в неположенном месте или лопнувшая водопроводная труба. Если бы Шерлок Холмс женился, он наверняка оказался бы супругом довольно нудным, а может быть, и вовсе неприятным. Однако как собеседник он хотя бы мог развлечь жену за завтраком.

— Помните ли, Ватсон, ох, прости, дорогая, помнишь ли ты историю Лиги Рыжеволосых?

— Да, Шерлок, конечно, помню. Таинственное дело! Еще апельсинового джема?

— Лучше съем тостик... Так вот, вчера я разгадал это дело. Как будто ничего особенного, но некоторые не совсем обычные детали достойны упоминания...

Через неделю речь, возможно, пойдет о «Пестрой ленте» или о «Баскервильской собаке»; и даже если в таких происшествиях иногда и не хватает высокого драматического накала, то все же есть о чем поговорить. По сравнению с этим наша с вами жизнь довольно бесцветна. У обыкновенных средних супругов может найтись достаточно много общего, чтобы приятно прожить бок о бок, скажем, года два. Но на третий их подчас начинает преследовать мысль, что понятие, противоположное многобрачию, не единобрачие, а однообразие. Словом, им все надоело до слез.

Размышляя о напавшей на них скуке, люди обычно склонны полагать, что это нечто неизбежное, существовавшее спокон веку. Такой брак, как у них (на их взгляд), — явление всеохватывающее и извечное, и недостатки его столь же неотъемлемы, как и достоинства. И если им трудновато примириться с этими недостатками, они решают, что так было всегда и везде и что прошлые поколения просто проявляли больше сдержанности в отношении всяческих проблем, которые мы теперь считаем «чисто психологичсскими», а потому и обсуждаем во всеуслышание. Однако брак не настолько уж освящен традициями. То, что мы считаем общепринятым, характерно, собственно говоря, лишь для нашего времени и нашей страны. В других местах и в иные времена у людей и взгляды были совсем иные. Взять хотя бы царя Соломона с его семью сотнями жен и тремя сотнями наложниц.

Надо полагать, что и у него были свои заботы, но эти заботы не имеют ничего общего с нашими. Мусульманин, обладающий четырьмя женами (как раз для партии в бридж), или тибетская женщина, у которой несколько мужей, тоже, несомненно, встречаются с затруднениями, выпадающими лишь на их долю. Но то, что какая-то пара добровольно решила жить сама по себе, вдвоем, всем этим людям покажется едва ли не извращением. Ну, видано ли что-нибудь более противоестественное? Двое столь опрометчиво уединившихся людей — ни родичей, ни слуг, ни соседей, ни верблюдов, даже ни единой козочки! — да они же непременно изведут друг друга! Кстати, так оно и бывает. Давайте признаем, что семья из двух человек с возможным прибавлением в виде детишек — это эксперимент совсем недавних лет и проводится он на весьма ограниченной части земной поверхности. К слову сказать, такой образ жизни никак не характерен для викторианского Лондона: тогда около половины населения составляли слуги; они вели более или менее общую жизнь с семьей хозяина, в которую часто включались еще разные бабушки, кузины и тетки. Более уединенная современная жизнь в пригородах, возможно, и спокойнее, но с первого взгляда ясно, что, разрешив множество задач, она поставила столько же новых. Чтобы разобраться, в чем тут дело, надо уяснить себе, в чем положение изменилось и каким образом мы умудрились прибавить себе забот.

До самого недавнего времени институт брака укреплялся и поддерживался соединенными усилиями Церкви и Государства, его блюли общественные запреты и общественное мнение, обычаи и предрассудки, снобизм и законность. Люди прибегали к любым ухищрениям, чтобы только сохранить видимость благоденствия, и самые страшные наказания ждали тех, кто допускал распад семьи. Мужчина, покинувший жену ради другой женщины, уже не мог оставаться чле-

ном каких бы то ни было комитетов или коллегий, терял профессиональную репутацию и не имел ни тени надежды быть хоть когда-либо принятым при дворе. Он должен был готовиться к тому, что церковь откажет ему в причастии, банк — в кредите, в местном клубе его «прокатят на вороных», а распорядитель псовой охоты будет смотреть на него как на пустое место. Что же до женщины, допустившей самую легкую измену, то ее ожидал развод, лишение наследства, позор и всеобщее осуждение. В прежние времена люди старались любой ценой избежать скандала, особенно если мужчина изменял своей жене с чужой женой. Человека, желающего сохранить привилегированное положение, общество обязывало до последней крайности блюсти приличия и делать вид, что его брак зиждется на супружеской верности. В низших слоях общества ограничения существовали примерно такие же, а наказания, если на то пошло, налагались еще более суровые. До самых недавних пор закон предпринимал все возможное, чтобы предотвратить развод, и давал свое согласие со скрипом, с проволочками и весьма неохотно.

В ту пору, когда эти строгости были сильнее всего, брак как таковой сохранялся гораздо легче. Во-первых, браки были относительно более кратковременны. Предки наши в Средние века женились рано — девушкам случалось выходить замуж и в четырнадцать лет, — но жили они, в общем, очень недолго. Если кто-либо доживал до семидесяти лет, то за плечами у него было три или четыре брака. В те времена слова «пока смерть нас не разлучит» звучали совсем не так серьезно, как в наше время. Голод, чума, мор, смерть при родах, гибель от пожаров или в сражениях часто разбивали семейный союз. Обеты верности практически давались на десять-пятнадцать лет, и оставшийся в живых снова вступал в брак. Вероятность того, что брак затянется на целых полстолетия, была совершенно ничтожна. В качестве примера

семейной жизни шестнадцатого века полезно посмотреть акт V, сцену II из «Гамлета». Прежде чем упадет занавес в конце этой вполне обыденной сцены, королева умрет от яда, Гамлет и Лаэрт прикончат друг друга и у Гамлета как раз хватит времени, чтобы перед смертью заколоть короля. В первой сцене мы видели похороны Офелии, а теперь приходит известие о казни Розенкранца и Гильденстерна, так что в итоге почти все действующие лица становятся покойниками. Британский посол остается на сцене едва ли не в одиночестве и растерянно оглядывается, не зная, кому бы вручить свои верительные грамоты. «Печальная картина, — замечает он, нисколько не преувеличивая, — и вести наши сильно запоздали». Нельзя с ним не согласиться, но мне хотелось бы особенно обратить ваше внимание на количество смертельных исходов даже в мирное время. Свадьба Гамлета, если бы дело до нее дошло, была бы сыграна с большой пышностью, но брачный союз не связывал бы его на такой долгий срок и не налагал бы на него такие обязательства, как в наше время. Вечно этот брак длиться не мог, и надо полагать, что на деле он оказался бы весьма непродолжительным.

Браки в свое время не только заключались на более короткий срок, они при этом касались гораздо большего числа людей, чем сейчас. После свадьбы молодожены оказывались в окружении родственников и соседей. Они, как издавна повелось, составляли часть социальной или семейной группы, и если обычаи их порой и стесняли, то уж одиночество им никак не грозило. В те времена деревня была сообществом семей, находящихся в кровном родстве, — кое-где это можно наблюдать и сейчас. Брак не только не избавлял человека от собственных родственников — он еще и добавлял ему кучу новых. А в знатных домах водились целые сонмы слуг, то и дело наезжали гости, а поводов для радости или печали было хоть отбавляй. Почти до самого последнего времени се-

мейная атмосфера значительно разряжалась от постоянного присутствия посторонних. Одна из сценических условностей, которую Шекспир использовал, а Шеридан впоследствии высмеивал, заключалась в том, что героине полагалось иметь наперсницу. Она была вынуждена повсюду таскать за собой некое безмозглое создание, которому приходилось растолковывать все до мелочей. Даже и мужчинам на сцене случалось пользоваться подобным приемом; вот, например, сцена из «Критика», в которой сэру Кристоферу Хаттону представляется возможность в самом начале спросить сэра Уолтера Рейли, почему объявлен смотр всем войскам королевы Елизаветы:

Сэр Кристофер

Могу я лишь гадать — прости, мой друг,
Коль я поторопился, — только сердце
Мне говорит — стране грозит беда...

Сэр Уолтер

Ты не ошибся.

Сэр Кристофер

Но где? Откуда? И когда? Какая
Опасность нам грозит?
Хочу я знать...

Это вступление позволяет сэру Уолтеру разъяснить своему другу (а заодно и зрительному залу), что на Англию движется Великая Армада.

Такой предмет театрального реквизита, как обиженная богом наперсница, по крайней мере имел реальный прообраз. Когда подружка Тильбюрины пристает к ней с утешениями, та незамедлительно ставит ее на место:

Тильбюрина

Увы, малютка Нора,
Ты в юности своей еще не знала
Коварных стрел любви. И где тебе понять,
Как сердце бьется в горе безутешном
И радости не знает.

«Что правда, то правда», — заметит бесчувственный зритель; но ведь Нора оказывается очень полезной. Более того, она снова появляется на сцене в тот момент, когда трагедия достигает апогея. В авторской ремарке значится: «Входят: совершенно обезумевшая Тильбюрина, вся в белом атласе, и ее совершенно обезумевшая наперсница, вся в белом полотне»; однако Норе предписано держаться со своим безумием подальше, где-нибудь на заднем плане. Этот сценический прием, даже в пародийном звучании, явился отражением общества, в котором знатные персоны почти не появлялись без свиты, да и люди попроще редко оказывались в одиночестве. Всегда находился кто-нибудь, кому можно было поведать свои недоумения, горести или неудачи, — человек, готовый расплакаться и рассмеяться вместе с тобой. И после свадьбы ничто не мешало джентльмену по-прежнему держать камердинера, а его жене — горничную. В свою очередь ни камердинер, ни горничная не лишались компании остальных слуг, так что было с кем посудачить о слабостях господ. В том образе жизни, который общество вело до 1900 года, было много своих недостатков, но отчуждение личности в их число не входило. Так что психоаналитикам еще предстояло дожидаться своего часа.

Постоянное присутствие других людей значительно разряжало семейную атмосферу, и при этом муж и жена вряд ли вообще возлагали друг на друга какие-то особые надежды.

Они были далеко не такими индивидуалистами, как их потомки, и о браке по любви даже не мечтали.

В знатных семьях браки предварялись сделками, которые могли включать все — от титулов до недвижимости, от гербов до капиталов. Двое людей, которых это касалось больше всего, избегали брака, если он грозил бедностью или бездетностью, но их личные вкусы, судя по всему, были относительно неприхотливы. Можно было не опасаться серьезных разногласий в религиозных или политических взглядах, в отношении к музыке или к еде, а шансы оказаться замужем за убежденным трезвенником практически сводились к нулю. Девушка должна была уметь вести хозяйство — это разумелось само собой, как и то, что в теологии или хитросплетениях законов ей разбираться не полагалось. Общественное положение мужчины определялось не в спорах — оно воспринималось как некая данность, о его личных качествах судили по семейной репутации: всем было известно, были ли его предки честными людьми или жуликами, благотворителями или скупердяями. В Индии браки устраивались родителями жениха и невесты через посредников, и молодые в первый раз встречались прямо на свадьбе. На Западе такой обычай никогда не был широко распространен, но и там брак считался далеко не личным делом. Брачный союз мог быть заключен по множеству причин, и меньше всего принимались во внимание разные сантименты; молодоженам было не на что жаловаться, если они подходили друг другу по возрасту, по общественному положению и здоровью. В некоторых вопросах — например, в имущественных делах — наши предки были намного требовательнее нас. Зато в чисто личных отношениях они, несомненно, требовали друг от друга неизмеримо меньше.

На общем фоне браков, заключенных по расчету, время от времени возникали любовные истории. Согласно куртуазным традициям Прованса, джентльмену чуть ли не предпи-

сывалась безнадежная страсть к чужой жене. Но, даже оставляя в стороне трубадуров (которые могут порядком наскучить), мы все же находим сведения о юношах и девушках, которые всерьез влюблялись друг в друга. Девушке приказывают выйти замуж за компаньона ее отца, а она бежит с красавцем приказчиком. Вот перед нами история смертельной вражды двух семейств из Вероны, причем юноша из одного семейства любит девушку из другого, что доставляет всем остальным серьезнейшие неприятности. Подобные факты имели место, естественно, получали широкую огласку и вызывали всеобщее осуждение. Гражданские власти вполне правомерно стремились предотвратить поступки, которые могли привести к междоусобицам, потасовкам, убийствам и дуэлям. Церковь также была обязана осуждать подобные страсти, дабы они не занимали места любви к богу. «Не сотвори себе кумира», — а ведь сделать своим кумиром девушку — это смахивает на идолопоклонство! Мнение всех здравомыслящих и положительных людей, таким образом, склонялось в пользу обдуманно организованного брака и резко осуждало легкомысленные романы. Однако все эти громогласные хуления сопровождались живейшим интересом к каждой скандальной истории, и к показному ужасу и осуждению частенько примешивалась зависть. Эскапады, справедливо заклейменные как глупые и безнравственные, тем не менее (легко себе представить!) в свое время доставили людям бездну удовольствия. Конечно, осуждали во всеуслышание, а зависть держали про себя, но ведь нельзя же винить человека за то, что он хочет выяснить все мельчайшие подробности дела, прежде чем публично высказать свое мнение? Самые сумасбродные и опрометчивые поступки могут по крайней мере стать сюжетом занимательного рассказа: как, например, французский *роман* или те сказания, которые мы встречаем в греческой и римской литературе, созданные в дохристианские времена и чудовищно языческие по мо-

ральным основам. Как раз к таким сказаниям и относится история Елены, Париса и Троянской войны. Быть может, эта история и отличается прискорбным отсутствием благопристойности — в конце концов, откуда древним было научиться правилам хорошего тона? — но в занимательности ей никак не откажешь. Можно даже сказать, что она (в конечном итоге) имеет свою мораль: ни одна любовная история не губила столь безжалостно не только всех, кто был в ней замешан, но еще и многие тысячи людей, лишь косвенно вовлеченных в этот роман. Публикация «Илиады» почти оправдана тем, что эта книга может послужить для молодежи примером того, как опрометчивость наказуется по заслугам.

Романтическая история, или *роман,* получивший форму литературного произведения, становится печатной документацией более или менее (чаще менее) правдоподобных событий, центром которых является любовь — тема неизменная и — простят ли нам это утверждение? — не претерпевающая почти никаких изменений. Романист, как правило, проповедует Евангелие любви романтической. Ежели герой, граф Нормантауэрский, пренебрегая всеми доводами здравого смысла, хочет взять в жены миловидную дочку пастора, бедного как церковная крыса, — вот подходящий (хотя и не слишком оригинальный) материал для романа. Однако если герой вдруг в XXII главе опомнится и решит, напротив, посвататься к наследнице солидного состояния в Найтсбридже, тут уж ничего романтичного нет. Герой и героиня романа должны быть готовы принести в жертву любви все, да, все на свете. Эта установка родилась намного раньше жанра романа. И Джейн Остин — первая великая английская романистка — была готова хорошенько над этим посмеяться. В романе «Любовь и дружба», который она написала, когда ей было семнадцать лет, Джейн старательно разрабатывает тему «любви с первого взгляда». В этой книге она собрала все элементы романтического вымысла. Благородный герой отвер-

гает заранее подготовленный и вполне респектабельный со-
юз, ссорится с отцом, бросается в авантюры и рискует жиз-
нью, влюбляется в мгновение ока и немедленно женится; и
все из-за того, что он начитался романтических бредней.
Джейн Остин также предугадывает одну из главных черт чув-
ствительного романа: домашнюю прислугу. В скромном кот-
тедже в долине Эска, где разворачиваются события первой
главы, конечно, есть прислуга (во множественном числе), а
неожиданно приехавшего гостя, Эдварда, сопровождает его
камердинер. Весь романтический колорит пошел бы насмар-
ку, если бы героине пришлось мыть посуду. Но ни одно бла-
городное семейство восемнадцатого века не докатывалось до
такой нищеты, чтобы остаться без прислуги. Вот почему са-
мые смелые нововведения в беллетристике и драме двадца-
того века получили название «кухонных трагедий». С явной
неохотой мы ввели в повествование кухонную раковину, чем
в корне подорвали романтический дух. Но что касается
Джейн Остин, то в ее время до всех этих новшеств было еще
очень далеко. Ее современники были романтиками, и сэр
Вальтер Скотт превосходил ее своей популярностью. Однако
она прекрасно понимала, что чтение романов влияет на лю-
дей. Романы уже становились учебниками жизни.

С тех времен когда творила Джейн Остин, Романтика
стала общепринятой установкой. Все более ранние теории
брака постепенно бледнели, и на центральное место вышла
идея романтической страсти. Жанр многотомного романа
отчасти сдал позиции и мог бы, вероятно, совсем прекратить
существование, исчерпав свою главную тему, но сама Ро-
мантика еще увереннее продолжала свое победное шествие.
В двадцатом веке газеты сделали беллетристику достоянием
даже самых бедных читателей, а следом лавиной покатились
кинофильмы, журналы для женщин, иллюстрированные ка-
талоги, дешевые издания в бумажных обложках, книжки на-
прокат, радио, поп-музыка и телевидение. Таким образом,

влияние романтических историй невероятно расширилось, и даже неграмотные смогли увидеть их воочию. Брак с благословения Церкви и Государства, обычаев и законности был вытеснен Браком по Любви. Романтическая страсть, некогда встречавшаяся как исключение, теперь стала правилом, и ее не только не преследуют, но едва ли не вменяют в обязанность. Невеста и жених должны быть безумно влюблены друг в друга, и общество бывает шокировано, если кто-нибудь из них признается, что, вступая в брак, руководствовался иными соображениями. Более того, Романтика, озарявшая своим золотым лучом свадебное торжество, непременно должна светить этой паре всю жизнь. В романе, как и в волшебной сказке, жених и невеста должны жить счастливо до самой смерти. То же самое нам внушают в финале кинофильма, а также показывая этот фильм по телевидению. Длительный поцелуй в финале — это решение, а не постановка проблемы; конец, а не начало истории.

Неосновательность такой теории самоочевидна. Те, кто ждет от брака столь многого и надеется, что Романтика будет вечно и нерушимо скреплять этот союз, будут, безусловно, наказаны за превышение оптимизма. Если мы взращены и воспитаны на обычной беллетристике и драме, у нас в голове сложилось четкое представление о том, как следует вступать в брак. Предложение необходимо делать на вершине горы, в час восхода солнца, впрочем, можно и на залитой светом луны палубе яхты, под тропическими небесами. Медовый месяц нужно проводить в блаженном экстазе в Лас-Вегасе или в Венеции, первое гнездышко полагается вить в очаровательном коттедже в Котсуолдсе или Вермонте. Но поддерживать Романтику на столь высоком уровне в течение пятидесяти лет, разумеется, трудновато. Конечно, романтическую любовь можно воротить, но только часто получается, что воскресить ее помогает отнюдь не тот же партнер. Вот здесь-то и таится исконная слабость романтических идеалов.

По теории, утверждающей, что любовь превыше всего, герой должен с возмущением отвергнуть прозаическое предложение посвататься к леди Доротее или — в ее современном воплощении — к дочке директора фирмы. Вместо этого он должен заявить во всеуслышание о своей любви к Долорес, красавице, в которой течет цыганская кровь и чьи преступные родители ютятся в самом грязном углу блошиного рынка. Его родители не допускают и мысли об этом. Старший брат обращает его внимание на самые вопиющие несоответствия. Директор фирмы прямо говорит ему, что подобный брак погубит его карьеру. Президент клуба напоминает ему, что все кандидатуры, кроме его собственной, уже утверждены. Родственники, коллеги и бывшие одноклассники то и дело роняют прозрачные намеки. Весь мир на него ополчился: но это как раз и есть та ситуация, в которой испытывается истинный героизм. «Я люблю ее», — просто объясняет он и женится на Долорес. Проходит семь лет, она ему до смерти наскучила, и он влюбляется в Ольгу. Все его товарищи по работе приходят в ужас при мысли о разводе, родня давно примирилась с Долорес (которая подарила ему двойняшек), и все в один голос твердят, что разбивать семью преступно и преглупо. «Я люблю ее», — объясняет он, повторяясь, хотя и в ином контексте, и вскоре он уже женат на другой. Идеей, что любовь превыше всего, можно оправдать и первый брак, и последующий развод, и все следующие за ним разводы. Возникает вопрос, правомерно ли вообще называть столь непрочные отношения браком?

На этой стадии уже никак не избежишь упоминания о Голливуде: ведь божества экрана, так много сделавшие, чтобы утвердить идеал Романтизма, сделали никак не меньше и для того, чтобы наглядно продемонстрировать его непостоянство. Каждая финальная сцена в сиянии заката ярчайших тонов техниколора и в сопровождении небесного хора — дань тому, что для самих кумиров публики остается в облас-

ти чистой теории, а не практики. «Отныне и навеки» — для них что-то около двух лет, и в конце концов это наводит на мысль, что голливудские нравы чересчур уж свободны. Но мысль эта, конечно, очень далека от истины. Кинозвезда навеки обручена с экраном, добившись своего места фанатическим упорством в самой изматывающей и непосильной работе, какую только может выбрать человек. О семейной жизни в обычном смысле слова, само собой, не может быть и речи: она не вписывается в план съемок или рекламных встреч. Остаться старой девой или холостяком тоже никак нельзя — это создает у публики ложные представления. Таким образом, вступить в брак совершенно необходимо, к тому же это неплохой способ пресечь нежелательные поползновения и приставания посторонних. Так что эти браки никогда ничего больше и не означали, да никто ничего другого от них и не ждал. А если судьба соединила брачными узами две кинозвезды, шансы на то, что они окажутся в одной и той же точке пространства в любой данный момент времени, совершенно ничтожны. Брак такого рода — это нечто недоступное пониманию широкой публики. Но люди все же начинают понимать, что Романтика, превознесенная и драматизированная, не имеет ничего общего с постоянством. Теория нерушимой верности, вытекающая из заключительной сцены кинофильма, незамедлительно вступает в противоречие с газетными фельетонами о личной жизни исполнителей. Вот и выходит, что Романтика, которая должна была бы скреплять семейную жизнь, заменяя все прежние устои, играет ныне довольно жалкую роль.

Романтика была бы более заманчива, не будь она столь опутана коммерческими интересами. Современные приемы купли-продажи привели к тому, что людям навязывают брачные узы во все более и более раннем возрасте. Возбуждение, вспыхнувшее на танцплощадке под завывания и стоны «Группы», обычно разрешается внезапным браком, из

тех, которые так прославили город Лас-Вегас. Там все работают заодно, в комплексе — и церковь для бракосочетаний, и ювелиры, и цветочные магазины, и мотели, — не исключено, что в это дело втянут даже бассейн для плавания. Браки в ранней юности вошли в обычай, и многие их одобряют, считая, что несложившиеся характеры лучше приспосабливаются друг к другу, чем характеры сформировавшиеся. С другой стороны, можно возразить по крайней мере в одном отношении — ведь семейная жизнь, которая началась очень рано, будет и тянуться (если протянется!) очень долго! Первый экстаз, романтический импульс, должен протянуть лет пятьдесят. Способно ли какое угодно чувство выдержать так долго? Мужчине — независимо от характера и интеллекта — лучше всего жениться лет в тридцать, избрав девушку лет двадцати двух. Семейная жизнь только выигрывает, когда ей посвящаешь лишь часть времени, а не все время целиком. Это верно как по отношению ко всей семейной жизни, так и по отношению к жизни ежедневной. Более поздний брак позволяет людям предварительно обзавестись собственными интересами, которые не угаснут, будь это интерес к орнитологии или к мексиканской культуре, к шахматам или к поэзии. Когда есть эти собственные увлечения, супруги меньше требуют друг от друга. Каждый менее зависим от другого, а дать ему может больше. Тут перспективы гораздо лучше, чем в том случае, когда люди требуют друг от друга того, чего у них никогда не было.

Но осуществим ли на самом деле более поздний брак? Надо признать, что ему противоборствуют мощные коммерческие усилия. Романтическая литература и музыка при поддержке театра и танцев внушают нам, что сексуальное самовыражение — наша насущнейшая потребность. Но тут поднимает голос мораль, осуждающая сексуальную жизнь вне брака. И наконец, на нас обрушивается сокрушительный поток рекламы и торговых объявлений, специально рассчи-

танных на то, чтобы доказать, что ранний брак с финансовой стороны вполне реален, с общественной точки зрения весьма желателен, да и вообще является мудрым поступком. Кое-кто из торговцев хозяйственными товарами или мебелью явно предпочитает иметь дело с молоденькими, наивными и влюбленными клиентами. Любая радиопрограмма, любая реклама во весь голос кричит об узаконенном сексе. Любовь превыше всего, с этим согласны даже авторы реклам; но незаконная любовь подрывает торговлю! Даже хозяин отеля предпочитает молодоженов и медовый месяц «диким» парочкам, удравшим на уик-энд. Но более всего, конечно, процветает торговля, которая опирается на брак и растущую семью, сдирая немыслимые проценты под видом продажи в рассрочку, торговли недвижимым имуществом и еженедельных счетов за продукты и рецепты, за пеленки и погремушки. Как известно, есть такие журналы, которые потакают прихотям холостяков — или тех мужчин, которым удобно считать себя холостяками, чтобы со спокойной совестью читать этот журнал, — но более солидные коммерческие державы предпочитают вкладывать средства в высоконравственные сделки. Возможно, Лас-Вегас и не назовешь самым пуританским городом на свете, но с точки зрения статистики он займет одно из первых мест по религиозности. Прямая связь морали и торговли — это не теория, а факт.

Романтическая идея сама по себе часто оказывается излишне раздутой, и надо относиться к ней с опаской, когда знаешь, что есть люди, которые намерены превратить ее в средство наживы. Поэтому, собираясь вступить в брак, мы должны принимать во внимание такие факторы, как возраст, состояние здоровья, семейные обстоятельства, происхождение и окружение, характер, воспитанность, образование и природный ум. Однако в довершение всего остается еще понятие любви. Более того, мы узнаем из произведений литературы и искусства, что состояние влюбленности в кор-

не отличается от всех других человеческих взаимоотношений. Это очередное заблуждение, хотя любовь, несомненно, чувство очень важное. Но практически нам необходимо решить вот какую задачу: какое количество любви нам необходимо и существует ли она на самом деле. «Я люблю Майка, — говорит себе девушка, — но влюблена ли я в него по-настоящему?» Если она способна к кому-то привязаться, она за свою короткую жизнь уже любила и родителей, и младших сестренок, и дядюшку Питера, и многих одноклассников, не говоря уже о пуделе, двух пони, нескольких котятах и черепашке. Из всяких книжек она сделала вывод, что ее любовь к Майку должна перейти в высшую стадию; она должна переключиться на более высокую скорость — разумеется, не без протестующего скрежета в сердечной «коробке скоростей». Как она ошибается, нетерпеливо ловя этот сигнал смены скоростей! Совершенно не обязательно выискивать такое резкое различие между любовью, которую вы чувствовали вечером во вторник, и влюбленностью, которая может посетить вас в среду утром. Есть только одна любовь, но она различна по силе и чаще всего достигает апогея, когда появляется возможность сближения. Для романа необходимо сочетание двух хорошо различимых чувств. Одно из них — любовь, такая же, какую вызывает у нас школьная подружка или пудель, разве что немного сильнее; другое — физическое влечение, которое мы можем испытывать к совершенно чужому человеку. Физическая сторона не представляет никаких трудностей — для нас вполне очевидно, есть ли это чувство или его нет. Но любовь изменяется по определенной шкале, и у человека нет никаких точных методов, чтобы узнать, достигла ли она точки кипения. Вот он и гадает — любовь это или не любовь?

А на самом деле любовь поддается гораздо более точному измерению, чем кажется многим из нас. Она может быть измерена в понятиях человеческого несовершенства. Чтобы

разобраться в этом, предположим, что взыскательный взгляд молодого человека сравнивает каждую встреченную девушку с идеалом, царящим в его воображении: с богиней его мечты, которую мы прозаически обозначим через X. Ему более или менее нравятся многие девушки — не меньше дюжины, — но почти в каждой из них он находит недостаток, который возможно или невозможно исправить. Адель хорошенькая, но ужасная дылда; Бетти забавная, но поперек себя шире; у Кэролы изумительная фигура, но голос у нее жуткий; Диана — прелесть, только у нее цвет лица никуда не годится; Этель — умница, но совершенно не умеет одеваться; Фрэнсис — красавица, но форменная ледышка; у Джорджины куча поклонников, но она чересчур остра на язык; Элен очень мила, но слишком робка. Этот придирчивый молодой человек может призадуматься — как сделать, чтобы хоть одна из них могла сравниться с X? Можно ли уговорить Бетти сесть на диету? Согласится ли Кэрола брать уроки техники речи? Можно ли заставить Диану некоторое время питаться салатом, а Джорджину — прослушать курс этики поведения в обществе? Ответ один — что бы там ни было, им никогда не сравниться с X. Точнее, наш молодой человек ни одну из них по-настоящему не любит. А почему? Да потому, что он не может любить девушку по-настоящему, пока видит ее недостатки.

Для сравнения вернемся к девушке его мечты, X. У нее струящиеся золотые волосы, нежные синие глаза, белая кожа и изумительная фигура. Она умная и обаятельная, она чуткий и внимательный друг, отличная спортсменка и добрая душа. Любая девушка, которую он встречает, в чем-то уступает X. Но вот в один прекрасный день его знакомят с Маргарет; она брюнетка, волосы у нее круто вьются, глаза серые, кожа смуглая, ростом она пониже среднего, ее можно назвать скорее задумчивой, чем болтливой, в ней больше чуткости, чем веселости. Он находит, что Маргарет — просто

чудо, и говорит об этом своей сестре. «Но ведь у Маргарет веснушки, а ты их не выносишь!» — «Знаю, знаю, но теперь, когда я ее повстречал, мне жаль всех девушек, у которых *нет* веснушек». Как только он дошел до такого умозаключения — значит, он любит Маргарет достаточно, чтобы жениться на ней. Дело в том, что он ее любит такой, как она есть, а не такой, какой она могла бы быть или могла бы стать со временем. И самое главное — то, что она сбросила с пьедестала воображаемую богиню Х. И если раньше он отверг Бетти за то, что она не стройна, а Джорджину — за то, что она не добра, то теперь он делает Маргарет своим эталоном совершенства, которым он меряет достоинства других девушек. По сравнению с Маргарет Адель кажется еще более долговязой, а Бетти — еще более толстой, Кэрола кажется слишком крикливой, а Диана — слишком прыщавой, Этель — слишком вульгарной, а Фрэнсис — слишком скучной. Но, отбрасывая все сравнения, ни у одной девушки нет такого низкого грудного голоса, как у Маргарет, ни одна девушка не способна так глубоко все понимать, ни у одной девушки нет таких прекрасных рук. Маргарет абсолютно не похожа на Х, она вовсе не богиня. Все, что его в ней пленило, совершенно неожиданно — и спокойная, полная дружеского внимания молчаливость, и внезапная, как солнечный луч, улыбка. Величайшее достоинство Маргарет в том, что она Маргарет, и молодой человек любит ее именно такой, до последней веснушки. Принимая все это во внимание и прибавляя еще и элемент физического влечения, мы можем сказать, что молодой человек влюблен. А Маргарет — отвечает ли она ему взаимностью? Кто может знать? Но все же допустим, что они поженились. На этом обычно кончаются все романы. Но в действительности все обстоит совсем иначе — с этого только начинаются настоящие события.

БРАК

Романтический брак — это союз двух людей, которые были предназначены друг другу с самого начала. Все препятствия на их пути сметены, ибо эти двое идеально подходят друг другу и ни один из них не будет счастлив в браке с кем-то еще. Принято говорить, что браки совершаются на небесах; значит, можно с уверенностью сказать, что каждое решение принимается на высшем уровне. Представим себе, что группа высококвалифицированных архангелов перетряхивает космическую картотеку и приходит к решению, что некий молодой человек из Сиэтла может обрести счастье своей жизни только с некой девицей из Кардиффа. В таком случае небесное провидение подстраивает все так, что оба покупают билеты в один и тот же вагон для путешествия по Югославии, организованного агентством путешествий «Игербивер». Они впервые замечают друг друга в Триесте, обедают и танцуют в Дубровнике и объявляют о своей помолвке в Гэтвике. Романы, вспыхнувшие в результате совершенно случайных на первый взгляд встреч в Эсториле или Порт-оф-Спейне, можно вполне отнести на счет ангельских козней. В самом деле, когда молодые люди покупают билеты на соседние места в самолете — это уже не простое совпадение! Однако такие истории звучали бы гораздо правдоподобнее, если бы романы по большей части завязывались именно так. В жизни все происходит куда проще и обыкновеннее. Юноша встречает Девушку в своем классе, где каждому из них предоставлен выбор, предположим, из пятнадцати кандидатур. Или Девушка и Юноша живут по соседству в каком-нибудь квартале предместья, где имеются в наличии всего четверо молодых людей, из которых один девушками не интересуется. Молодой Человек встречает Юную Леди в

колледже, где учится еще сорок шесть достойных молодых леди. Стенографистка встречает молодого служащего в конторе, где всего двое неженатых мужчин. При помощи весьма несложных расчетов мы придем к выводу, что возможностей выбора для данного лица будет, предположим, пятьдесят пять или семьдесят восемь. Следовательно, браки, совершающиеся на небесах, ограничены весьма куцым списком кандидатур, составленным на земле. Так что архангелам вряд ли придется шелестеть карточками в неисчерпаемой картотеке небесной канцелярии — они располагают всего-навсего горсточкой кандидатур, быть может, собранных на пространстве одной-единственной квадратной мили. Конечно, некоторые девушки имеют более широкий выбор, но зато другие, без сомнения, сильно ограничены в своих возможностях. Итак, небольшое исследование показывает, что архангелам в подавляющем большинстве случаев не так уж трудно принять решение, а мудрее всего — предоставить выбор самой девушке.

Браки, совершаемые на небесах, несколько вышли из моды. В наше время на смену им пришли браки, организованные электронно-вычислительной машиной. Теоретически допустимо заложить в машину данные для миллиона холостяков и одиноких девушек, с описанием до мельчайших подробностей всего, что они могут предложить и чего желали бы для себя. На выходе будет получен ответ, что М/7345162, по всей видимости, будет идеальным мужем для Ж/9883694, а она для него — идеальной женой. Такие опыты были проделаны, но значительно меньший объем материала не позволяет с уверенностью утверждать, что они прошли успешно. Если машине предоставить достаточно большой список кандидатов на брачный союз, она безусловно сможет обеспечить научный подход к проблеме. А вот выдаст ли она удовлетворительный ответ — это уже другой вопрос. И прежде всего нас одолевают сомнения относительно точности дан-

ных, введенных в машину. На вопросы, с которых начинается анкета, вполне возможно получить правильные ответы: люди обычно откровенно и правдиво отвечают на вопросы: «рост», «вес», «цвет волос», «вероисповедание», «образование» и «годовой доход»; быть может, некоторая уклончивость заметна только в отношении возраста. Но за определенной гранью этот словесный автопортрет может обнаружить серьезные расхождения с оригиналом. «Не скучный ли вы человек?» — вопрос этот имеет первостепенное значение, но какой тупица ответит на него «Да»? Можно задать правомерный вопрос: «Щедры ли вы?» — но сколько скупердяев ответят на него «Нет»? Редкий человек признает себя брюзгой, задирой, бездельником или грязнулей. Просто все дело в том (как он это объясняет), что соседи настроены враждебно, коллеги недоброжелательны, начальство ничего не понимает, а вода такая холодная, что мыться невозможно. Ну и, конечно, мало кто скажет о себе, что он сноб, упрямец, эгоист и неряха, но ведь эти слова мы слышим постоянно — должны же они хоть к кому-нибудь относиться! Однако менее всего люди склонны признаваться в отсутствии чувства юмора. Об этом и речи быть не может! Самые мрачные личности всегда готовы видеть смешную сторону вещей, но вот беда — им приходится жить как раз в том самом месте, где никогда ничего смешного не увидишь и не услышишь. Так что по ряду причин можно усомниться, получит ли электронная машина достоверные исходные данные.

Трудно допустить, что люди, которые не вполне объективно относятся к самим себе, сумеют точно определить, чего им хочется. Как известно, джентльмены предпочитают блондинок, но женятся на брюнетках; и можно не сомневаться, что девушки, на которых джентльмены женятся, не имеют почти ничего общего с образом, жившим в их воображении. Скажем, молодой человек мечтает жениться на девушке с рыжими волосами, двадцати трех лет, пяти футов се-

ми дюймов ростом, отлично сложенной, увлеченной спортом, способной к языкам, любящей музыку, при этом она должна быть баптистского толка, принадлежать к республиканской партии, иметь скандинавских предков и получить высшее образование в Новой Англии, — но женится-то он на брюнетке, тридцати одного года, пяти футов ростом, плоскогрудой, ученой, со склонностью к астрономии и живописи, на атеистке и стороннице демократов, происходящей от итальянских предков и воспитанной в Нью-Мехико. Может быть, вы думаете, что его планы претерпели изменение из-за того, что роскошные рыжекудрые женщины недоступны для мужчин с такими доходами, как у него? Ничего подобного! Такая женщина нашлась, и она была в пределах досягаемости, но оказалось, что у нее невыносимо визгливый смех. Иначе говоря, машина могла бы отыскать для него то, о чем он просил, но не то, чего он хотел на самом деле, почему у нас и появилось сомнение в том, что подобные попытки вообще осуществимы. Мужчины не часто осознают, что именно их привлекает. Мужчина может влюбиться в *A* (которая его не выносит), едва не довести до бракоразводного процесса *B* (которая давно замужем), затем пережить бурный роман с *C* и в конце концов жениться на *D*. Предавшись воспоминаниям, он, возможно, подумает, что не могло быть женщин более несхожих друг с другом, чем эти его пассии, — во всяком случае, физически, — и решит, что для него самое главное — их душевные качества. Возможно, приятелю придется открыть ему глаза, напомнив, что, хотя все четыре девушки не имели почти ничего общего, у всех был слегка вздернутый носик. Только тогда он поймет — много времени спустя, — что совершенно не способен полюбить девушку, у которой иная линия профиля. Этот чрезвычайно важный фактор останется скрытым от электронной машины по той простой причине, что раньше человек и сам о нем не подозревал; но и по сей день он находится

в полном неведении относительно того, почему же именно эта черта так его очаровала. То, что его друг задним числом обнаружил нечто общее между *A, B, C* и *D*, никак не помогло бы ему на более ранней стадии, то есть до встречи с *A*.

Итак, электронно-машинное сватовство, теоретически весьма заманчивое, может оказаться неприменимым в нашей реальной жизни; и самая мысль, что двое людей созданы друг для друга и поэтому никто из них не может найти себе другую пару, — это, конечно, заблуждение. Что ж, скажете вы, пусть себе думают, что выбор сделан на небесах, это никому не повредит. Однако на самом деле идея эта чрезвычайно опасна. Предположим, что девушка вступает в семейную жизнь в полной уверенности, что Майк — единственный человек во всей вселенной, за которого она могла выйти замуж (а не просто лучший из троих, предложивших ей руку и сердце). Со временем у нее может возникнуть подозрение — а не вкралась ли тут какая-нибудь техническая ошибка? Трудно ли напутать что-нибудь с этими миллионами перфокарт? А что, если две карточки попросту слиплись? И запланирован был ее брак с Соренсеном, Майклом Г. (23 года), а по недосмотру она выскочила за совершенно неподходящего человека — Соренсена, Майкла М. (31 год)? Такие ошибки случаются даже при самой безукоризненной организационной работе. В результате жена задает себе вопрос: «Удачный ли это брак? И будет ли он счастливым?» Но при таком подходе ни один брак не будет счастливым. Ей бы надо спросить себя: «Что мне сделать, чтобы этот брак был счастливым?» Он *должен* быть счастливым, и единственный вопрос — «Что делать?».

Брак — это как бы общий банковский счет, и, чтобы не потерять кредит, делать взносы должны оба партнера. Прочность брака зависит от решения этой трудной по самой своей природе задачи; все зависит от усилий, прилагаемых обеими сторонами, и от того, насколько им удастся добиться

взаимопонимания. Самая большая трудность в том, что много времени приходится проводить друг с другом, и притом с глазу на глаз. Вполне понятно, что эта трудность уменьшается, когда есть общие интересы, знакомства, деловые связи, общие друзья. Многое зависит еще от того, растут ли эти двое и как они развиваются; ведь меньше всего скучаешь с теми, чьи интересы все время меняются и расширяются. Успех приходит к тем, кто может положить на общий счет свои запасы бескорыстия, живого воображения, терпения и юмора. И самой большой удачи добиваются те, кто может добавить новое измерение к установившемуся роману, кто умеет озарить нашу грубую действительность золотым сиянием приключений, вымыслов и фантазий. Но слишком часто мы забываем о главном — об искусстве общения. Мы выражаем свои мысли и чувства при помощи слов (письменно или устно), жестов и порою молчания. Даже в том случае, когда наши побуждения благородны (а мы знаем, что это именно так), мы тем не менее можем все испортить, если не сумеем высказать то, что хотелось, или — что еще хуже — ляпнем как раз обратное тому, что собирались сказать. Поэтому вся проблема общения заслуживает, чтобы к ней отнеслись гораздо внимательнее, чем это у нас принято.

Вспомним для начала, что наши возможности самовыражения имеют двоякую форму: врожденную и ту, которую мы (по всей видимости) приобрели. С раннего детства мы стремимся выразить свои эмоции. Плач ребенка может и не иметь определенной цели — это просто выражение обобщенного недовольства. Когда ребенок рассказывает, что было в детском садике, это зачастую просто поток бессвязной болтовни, тут главная цель — не рассказать, а просто облегчить душу. Если мужчина выругался, уронив молоток, то он это сделал без всякой цели — просто раздражение вырвалось наружу. Когда женщина болтает по телефону, она просто старается скрасить свое одиночество. Как часто нас обурева-

ют горести, зависть, радость или переполняют свежие сплетни. Тут человеку необходимо найти какой-то выход, и часто он готов поведать все хоть собаке, только бы не молчать. Первичная и примитивная цель разговора — выразить чувство, которое мы больше не в силах держать про себя. Значит, в мире полно людей, которые высказываются только с этой единственной целью, помогают себе жестами, подчеркивая наиболее потрясающие места, — они чувствуют неимоверное облегчение, выложив все до конца. Но этот поток слов, прорвавший все преграды под напором эмоционального напряжения, вовсе не направлен на то, чтобы объяснять, поучать, давать указания или доставлять удовольствие. В эту минуту рассказчик думает только о себе самом. И единственное, что доходит до собеседника, — это полная его неспособность сдержать обуревающие его чувства. Весьма сомнительно, чтобы его слова могли на кого-нибудь повлиять; яснее ясного, что он и с собой-то совладать не в силах.

Примерно с пятилетнего возраста мы нередко овладеваем иным способом коммуникации. Мы затеваем разговор, чтобы что-то сообщить. Мы задаемся определенной целью. Когда мы точно осознаем эту цель, нам приходится призвать на помощь всю силу воображения. Надо поставить себя на место того, к кому мы обращаемся, и подобрать слова, наиболее подходящие для достижения задуманной цели. Что этот человек знает, чему верит? Каким образом его просветить, произвести впечатление и повлиять на него? Мы постепенно прокладываем путь к намеченной цели, а отправной точкой нам служит тот, с кем мы говорим. Весь тон сообщения, его форма, отдельные штрихи, нажимы — это отражение нашей цели, а не минутного настроения. Все, что мы изрекаем, точно взвешено и бесстрастно выверено. Полно, так ли?.. На практике выходит иначе: то, что мы говорим, в основном целенаправленно, но все же в наших словах проявляется и некоторая непосредственность. Неизвестно,

что должно преобладать. Тут единого мнения не существует. Говорят, что квакеры старинных времен, собираясь что-то сказать, обычно задавали себе вопрос: «Истинно ли это? Доброжелательно ли? Необходимо ли?» И если они хоть немного сомневались, то предпочитали не говорить ни слова. Все мы по мере возможности стараемся поступать так же, но есть люди, которые восстают против общепринятых установок, утверждая, что детская непосредственность гораздо лучше извечного лицемерия. Почему нельзя свободно излить все, что мы чувствуем и мыслим? Отчего мы не можем честно и открыто высказывать все, что приходит в голову?

Просто все мы не такие уж хорошие, вот в чем дело. Если бы наши мысли всегда были добрыми, милосердными, разумными и чистыми, конечно, почему бы нам их не высказать? Без сомнения, есть люди, полные святой простоты и детской невинности, которые в любой момент могут обнародовать свои мысли. Но среди нас так мало подобных людей! Наши непричесанные мысли, высказанные вслух, окажутся эгоистичными, черствыми, непочтительными, неприличными или обидными. Поэтому мы научились скрывать наши непосредственные чувства и подставлять на их место другие, заведомо более приемлемые. Вместо того чтобы высказывать то, что у нас на уме, мы говорим то, что, по нашим соображениям, лучше соответствует нашим намерениям. Мы приноравливаем свои высказывания к тем, кто моложе, и к тем, кто старше нас, меняем подход, когда нам нужно поучать или приходится подчиняться. В случайной беседе мы стараемся занять собеседника, произвести на него впечатление, очаровать его или позабавить. Постоянно попадаются люди, которых так распирает от желания выговориться, что они совершенно не обращают внимания на слушателей; но зато они очень скоро приобретают репутацию надоедливых болтунов. Современное общество тяготеет к искусственности и чуждается непосредственности. Единственное исключе-

ние — это люди, чье искусство производит впечатление полной естественности. В них не найдешь ни следа наигранности — не потому, что они вернулись к безыскусной простоте, а потому, что искусство вежливости у них так отточено, что стало второй натурой. Герой рассказа Макса Бирбома «Счастливый лицемер» носит маску святого, но в конце концов и становится святым. Мало кто из нас может с ним сравниться, но все мы становимся чуточку ближе к святости, когда делаем вид, что мы лучше, чем на самом деле. Словом, подчас притворщик на самом деле становится таким, каким хотел казаться.

Но эта игра в притворяшки подчас действует на нервы, и потому нам хочется думать, что уж в семейной жизни нас ждет полное раскрепощение. Наш спутник будет таким близким человеком, что можно будет снова вернуться к золотому детству, по крайней мере наедине с ним, и вывернуть наружу все, что у нас накопилось. Мы чувствуем, что нашелся в мире хоть один человек, перед которым не надо ломать комедию. В некоторых отношениях это, быть может, и так, но вообще-то это глубокое заблуждение. В совместной жизни самое главное — вежливость. Если любишь человека, то с ним становишься еще более, но уж никак не менее вежливым. Доброта превыше любезности — но доброте не следует пренебрегать любезностью. И это еще более важно, если у нас есть дети: они берут с нас пример, учатся у нас вежливости. Их вежливое обращение с посторонними — отражение того, к чему они привыкли у себя дома. Величайшее заблуждение — полагать, что брак освобождает нас от необходимости быть вежливыми. В пьесе «Не боюсь Вирджинии Вулф» мы наблюдаем ужасающую картину брака, который явно трещит по всем швам. Под конец мы обнаруживаем, что брак все же не будет расторгнут, но сколько страданий и горя претерпевают двое главных действующих лиц, а вместе с ними — друзья и соседи. Ситуация, в общем, довольно зна-

комая. Правда, надо надеяться, что такая грубость и невоспитанность нам непривычна. И даже напрашивается вывод: то, как люди говорят, гораздо важнее того, что они при этом думают.

В вопросе о вежливости издавна существуют две школы: одна связана с более или менее обожествляемым монархом, другая — с республиканскими традициями Греции и Рима. При наличии в обществе иерархии вежливость принимает сложные, утонченные и разнообразные формы. Задача эта настолько сложна и приходится так все обдумывать, что теряешь всякую непосредственность. От византийского двора ведут свое происхождение такие титулы, как «Ваше Превосходительство», и различные формы обращения, которые до сих пор сохранились, например, в Швеции; в этой стране знакомые обращаются друг к другу так: «Господин главный бухгалтер А» или «Госпожа помощница начальника станции В». А когда приходится говорить о себе в третьем лице, например отвечая на приглашения, то возникают такие чисто грамматические трудности, что в них тонет всякое непосредственное чувство. В восемнадцатом веке, когда за самую невинную оговорку вызывали на дуэль и надо было приложить максимум усилий, чтобы не обидеть собеседника, такие сложности были вполне понятны и оправданны. Эта традиция все еще держится в английском парламенте: члены парламента обращаются друг к другу только в третьем лице, и малейшая неточность навсегда роняет престиж говорящего.

«Не соблаговолит ли почтенный — простите, достопочтенный — и глубокоуважаемый — нет, высокоученый — представитель Западного Шеффилда — то есть я хотел сказать, Южного Шеффилда — взять обратно те слова, которые он только что произнес в адрес Казначейства?» Пока оратор припоминает должную форму обращения, нанесенная ему обида уже позабыта. В этом смысле условности, от принятых при дворе Людовика XIV до тех, которые, в несколько изме-

ненном виде, продолжали существовать в Соединенных Штатах и в Англии времен королевы Виктории, имеют свои достоинства. Самая странная формальность с современной точки зрения заключалась в том, что муж называл свою жену «мадам», а жены называли мужей «мистер Робинсон» или «мистер Смит». Противоположная, или республиканская, традиция зачастую проявляется в том, как люди обращаются друг к другу, причем во все времена попадались лица, считавшие излишнюю вежливость своего рода неискренностью. Гораздо честнее, по их понятиям, высказать все начистоту, а не бормотать ничего не значащие слова, которые вам вдолбили в голову. Однако еще неизвестно, не окажутся ли слова, брошенные сгоряча, бесполезнее, чем те вежливые фразы, которые мы произносим во избежание открытой ссоры. Если приходится выбирать одно из двух, как правило, лучше сказать то, что позволит добиться поставленной цели, чем выплеснуть обуревающие вас в эту минуту чувства. Может быть, от этого разговор несколько утратит драматичность, но зато (без сомнения) останется культурным и разумным.

За формальной вежливостью скрывается более существенная проблема — кто будет приказывать, кто — подчиняться? В этом вопросе играют важную роль три характерные особенности человеческого общества, которые возникли на заре человечества, как только человек стал человеком. Во-первых, человек, будучи в известной мере хищником, должен был некоторую часть своей пищи поймать в ловушку, загнать, выловить сетью или сбить выстрелом. Во-вторых, люди — существа общественные и обычно объединяются в семейные группы или племена. И наконец, человеческие детеныши (как правило, рождаемые по одному, а не целым выводком) остаются беспомощными в течение необычайно долгого периода по сравнению с другими животными, очень медленно достигают зрелости и нуждаются в заботе родителей подчас до двадцати лет. А среди хищников,

которые производят на свет медленно взрослеющих детенышей, должно обязательно иметь место разделение функций между самцами и самками. Когда потомство нужно кормить и обихаживать, обучать и охранять, более активная деятельность выпадает на долю мужчины. По крайней мере, в качестве охотников мужчины всегда считали себя выше женщин. Но они также с самого начала осознали, что для продолжения рода необходимо беречь и охранять детей и женщин. Когда мужчины гибнут на охоте или тонут на рыбалке, оставшихся вполне хватает на племя. А о женщинах этого не скажешь — естественный прирост населения прямо зависит от их численности. Таким образом, мужчины оказываются главными, но вполне заменимыми, а женщины — подчиненными, но более ценными. Это основное разделение полов еще больше углубляется длительным разделением взрослых и невзрослых. Молодые особи человеческого рода так долго нуждаются в опеке и обучении, что послушание, которое в первую очередь обеспечивает им безопасность, входит у них в привычку и сохраняется в некоторой степени и после того, как они достигают зрелости.

В большой семье или в племени обычно главенствуют старейшие мужчины, и их авторитет особенно ярко проявляется в отношениях отца с детьми (когда эти отношения становятся общепризнанными).

Итак, во всем, что касается традиций, природы и характера взаимоотношений, авторитет мужчины утвержден надежно. Однако брак — это союз, в который оба партнера вступили с общей целью, и, хотя в определенном смысле следует признать главенство мужчины, женщина, разумеется, вносит большую часть вклада. Она пожертвовала (в отличие от него) своей карьерой и свободой. Ей выпало на долю нести все трудности, сложности и опасности материнства (тогда как ему это, разумеется, не грозит). Если финансовое благополучие партнеров зависит, как правило, от деятельно-

сти мужчины, то всякая неудача более тяжело ложится на плечи жены и матери. Поэтому брак порождает основной парадокс: мужчина, обычно более деятельный из партнеров, одновременно является и главным, и подчиненным. Поскольку ему приходится нести ответственность за семейный бюджет, он должен в определенной мере быть главным партнером. Поскольку ему нужно заниматься производительным трудом, он должен сам принимать решения. Исполнительная власть находится в его руках — слова свадебного обряда недвусмысленно на это указывают. Но если жена должна подчиняться мужу своему, как более активному партнеру, то он ей подотчетен, потому что у нее на руках основной пакет акций; а это значит, что муж в некоторых отношениях подчинен жене. Так как мужчинам свойственно забывать, что они только распорядители чужого имущества, они в некоторых странах пытаются напоминать себе об этом тем, что всегда относятся к женщинам как к высшим существам; и это — одно из основных требований нашей западной цивилизации. Так, мужчины встают, когда женщина входит в комнату, и открывают дверь, когда она выходит. Женщина проходит в дверь впереди мужчины, а за столиком ей подают в первую очередь. С ее желаниями считаются, она выбирает место, где сесть, и назначает время, когда пора уходить. Во всем этом есть что-то от средневековой рыцарственности, благодаря чему всякая девушка становится принцессой, а всякий мужчина — ее слугой. Но тем не менее все это было построено на законе, который делал каждого мужа собственником, а каждую женщину — его собственностью. Из всего изложенного мы можем сделать заключение, что в христианских странах традиционные отношения были крайне сложными; при этом покорность, которая вменялась в долг жене, очень тонко уравновешивалась почтительностью, которую муж должен был ей оказывать. Но и это еще не все: традиционные тонкости предусматривали, что на проявление фор-

мальной почтительности с одной стороны другая сторона отвечала подобающей леди скромностью. Девушке, окруженной вниманием и поклонением, не пристало быть самоуверенной и своевольной. В том, что касалось окончательного решения, она должна была лишь частично принимать ту власть, которую ей столь торжественно преподносили.

И вот в обществе, где взаимоотношения были так усложнены — или утонченны, — женщины вдруг взбунтовались, требуя равенства. В начале двадцатого века они начали менять юбки на брюки. Теоретически это должно было продемонстрировать новые демократические отношения между мужчинами и женщинами. Позднее это стало наглядным отражением нехватки мужчин во время войны. Женщины становились на место мужчин, даже шли в армию, и зачастую им приходилось заниматься такой работой, при которой носить юбки было практически неприемлемо или даже опасно. Брюки, некогда бывшие знаменем сопротивления, вскоре сделались внешним признаком нового рабства, только место домашнего очага занял завод. Вместе с брюками возникли новые, свободные и товарищеские, отношения между мужчиной и женщиной. В прекрасном новом мире женщинам наконец-то улыбнулось равноправие. Если бы наступил полный переворот, то можно было бы ожидать, что все тонкости традиций начисто сметет грубая расчетливость нашего века. Но во многих странах результат свелся к компромиссу. Женщины получили полное право носить брюки, но это им не вменялось в обязанность. Им было дано право голоса, право занимать государственные должности и овладевать любой профессией, но вместе с тем им разрешалось сохранять привилегии, оставшиеся в наследство от их прежнего подневольного положения, — и это даже поощрялось. Они были приняты как равные в тех областях, где некогда вынуждены были подчиняться, но в тех областях, где им издавна предоставлялось первенство, они и теперь сохранили главенствую-

щее положение. В этих крайне сложных взаимоотношениях прежнее чувство равновесия было утеряно.

Г. К. Честертон как-то заметил, что, если женщина станет товарищем, вполне возможно, что ей по-товарищески дадут коленкой под зад. У нее уже не будет защиты от насмешек, сквернословия и грубых приставаний. Но такое обращение настолько противоречит всему нашему привычному поведению, что никакая логика событий почти никогда к этому не приводит. Теоретически к девушке в армии следует относиться как к рядовому солдату: называть ее по фамилии и сухо приказывать сделать то-то и то-то. Но минутного размышления — или пятиминутной практики — вполне достаточно, чтобы любой офицер мужского пола убедился, что так вести себя может только сумасшедший. Теоретически допустимо и правильно было бы сказать: «Капрал Бейкер, приготовить письма к подписи ровно в полдень», но на самом деле мы слышим нечто совсем иное: «У вас найдется минутка для меня, Валери? Тут одно срочное дело. Если вы хотите спасти меня от военного трибунала, приготовьте письма часикам к двенадцати. Будьте душечкой, а то как бы нас всех не поставили к стенке!»

Такое обращение принесет желаемый результат там, где резким приказанием ровно ничего не добьешься. Все это вполне очевидно, но служит только иллюстрацией практической неприменимости теории равноправия. Реформаторы могут добиться поголовного искоренения джентльменов, однако женщина по-прежнему хочет, чтобы с ней обращались как с леди. Но в ситуации, так сильно переменившейся в ее пользу, она не всегда остается достаточно благовоспитанной леди, чтобы не злоупотреблять своими преимуществами. В Соединенных Штатах настал век мужей-подбашмачников — и, как следствие этого, век брошенных жен.

Реальность ситуации предстает перед нами со всей ясностью только тогда, когда просвещенные дети нового века ре-

шают посетить какое-нибудь более старомодно-традицион-
ное общество, где до сих пор еще чтут прежние обычаи. Пер-
вое инстинктивное побуждение образованной женщины —
выразить горячее сочувствие угнетенным. «Какой ужас! —
восклицает она. — Неужели ваш муж и в самом деле помы-
кает вами? Прямо как в сказке о Синей Бороде! В жизни не
слыхала ничего фантастичнее!» Но мало-помалу она начина-
ет понимать, что ее собственное положение вызывает не за-
висть, а сочувствие. Это доводит до ее сознания первая же
местная женщина, с которой она знакомится. Вот как она
выражает свое неодобрение: «Ваш муж только и знает, что
твердит: «Да, дорогая!», «Нет, дорогая» и «А как ты думаешь,
дорогая моя?». Мы здесь, в Эсперанто, любим мужчин, кото-
рые все решают за нас и решают раз навсегда». — «Но это же
форменное средневековье! Мы с мужем все решаем вместе и
никогда не ссоримся. Он слишком воспитанный человек,
чтобы возражать мне просто из любви к спорам, и можете
спросить его самого — он вам скажет, что я чаще всего бы-
ваю права. У нас и вправду настоящий дружеский союз, и
никто никого не тиранит». Но все это выслушивают с на-
смешливой улыбкой. Женщины Эсперанто вообще не счи-
тают мужа типа «Да, дорогая!» мужчиной. Во-первых, они
подозревают, что он импотент. А когда их заверяют, что это
не так, они продолжают сомневаться в том, что его мужские
достоинства соответствуют местным стандартам. Короче го-
воря, они предпочитают мужчину, который держит себя как
мужчина. Они прямо и недвусмысленно выносят приговор
американским идеалам, а потом переводят разговор на дру-
гие темы.

Если рассматривать отношения в достаточной мере ци-
вилизованные, то оказывается, что жена обычно проявляет
свою власть, принимая в среднем три решения из четырех,
хотя два из них, по всей вероятности, сущие пустяки. Но са-
мая грубая ошибка заключается не в том, что она каждый раз

настаивает на своем, а в том, что она с нескрываемой жадностью вцепляется в то, что досталось бы ей в любом случае. Леди старых времен умели повернуть дело так, что непререкаемое и наполеоновское решение мужа оказывалось прямым результатом совета, в свое время поданного женой. Она же мило соглашалась со своим господином и повелителем, превозносила его мудрость и преклонялась перед его глубокими познаниями, внешне покоряясь его воле, но прекрасно зная, что все будет так, как она задумала. Эта уловка приносила жене двойную выгоду. Во-первых, она внушала мужу чувство превосходства, отнюдь не потакая его глупым выдумкам. Во-вторых, она снимала с себя всякую ответственность на тот случай, если принятое решение окажется неудачным. Это ведь было *его* решение — кстати, в тот момент казалось, что нельзя придумать ничего естественнее и разумнее, — а она со всей доверчивостью подчинилась, не особенно ломая себе голову. Когда современные женщины изучат искусство семейной жизни так же тщательно, как их бабушки, они наконец поймут, что очаровательной скромностью можно прибрать мужа к рукам гораздо надежнее, чем воинственными попытками самоутверждения.

Характерные ошибки, которые совершают современные женщины, отчасти являются результатом борьбы женщин за независимость на заре нашего века, но, с другой стороны, это плоды воспитания. Девочки обычно обучаются в школах и колледжах, где преподавание ведут учительницы, по большей части (хотя есть и исключения) не бывшие замужем. Так что с точки зрения формального образования их учат жизни люди, практически абсолютно невежественные в этом вопросе. В таких случаях преподавательница, сделавшая блестящую деловую карьеру, — страшная угроза для мужчин, потому что она восстает против их привилегий и борется за равноправие мужчин и женщин. Более разумный и лучше знающий жизнь педагог внушил бы девушкам, что в

этом равноправии ничего хорошего нет и что наилучший образ действий — это полная внешняя покорность, которая, как правило, обеспечит жене абсолютную власть. Если бы хоть одна школа учила этому, ее выпускниц брали бы замуж нарасхват, и уже одно это сделало бы пример достойным подражания. В этом смысле интересно отметить, что несколько наиболее серьезных колледжей для девушек приняли на работу профессоров-мужчин. Это начинание, во всяком случае, более прогрессивно, чем традиция, по которой весь преподавательский состав колледжей совместного обучения укомплектован (а это еще случается) старыми девами обоего пола. Если в войне между мужчинами и женщинами предвидится перемирие, то к нему приведет, быть может, то, что женщин научат оставаться самими собой.

АВТОМОБИЛЬНОСТЬ

До сих пор мы следовали романтической традиции, принимая за аксиому, что браком сочетаются прежде всего и в основном мужчина и женщина. Но, однако же, чисто хронологически змей угнездился в райских кущах задолго до появления первой супружеской пары. Нет сомнения, что в образе змея поэтическая символика скрывала автомобиль, и современный Адам должен обзавестись машиной прежде, чем помышлять о женитьбе. Точнее: не имея машины, он вообще никогда не будет иметь жены. Это биологическое явление логически объяснимо, но в нем нашло выражение (и еще более наглядное) подсознательное наследие Дикого Запада. Ковбой, этот бессмертный герой американской мифологии, был неотделим от своего скакуна. Безлошадный ковбой — это уже не ковбой. Без своего мустанга он попросту переста-

вал существовать. Вскочив в седло, он становился выше любого фермера. Спешившись, он уступал даже ребенку. Верховой конь превратился в карету, карета — в автомобиль, но традиция пережила все: мужчина в пешем строю вовсе не мужчина.

Классический труд по автомобильности («Неистовые колесницы») был написан сравнительно давно (в 1953 г.) Джоном Китсом, и прибавить к нему, пожалуй, нечего. Впервые, по его словам, автомобиль появился в том виде, в каком он нам известен с 1895 года. Это был «Панхард» Левассера, от которого ведут свой род все современные автомобили. Его весьма посредственную схему состряпала банда деревенских лудильщиков, чьи любительские конструкции до сих пор сохраняют популярность. На ранних порах в автоиндустрию вступили мистер Генри Форд и мистер Р. Олдс, превратившие Детройт в то, чем он теперь стал. Массовое производство автомашин началось около 1903 года, и с тех пор они стали воплощением нашего образа жизни. Все мы действуем автомашинально, хотим мы этого или нет. У нас нет выбора. Мы ведь живем в мире, где автомашинальность стала законом и никакой иной образ жизни уже немыслим. Например, жить без машины в Лос-Анджелесе едва ли было бы возможно. Представим себе для большей наглядности, что в распоряжении Перри Мэзона только велосипед, а Пол Дрейк располагает лишь общественным транспортом. Делла Стрит берет телефонную трубку и передает Перри, что его клиент, Фрэнк Уиттеринг (ложно обвиненный в убийстве и находящийся в бегах), застрял в мотеле в Диснейленде, а его возлюбленная, Диана Дитерс, собирается покончить с собой на другом конце города. «Спешим на помощь, — отвечает Перри. — Ничего не предпринимайте, пока не прибуду я или мистер Дрейк». Бросив трубку, он заявляет, что нельзя терять ни секунды. Ему *непременно* нужно поговорить с Фрэнком, пока он не попал в лапы прокурора. «А вы, Пол, хватай-

те эту девчонку, пока она не сунула голову в газовую духовку». — «О'кей, Перри, — говорит Пол. — А как мне туда добраться?» — «Делла все знает», — бросает Перри и вскакивает в седло своего велосипеда.

Разумеется, Делла — кладезь премудрости, и расписание уже у нее в руках. «Можно немного проехать автобусом, он останавливается всего в двух кварталах от нас. Правда, один вы уже упустили, а следующий будет только через пятьдесят пять минут. В Глендейле пересядете на другой автобус до Сан-Марино, если он ходит по субботам. Эта девушка живет на полпути между Пасадиной и Сьерра-Мадре — четыре мили в любую сторону.

— А туда ходит автобус из Сан-Марино?

— Боюсь, что нет. Придется пешочком».

Перри в более выигрышном положении — ему нужно только немного поддуть спустившую заднюю шину, и вот он уже катит вперед на полной скорости, и перед ним — всего каких-нибудь шестьдесят пять миль. Это все ему нипочем, если бы не пришлось тащиться пешком в гору возле Буэна-парка. Тут его задержали за бродяжничество, он потерял два часа на объяснения и прибыл в диснейлендовский мотель только в сумерках. Франк уже сидит в тюрьме, а Перри снова арестовывают — на этот раз за отсутствие фонаря на его велосипеде. А Пола Дрейка разные автобусы завозят то в Бербанк, то в Торренс или в Санта-Монику, и он безнадежно застревает где-то возле пляжа Редондо. Сообщение о самоубийстве Дианы он слышит по радио. И лишь много дней спустя Перри Мэзон может завершить дело, увенчав его такой фразой: «Так завершилось Дело Детектива-Безмашинника». Отсутствие машины так задерживает адвоката, что новая трагедия разыгрывается при расследовании предыдущей — прокурор успевает выиграть дело, пока защитник добирается до зала суда. Да, это Дело было проиграно заранее — точнее, в данном случае оно не успело даже начаться.

Машина — это не просто средство передвижения, это образ жизни. Начнем с того, что ею порождены современные пригороды и «загороды», где живет большинство служащих. Они делятся на два вида: одни едут на машине от дома прямо до места службы, другие подъезжают на машине до ближайшей станции и едут дальше поездом. В любом случае без машины не обойдешься. Конечно, такой образ жизни возник еще в век паровозов и экипажей, запряженных лошадьми, но машина сделала достоянием миллионов то, что было уделом немногих избранных. И общественное расслоение этих миллионов зависит, грубо говоря, от расстояния между домом и конторой. Более отдаленные загородные дома расположены в сельской местности, и их владельцы занимают достаточно высокое положение, чтобы приезжать на работу попозже. Поэтому многим приходится ежедневно преодолевать от десяти до шестидесяти миль, проезжая то же расстояние обратно после рабочего дня. Этот образ жизни сказывается и на административных расходах, и на объеме газет, на радиопрограммах и на придорожных рекламных плакатах. Но нас сейчас больше интересует другое — то, что общественная жизнь перемещается из города в пригороды, а это приводит к результатам, которые не всегда учитываются. И быть может, легче всего ускользает от внимания то, что этот образ жизни подрывает прежние устои; ведь исстари повелось, что человек живет среди соседей, которые занимаются тем же или почти тем же делом, что и он сам.

Вспомним, что в старейших городах на земле всегда были (а кое-где сохранились и поныне) кварталы, улицы и кафе, по традиции предназначенные для безымянных газетчиков, врачей, портных или художников. В Париже есть Латинский квартал, в Лондоне — Харли-стрит, Флит-стрит, Сэвил-роу или Челси, в Нью-Йорке — Уолл-стрит и Гринвич-Виллидж. Это все в прошлом — или в настоящем — районы, где жили — или живут — люди, объединенные общими интереса-

ми, завсегдатаи одних и тех же мест. Сотрудничество и соперничество оттачивали до высокого совершенства мастерство математиков, живописцев, актеров, музыкантов, ученых, грабителей, книготорговцев и адвокатов. Эти люди обычно работали там же, где и жили, посещали ту же церковь и те же концертные залы, яростно спорили за столиками тех же таверн или кафе. Фактически их жизнь и была жизнью города. Как не похожа на это та жизнь, которую принесли с собой пригородные поезда: к примеру, ветка от станции Ватерлоо до Уилда. Люди небогатые — клерки или поэты — едут обычно не дальше Кройдона. Те, кто менее стеснен в средствах, выходят из вагона в Сандерстеде или Уорлингеме. Купе первого класса начинают пустеть в Окстеде, а настоящих богачей поджидает собственный «Роллс-Ройс» с шофером где-то около Иденбриджа. Но это пространственное расслоение основано не на профессиях, а на размере доходов. Разумеется, у всех богатых людей найдется, по крайней мере, один общий интерес. Но люди, живущие за городом, разнятся во всех отношениях, их сближает только размер заработка. К вечеру адвокаты, инженеры, профессора и оперные примадонны растекаются во всех направлениях, проезжая расстояния, прямо пропорциональные их семейным обстоятельствам и доходам. Поселившись в приглянувшемся ему пригороде, архитектор обнаруживает, что его ближайшими соседями оказываются высококвалифицированный бухгалтер, букмекер, помощник директора банка и чиновник министерства торговли. Его коллеги архитекторы разбросаны вокруг Лондона в различных направлениях и на разных расстояниях, и, чтобы провести вечер с кем-нибудь из них, ему придется проделать сложный и извилистый путь по пригородным шоссе. С соседями он может беседовать о садоводстве или играть в бридж, но все интеллектуальные стимулы в интересующей его области ему придется извлекать скорее из специальных журналов, чем посредством личного контакта.

Жизнь в пригороде отличается от городской жизни тем, что она разобщает людей одной специальности.

Но если в известном смысле машины убили город, то в некотором смысле они убивают и сельскую местность. Жизнь в деревне замирает, когда все население отправляется на ярмарку в ближайший городок. Этот городок, где проходит ярмарка, становится либо придатком большого города, либо приобретает собственное значение. Пригороды расширяются, захватывая исконную сельскую местность, соединяя индустриальные центры, которые прежде имели определенные границы. Пригороды расползаются и ширятся, совершенно одинаковые, бесформенные, безличные, и кажется, что им не будет конца. Жизнь в пригороде имеет свои преимущества, свои житейские удобства. Пригороды относительно спокойнее, чище и тише, до детского садика или до школы — рукой подать. К тому же в пригородах еще не знают той продажности городских властей, из-за которой в большом городе жизнь стала невыносимой. Учитывая эти достоинства, надо признать, что пригороды представляют собой компромисс между городской и деревенской жизнью, но весьма далеки и от того, и от другого. Именно по этой причине к пригородам никто не относится с той патриотической преданностью, с которой жители некогда относились к своему городу или деревне. Во-первых, жители чересчур непоседливы и у них нет постоянной привязанности к какому-то одному месту. Работая в Лондоне, Чикаго или Бостоне, они живут в Суррее, Индиане или Нью-Хемпшире. И если они и хранят верность чему-то менее грандиозному, чем вся их родная страна, то это автомобили той определенной марки, которой они никогда не изменяют. Ибо от машины зависит вся их жизнь. Если у них есть возможность приехать на ней в город, они непременно так и сделают, невзирая ни на какие пробки на улицах и на недостаток стоянок. Всеобщее помешательство на скорости как раз и приводит к полному

застою. Автомобильная неподвижность — характерная черта городской жизни, и люди попадают в пиковое положение, когда все в одни и те же часы пик устремляются в пригороды. Расплодив пригороды и погубив города, автомобиль не остановился на этом и породил долгие уик-энды и короткие отпуска, собственные катера и лыжные базы. Все эти развлечения тесно связаны с автомобильностью. Без машин они никогда не возникли бы, и без машин им бы долго не продержаться.

С появлением автомобиля гараж стал необходимой для дома пристройкой. Прежде, когда пользовались каретами, были необходимы каретник, сбруйная и конюшня — и все это располагалось поодаль от дома. К лошадям слетаются мухи, так что такое разделение было вполне оправданно. И это не причиняло никаких неудобств: карету или верховую лошадь подавали к подъезду в точно указанное время, о котором справлялись по конюшенным часам. Экипаж ставили в каретник, привычно сохраняя дистанцию от дома; отчасти эту привычку поддерживал страх перед пожарами. Гараж с точки зрения архитектурной всегда был излишеством, о котором вспоминали в последний момент; и до сих пор это почти всегда дает себя знать: чтобы добраться до гаража, приходится со спринтерской скоростью преодолевать дистанцию в двадцать ярдов под проливным дождем. Архитекторы, слепо копируя в этом смысле проектировку девятнадцатого века, тем не менее забывают об одной детали, безусловно нужной и полезной: porte-cochere[1], или, как его теперь называют, въезд для машин. И если мы так тщательно оберегаем свою машину, то никакого особого альтруизма не будет, если мы так же позаботимся о машине нашего гостя. Можно надеяться, что в доме двадцатого столетия на костюм

[1] Въезд для карет *(франц.)*

вашей гостьи не будет падать снег, а ее машину — за неимением лучшего — не оставят на самом солнцепеке. Но как бы пылко мы ни надеялись, наши надежды вскоре пойдут прахом. Логически мыслить в данном случае мы не умеем, и каждый новый дом оказывается не более чем вариантом того, что уже давно было, и главное его предназначение — рекламировать изобретательность архитектора и льстить самолюбию владельца. Даже там, где гараж на плане примыкает к дому, дверь между ними почему-то отсутствует, так что время от времени хозяину все же приходится пробежаться под дождем. А наши гости перед разъездом могут обнаружить, что машина раскалена, как духовка, или все сиденья в ней промочены насквозь, потому что кто-то забыл поднять оконное стекло. Для самих себя (в качестве водителей) мы сделали крайне мало, а уж для других — практически ничего.

Предполагается, что в любой достаточно вместительный дом можно пригласить компанию на коктейль. Допустим, что места хватает для шестидесяти человек — следовательно, на такое число нам и придется рассчитывать. Соответственно наше гостеприимство должно распространиться, скажем, на сорок автомашин. Как они должны подъезжать, отъезжать и где их все разместить? Есть такие дома, где транспортная проблема тщательно изучена, детально обсуждена и блистательно разрешена. Но гораздо более, увы, многочисленны дома, где к этой проблеме отнеслись с полным пренебрежением, не пожелали обратить на нее внимания и в конце концов все пустили на самотек. А это приводит к тому, что в самый разгар веселья раздаются отчаянные призывы, которые все портят: «Владельца машины марки «Форд» номер 72384 убедительно просят...» и т. д. Или мы видим, как запыхавшийся хозяин перебегает от группы к группе, выясняя, кому принадлежит серый «Ягуар». «Кажется, на нем Бренда приехала — нет-нет, вспоминаю, у нее теперь

«мини». — «Эй, кто-нибудь, скажите, чей это «Форд»? Льюису надо уехать пораньше, а он выбраться не может... А, Сэм, это не твой ли «Форд» в аллее? Нет? Но ведь не может же быть, чтобы это была *ничья* машина?» и т. д. И вся эта суета и мучения — результат первоначальной ошибки в проектировании. Поскольку дело касается пригорода, без машины здесь не обойтись. Приноравливаясь к тому, чтобы жить рядом с ней, мы должны и ей дать возможность жить вместе с нами. Она лучше ведет себя, когда к ней относятся внимательно, и, естественно, обижается, если ее нуждами пренебрегают. В домах будущего машина — важная персона, а гараж для нее не времянка, а заранее внесенное в план крытое помещение, где машина могла бы получить необходимый культурный отдых.

В классической книге Спикторского «Эксурбаниты» (экс-горожане) описано, с каким видом надо вести джип к пригородной станции, чтобы все думали, что в это время «Кадиллак» отвозит детей в школу. Автор этим обращает наше внимание на многомашинное семейство. Вторая машина — для жены — это только шаг на пути к третьей машине — для детей, а это уже приводит нас к проблеме, которая называется «Проблемой -надцатилетних». И проблема эта порождена не столько Психологией Подростков, сколько указанным феноменом многомашинничества. Родители скрепя сердце покупают машину № 3, потому что хотят свободно распоряжаться машинами № 1 и № 2. А как только покупка сделана, подростки начинают жить собственной жизнью. И в связи с этим возникают проблемы уже не психологические, а транспортные. Чтобы разобраться в этом, давайте проведем сравнение с обществом, в котором жили наши деды. Их мир прежде всего жил согласно моральным установкам среднего класса. При королеве Виктории и президенте Линкольне существовал длинный и все увеличиваю-

щийся список запрещенных действий, в особенности по субботам. День господень был расписан до мелочей, и в этом жестком расписании домашние молитвы и церковные службы сопровождались раз и навсегда установленными прогулками и церемониями. Цилиндры приподнимались в чинном приветствии, а церковные колокола призывали верующих к молитве. Обильная трапеза в полдень предвещала сонный послеобеденный покой, а вечером подавался только холодный ужин, что было вполне оправданно: надо было дать прислуге возможность посетить вечернюю службу в церкви. Вечер спускался на города и деревни, не подававшие признака жизни, и лишь изредка на безлюдных улицах раздавалось эхо чьих-то шагов. Тяжелые занавеси скрывали от чужого взора освещенные газовым светом комнаты. Все — то есть буквально *все* — было закрыто.

Больше всего от этого субботствования страдали дети. Мальчикам полагалось носить жесткие воротнички и парадные воскресные костюмы, девочкам — платья, превращенные крахмалом в сплошное шуршащее неудобство. А тут еще хлопотливые сборы в церковь, когда всем раздают молитвенники и деньги для пожертвований. Проповеди были длинные и преисполненные теологических премудростей, скамейки — твердые, а полы — холодные. Но религиозные обязанности на этом не кончались — воскресная школа занимала послеобеденное время, вклиниваясь между двумя церковными службами. Игры на улице были строго запрещены, да и все равно двигаться в воскресном платье было практически невозможно. Дома оставалось играть только в Ноев ковчег, а чтение должно было быть исключительно воспитательного назначения. Невесть откуда взявшиеся строжайшие правила обычно раздражают, но выходило, что следовать их букве гораздо легче, чем казалось. Запрещение массовых игр так и не распространилось — вопреки логи-

ке — на те развлечения, о которых викторианское богословие слыхом не слыхало, например на запуск авиамоделей. В обществе, которое не могло обойтись без лошади и экипажа — подчас это было необходимо даже для поездки в церковь, — велосипедный спорт тоже избежал запрета. Именно велосипед и расшатал основы Викторианской субботы. Потому что на велосипеде можно было уехать в другой приход и даже в соседнее графство, подальше от осуждающих взоров соседей и родных. Может, человек просто поехал в другую церковь. Но он мог с тем же успехом отправиться ловить бабочек или писать пейзажи акварелью. Конечно, порой его еще подстерегали враждебные взгляды из-за кружевных занавесок, но ведь все эти люди не знали, кто он такой и откуда взялся. Принеся с собой свободу анонимности, велосипед навсегда покончил с прежними моральными ценностями. Автомобиль только помог таким беглецам расширить свои возможности, предоставив им загорать, плавать или флиртовать на свободе. И еще в большей мере, чем велосипед, автомобиль предоставил женщинам такую же свободу. Что бы им ни вздумалось натворить, они могут творить что угодно и где угодно.

Проблема воспитания подростков неотделима от автомобиля. Если молодые люди стали вести себя неподобающим образом, то не потому, что они живут в Пейтон-плейс, а потому, что у них есть возможность оттуда удрать. Перепуганные родители пытаются противопоставить этим эскападам семейный уик-энд, выезжая с детьми купаться на берег ближайшего озера или моря. Но это действует только в том случае, если родители готовы участвовать во всех развлечениях подростков. Однако и эта жертва лишь ненадолго отодвигает те автоморальные проблемы, которые все равно и неизбежно придется решать. Даже если родители испытывают искреннюю радость от прогулки под парусом с собственными деть-

ми, очень скоро настанет час, когда дети предпочтут кататься на лодке самостоятельно. И такую возможность им дает третья машина, порождая бесконечные сложности, из-за которых современные романы так скучно читать. Мы еще вернемся к проблеме -надцатилетних в целом, но нельзя было не упомянуть о ней хотя бы мимоходом в связи с автомобильностью. Ближе к нашей теме, однако, автомоболи, которыми страдают люди среднего возраста. Образ хождения пешего, как способ перемещения в пространстве, сейчас настолько устарел, что считается (в лучшем случае) чудачеством. Ходить пешком по полю для гольфа — допустимо, по полю аэродрома — подчас необходимо, но в других ситуациях этот метод почти не применяется. Конечно, бывает и так, что машину приходится ставить дальше от места назначения, чем она была в момент отъезда. Подобные случаи, однако, довольно редки, и у нас вошло в обычай предпочитать езду ходьбе, так что нашему телу приходится приспосабливаться к этой автомоболезненной неподвижности.

Виды автомоболей наглядно представлены на рекламных страницах американских журналов. Прежде всего бросаются в глаза объявления, которые изображают автомобили как чудо из чудес. Сверкающие, безукоризненные, комфортабельные, роскошные и неимоверно дорогие машины стоят перед потрясающими особняками. Очарованные этим образчиком красивой жизни, мы переворачиваем страницу. Здесь нам преподносится еда в предельно реалистическом изображении, на какое могут отважиться только амсриканцы. Виргинский окорок, обложенный ломтями ананаса, сверкает всеми цветами техниколора; бифштекс, окруженный грибами, испускает парок. Сливочный крем горой громоздится на шоколадном торте. Это в свою очередь тоже покоряет нас, и мы понимаем, что достойны вкушать лишь самое лучшее. Изображенное на следующей странице бренди знаменитой

марки только подкрепляет эту мысль. Бутылка стоит среди старинного серебра и отражается в полированном красном дереве. Невольно поддаешься настроению, которое приходит в конце прекрасного обеда. Со счастливым вздохом мы обращаемся к следующей рекламе, которую поместило всемирно известное пароходное агентство. Она доводит до нашего сведения, что путешествие вокруг света можно организовать так, что Неаполь, Афины и Стамбул будут преподнесены вам, как на блюдечке. Не вставая со своего шезлонга и покидая палубу только для посещения ресторана, вы увидите все старинные руины, все знаменитые пейзажи, которые достойны созерцания. Если же вы все же решите ступить на берег, к вашим услугам «Кадиллак», который доставит вас обратно на корабль как раз к началу вечерних развлечений. Все это также производит на нас должное впечатление, и мы снова переворачиваем страницу. Вот тут-то нас и постигает удар, потому что перед нами предстают модели великолепных дорогих туалетов. В изысканной обстановке мы видим толпу сверхэлегантных людей — одежда на них сногсшибательная. Да, но, чтобы носить эти платья, чтобы щеголять в этих костюмах, все они довели свои фигуры до такой истонченности, за которой уже следует голодная смерть, они так недосягаемо стройны, что нам за ними никогда в жизни не угнаться. Никто из тех, кто восседал на мягких подушках *таких* автомобилей, поглощал *такие* обеды, пил *такое* бренди и совершал *такие* путешествия на пароходе, ни за что на свете не втиснется в эти туалеты! Вся серия реклам — это просто стремление к невозможному. Подавленные и удрученные, мы торопимся узнать, чем же все кончится. Перевернув еще страницу, мы обнаруживаем Курс скоростного похудения, или «Как вдоволь пить и есть, не прибавляя в весе». Это заведомая чепуха, но мы с облегчением отираем выступивший на лбу пот. Нам не дадут погибнуть! Мы можем

сохранить свой пирог и съесть его. Можно объедаться и валяться по диванам — и, несмотря ни на что, быть стройным как тростинка! Осчастливленные этой надеждой, мы переходим к последнему объявлению, перед самой последней страницей с содержанием номера. «Не грызет ли вас смертельная тревога?» — вопрошает заголовок. Что же, если подумаешь, то, конечно, грызет. Лекарства против тучности, возможно, очень хорошая штука, но вот как быть с побочными явлениями? Быть может, мы идем на ужасный риск? Не превратимся ли мы в законченных наркоманов? Нет, последнее объявление предлагает нам успокоительное лекарство, которое спасет нас, покончит с нашими тревогами и принесет нам мир и покой. Мы снова возвращаемся к сверкающей машине и вспоминаем, что наша собственная машина уже на два года устарела. Пора бы обменять ее и обзавестись автомобилем, который делал бы нам честь. Купить лимузин или машина с откидным верхом будет шикарнее?

Автомоболезненные симптомы — это не столько угроза нашему здоровью, сколько неотвратимая и постоянная угроза нашему карману — мы обречены на эти расходы, так как хорошо знаем, что иной образ жизни (в нашем обществе) немыслим. Более того, мы уже привыкли смотреть на автомобиль как на средство самовыражения, как на продолжение нашей личности. Для жены автомобиль № 2 — нечто гораздо большее, чем средство для поездки в школу или в магазин, точно так же, как шляпа, например, не просто приспособление для сохранения прически. Женщина выбирает машину так же тщательно, как свои наряды, принимая во внимание моду, стиль, цвет и форму. Машина — это одеяние, которое носят поверх ондатровой или норковой шубки, и она с большой тонкостью подчеркивает в поведении хозяина оттенки самоуверенности, неприступности или заносчивости. Ма-

шина № 1 занимает в семье место любовницы мужа, и ее холеная роскошь служит мерой его страсти. А автомобиль № 2 — мужчина, очередной чичисбей супруги. В этих случаях супружеская измена как-то более пристойна, и все приличия соблюдены. И если в самые первые годы брака автомобиль № 2 порой напоминает старого друга или отвергнутого жениха, то это лишь память о студенческих годах. Но автомобиль, приходящий на смену старому приятелю, ведет себя куда более решительно. Он выражает не только личные качества, но и оттенки настроения. Так, если в магазине запросили слишком дорого, автомобиль срывается с места, презрительно фыркая. Если ему случится обогнать машину светского соперника, он пролетает мимо с невозмутимым видом, словно знать не знает о существовании другой машины. Когда его задерживают за превышение скорости, он, подыгрывая своему хозяину, тоже напускает на себя вид святой невинности. «Помилуйте, при чем тут я?» — словно говорит он, широко раскрывая глаза и таким тоном, что можно подумать, будто он стоял как вкопанный или даже потихоньку катился назад.

И наконец, автомобиль представляет собой тему для разговора, по крайней мере для тех, кому не о чем говорить. Разговоры подобного рода, конечно, пошли от болтовни наших предков о лошадях и экипажах. В числе самых скучных и надоедливых приставал с большой дороги в литературе — дофин из пьесы Шекспира «Генрих V» (акт III, сцена VII).

Дофин

...Настоящий конь Персея. Он весь — воздух и огонь, а тяжелые стихии — земля и вода — проявляются в нем, лишь когда он терпеливо стоит, готовый принять в седло всадника. Да, это конь, а все остальные лошади перед ним — клячи.

Коннетабль

В самом деле, принц, это самый лучший, самый прекрасный конь в мире.

Дофин

Он король скакунов; его ржание звучит как приказ монарха, и его осанка внушает почтение.

Герцог Орлеанский

Довольно, кузен.

Дофин

...Однажды я написал в его честь сонет, который начинается так: «Природы чудо...»[1]

Шекспир сжалился над нами и избавил нас от конного сонета, но впоследствии нашлись певцы кареты и упряжки. Зная об этом, Джейн Остин создала придурковатого Джона Торпа, эпизодический, но запоминающийся персонаж в романе «Аббатство Нортэнгер».

«Что скажете о моей двуколке, мисс Морленд? — так он начинает разговор, чтобы спросить ее, сколько, по ее мнению, стоит его экипаж. — Как видите, подвеска на рессорах; сиденье, корпус, отделение для оружия, подножка, фонари, серебряные украшения — все до мелочей, все на месте; а какова кузнечная работа — все как новенькое, да нет, даже лучше...»

Незамедлительно сообщив, что все это обошлось ему в пятьдесят гиней, он явно ждет от нее подобающего случаю восклицания. Но Кэтрин обманывает его ожидания, так как понятия не имеет, дорого это или дешево.

[1] Перевод Е. Бируковой.

«Ни то ни другое», — заявляет он, добавляя: а) что он мог бы получить экипаж и дешевле, но скупость не в его характере и что б) он может хоть завтра продать его на десять гиней дороже. Этот человек — классический прототип автомучителя. Даже самый заурядный автомобиль можно таким образом превратить в орудие словесной пытки. Рассказом о том, как доехать до кингстонского объезда, минуя светофоры в Миддлкоме, можно довести собеседника до предсмертных конвульсий. Попадаются еще и владельцы автомобилей-ветеранов или машин иностранных марок с претенциозным названием вроде «Изотта-фраскини»; или, скажем, лимузина «Ламборгини-350», переделанного так, что он ни на какой другой не похож; или, наконец, «Мьюра» самого первого выпуска. Болтовня о своей лошади — это предвестие более современного трепа о лошадиных силах:

Дофин

...Я не променял бы своего коня ни на какое животное о четырех копытах. ...Когда я скачу на нем, я парю над землей; я сокол; он несется по воздуху; земля звенит, когда он заденет ее копытом. Самый скверный рог его копыт поспорит в гармонии со свирелью Гермеса[1].

Нетрудно это малость изменить: «Свою машину я не променяю ни на какую другую о четырех колесах. Когда я сижу за рулем, я парю; я сокол; она несется по воздуху; дорога поет под ее шинами, и гудок ее подобен органу!»

И в довершение всего появляется жрец, который говорит уже не об автомобиле, а о его внутренностях, о его мужских достоинствах и о его недомоганиях.

— «Пантера-Барракуда III» — классная телега, что и говорить. Со своим четырехлитровым высокооборотным дви-

[1] Перевод Е. Бируковой.

надцатицилиндровым V-образным двигателем и шестиступенчатой коробкой передач она легко дает сто шестьдесят пять миль. И на приеме кого хочешь сделает как стоячего. Только зачем, спрашивается, они зарезали свою же конструкцию этим дурацким расположением распредвала? Вы, должно быть, и сами заметили? Нет? Да ведь это же проще простого. В их первой модели 1965 года он начинал люфтить после пяти тысяч миль пробега. *Это-то* они доработали, добавив еще один опорный подшипник. Но они не предусмотрели, что в результате возникнет вибрация в дифференциале. Он вибрирует так сильно, что разбалтываются заклепки на роторе синхронпрерывателя. Они, ясное дело, медные, а поэтому подвержены усталостным деформациям. Если их заменить, дифференциал станет как новенький, и дело с концом, но двигатель расположен так, что до ротора не доберешься, пока не снимешь корпус распределителя. А для этого нужно раскидать чуть ли не весь мотор! И это еще не все. Вы, конечно, помните, что смещенный двигатель должен иметь опорные лапы. Ну, а на «П-Б III» они додумались до того, что приварили — а не приболтили — лапы к раме. Интересно, о чем они думали? В первой-то модели лапы крепились на болтах, а, применив сварку, они посчитали, что *модернизировали* конструкцию. Опорные подшипники выдерживают определенную нагрузку, а двенадцатицилиндровый двигатель — это вам не сигаретка. Пока еще ничего не случилось, но как знать, что может стрястись! Однажды у них сам двигатель начнет люфтить на лапах, но только мне это не грозит. Угадайте, что я сделал?

Представим себе, что это современный Джон Торп обращается к робкой девице лет восемнадцати, которая в жизни ни разу не осмелилась заглянуть под капот автомобиля. Она слишком хорошо воспитана, чтобы перебивать собеседника, и теперь, как она чувствует, пора попытаться показать, насколько ей все это интересно.

— Может быть, вы его приклеили «синдетиконом»?

— Ха-ха! Здорово сказано, Джейн. Нет, я заказал два стальных кронштейна и приболтил через них радиатор к раме — у меня-то движок не сорвется, будьте уверены! Вот и все — проще простого. Им бы ничего не стоило сделать это еще на заводе! Ну-ка, угадайте, сколько это стоило?

Хорошо бы в финале этой сцены заставить девушку со словами: «Миллион долларов!» оглушить его бронзовой статуэткой, изображающей Венеру Милосскую. Но она просто смиренно признается, что не знает.

— Четырнадцать долларов и пятьдесят центов!

Как и Кэтрин Морленд, она понятия не имеет, дорого это или дешево. Но она играет наверняка, восклицая:

— Не может быть! Подумать только!

— Клянусь — ни цента больше. Считайте, что я за эту цену получил новую машину. Конечно, на будущий год я ее обменяю и, пожалуй, достану «Пуму-косатку». Видали их новую модель, типа Ф?

Она никогда не слыхала про «Пуму-косатку» и уже не чает, как вырваться. Давайте же во имя милосердия дадим ей возможность спастись. На сцене появляется — надо надеяться — громогласный Автомобахвал, подслушавший последние слова:

— «Пума-косатка»? — взрывается он. — Да ни один нормальный человек не сядет на «П-К», даже и ты, Джордж! Брось ребячиться, приятель! Этот «тип Ф» так по-дурацки сляпан, что через год угодит на свалку. Слушай, Билл, вот тут Джордж собирается выбросить деньги — придумают тоже! — на «Пуму-косатку» типа Ф!

Пока мужчины толпятся вокруг, Джейн потихоньку исчезает. Ее бросает в дрожь, когда она представляет себе, что с ней стало бы, если бы она вышла замуж за Автомобахвала. Она совершенно правомерно решает, что такой удел был бы поистине хуже смерти.

У ДОМАШНЕГО ОЧАГА

Два фактора господствуют в области проектирования, строительства и оборудования дома. Первый — это то, что ни один человек на свете — ни один мужчина и ни одна женщина — не несет ответственности за окончательный результат. Когда хирург удаляет аппендикс, художник пишет картину, адвокат выигрывает или проигрывает дело, каждый из них отвечает лично за успех или неудачу. Но дом представляет собой результат соединенных усилий владельцев, архитекторов, инженеров, электриков и декораторов. Ни один человек не может единолично подписать законченное полотно. Работа по большей части производится компанией весьма пестрого состава, причем многие едва знакомы друг с другом или с хозяевами, а некоторые вообще не догадываются о существовании прочих участников. И вот возникает дом, в котором нам придется жить, и очаг, на котором кому-то из нас придется готовить. Поначалу может показаться, что та чудовищная отсталость, которую мы наблюдаем в квартирном строительстве, связана, хотя бы отчасти, с этой поголовной безответственностью. Более того, — и это горькая истина — почти все достижения в области дизайна сводятся на нет низким качеством производимых работ. Был в истории краткий и благодатный период (1890—1910), когда проекты двадцатого столетия осуществлялись рабочими конца девятнадцатого века. Но подобные «марочные» дома попадаются редко, и нам с вами остается выбирать жилище или добротно построенное, но дурно спланированное, или слепленное как попало по сверхсовременному проекту.

Второй господствующий фактор — то, что мужчины создавали для женщин такое оборудование, к которому сами они — мужчины — впоследствии не будут иметь никакого

касательства. Все новейшие достижения в этой области появились только потому, что мужчин заставили — едва ли не впервые в истории — пользоваться теми хозяйственными приспособлениями, которые они сами изобрели. Мужчины занимались уходом за садом и тогда, когда они еще не переступали порога кухни, — так возникла машинка для стрижки газона, а в наше время — моторная косилка, или автокосилка. Стоило только попросить мужчин помочь вымыть посуду — и тут же появилась автоматическая посудомойка. У женщин не хватало воображения, чтобы изобрести для себя такие механизмы. А ленивые и вследствие этого более хитроумные мужчины выдавали очередную машинку, как только возникала угроза, что их попросят помочь. Женщины с течением времени стали все более воинственно настаивать на своих правах, отчего мужчины стали все более неохотно помогать им. И как знать, быть может, механизация домашних дел двигалась бы вперед гораздо быстрее, если бы женщины не напускали на себя такой независимый вид. Вряд ли им было бы намного хуже, если бы они казались немного более беспомощными. В современной обстановке женщинам приходится довольствоваться электроприборами вместо кухарок и горничных. В комфортабельном доме число электрических моторов и моторчиков может доходить до тридцати, и тут само собой напрашивается разумное решение — собрать весь этот инвентарь и построить дом вокруг него. Но на практике дом строится в первую очередь, а потом его до отказа набивают всей этой механизацией — пылесос заталкивают в шкафчик для обуви, кондиционер вывешивают за окно, а телевизионную антенну пристраивают к трубе, которая ни на что другое не пригодна.

Итак, принимая во внимание эти два фактора, приступим к обследованию обычного жилого дома людей среднего достатка — начиная от входной двери и кончая чердаком. Если мы открываем входную дверь зимой, через весь дом

проносится порыв ледяного ветра, потому что помешать этому могла бы только вторая дверь, а ее-то как раз и нет. Таким образом, мы сразу же оказываемся в передней, где совершенно некуда девать пальто. Правда, иногда на стене попадаются крючки, но такие громоздкие вещи, как гардероб, вешалка для шляп или кушетка, пока что не находят себе замены. Поэтому в передней, где и без того тесно, буквально негде повернуться, и мы сразу же отмечаем, что детскую коляску сюда уж никак не впихнешь. Коляска есть, она существует не первый год и непременно вновь понадобится, но ни один архитектор или строитель о ней даже не слыхал. И вот она загораживает кухонную дверь или помещается в гараже, где из-за нее невозможно открыть дверцу машины. А дверца с другой стороны машины так же надежно блокирована детскими велосипедами. Да, надо быть полоумным, чтобы придумать в машине двери, открывающиеся наружу! Однако есть еще на свете полоумные, есть и двухколесные и трехколесные велосипеды, которые постоянно попадаются под ноги. Попутно заметим, что номер или название дома тщательно замаскированы — особенно по ночам, а почтовый ящик определенно мал для журналов и газет, которые предполагается выписывать. Может статься, в передней окажется специальное углубление, в котором помещается коврик для ног, а может, и нет — тогда мы непременно об него споткнемся; и лампочку над крыльцом тоже то ли повесят, то ли нет.

Налево или направо от входа расположена гостиная, где сразу же бросается в глаза камин — часто устрашающего вида, — служащий архитектурным оформлением для электрического или газового обогревателя. Мы сразу понимаем, что это символ давно ушедшего образа жизни. Вся жизнь дома в зимнее время проходила у камина, в котором пылали поленья или брикеты торфа, — здесь было средоточие тепла, света, мирных бесед. Дедушки и бабушки могли устроиться в

уголках за выступами, родители — по обе стороны камина, дети и собаки — напротив, дальних родственников можно было посадить подальше, а самых дальних — и вовсе далеко. Готовясь проявить свою власть или обнаружить свою мудрость, Отец семейства должен был встать спиной к каминной решетке, заложив руки под фалды своего сюртука. Только в такой позиции он мог лишить наследства сына-расточителя или выгнать из дому позабывшую о добродетели дочь. В прежних семейных традициях всегда был определенный жизненный центр, власть и старшинство были точно распределены и каждый знал свое место (буквально). Эта традиция сохранялась в Англии и США (где уголь обходится дешево) дольше, чем в Европе, где население издавна предпочитало закрытые печи. Каждый год английские фирмы безуспешно предлагают для продажи в Европе электрические печки, в которых мелькающие красные отсветы создают поддельные эффекты огня в камине; эти вещи хорошо раскупают в Англии, но они никого не трогают в странах, где живой огонь знали только в Средние века. Но конец открытому огню в Англии и США положила не страсть к центральному отоплению, а отсутствие домашней прислуги. Пока находились люди, готовые таскать тяжелые ведра с углем из погреба к камину, находились и те, кто готов был им за это платить. Но таскать уголь вверх на три лестничных пролета оказалось тяжеленько, когда нельзя было это сделать чужими руками. Теперь у всех у нас центральное отопление и камин уже никому не нужен. Но все же он часто остается в доме — бездействующий реликт прежних времен.

Современная гостиная перестала быть пространством вокруг камина. Она превратилась в крохотный театрик, центром которого стал телевизор. Стулья расставляются, как в кино, и их убирают только к приходу гостей, а верхний свет заменяют несколько торшеров — на случай, если какой-нибудь чудак захочет почитать. Но архитектура остается равно-

душной к печальным фактам нашей жизни. Едва ли где-нибудь найдешь альков, в который можно поместить мерцающий экран. Телевизор, как и радиоприемник, остается излишеством, помехой в жизни семьи, которая по-прежнему (теоретически) собирается вокруг камина. Нет ни одного плана гостиной, где бы телевизор (или хотя бы экран) по праву занимал место, которое в прежние времена принадлежало камину. Отметив это, оглянемся вокруг и посмотрим, как наша реальная жизнь отражается (или не отражается) на обстановке. Мы обнаружим, что на стенах нет планки для картин — декораторы Викторианской эпохи предполагали (и совершенно справедливо), что на стены понадобится что-нибудь вешать. Потребности наши с тех пор не изменились, только теперь приходится сверлить штукатурку и бетон дрелью, а потом забивать деревянные клинья, уродуя стены и предвкушая возможные острые ощущения, если сверло наткнется на скрытую электропроводку. И ни один строитель никогда не попытался преодолеть это неудобство простым способом: берется деревянная планка и заделывается заподлицо с поверхностью стены на определенном расстоянии от потолка. В план комнаты также не входят и карнизы для штор, которые неизбежно приходится пристраивать потом — а значит, опять что-то прибивать, приколачивать, сверлить, опять разводить беспорядок и грязь. Но если архитектор упустил из виду подвеску портьер, то электрик, наоборот, *предусмотрел* необходимость торшеров, пылесосов и телевизоров, но в последний момент все испортил, расположив многочисленные и неописуемо разнокалиберные розетки на уровне пола, где их легче всего повредить. Подобные недостатки встретятся нам и во всех остальных комнатах, но мы больше не будем о них говорить.

Столовая, или помещение, где обедают, обычно примыкает к кухне. Часто в общей стенке имеется окошечко для подачи блюд; приспособление весьма полезное, если, как

полагалось в Эдвардианскую эпоху, по ту сторону суетится домашняя прислуга. Там, где хозяйке приходится рассчитывать только на собственные силы, ей гораздо больше пригодилась бы дверь — а так приходится каждый раз идти в обход через переднюю. Все это заставляет ее пользоваться столиком на колесах — так хоть одна рука свободна и можно открывать и закрывать бесконечные двери. Столик верой и правдой служит хозяйке, но вот куда его девать, когда он не нужен? Он стоит где-нибудь на кухне и мешает открывать дверцу шкафа или оказывается в таком месте, где все об него спотыкаются. Если же вместо окошечка все же проделана дверь, а в руках у вас поднос, открывать ее приходится задом, и нет никакой возможности скрыть от глаз гостей кухонный беспорядок. В столовой необходимо иметь место для скатертей, салфеток, вин, пробочников, пепельниц, свечей и столовой посуды. Такое хранилище отсутствует, и по необходимости, которую архитектору следовало бы учесть, в комнате появляется громоздкий сервант. Он нарушает пропорции комнаты, каковы бы они ни были, и мешает двигаться вокруг стола. Общая площадь пола за вычетом места, занимаемого сервантом, дает нам представление о форме и размерах стола. Стол может быть длинный, круглый или овальный — только не квадратный! — а вокруг него размещаются шесть или двенадцать стульев. В идеальной столовой (это — полная противоположность типичной столовой) план составлен заранее с учетом определенного количества стульев.

Но вот мы подходим к самой важной проблеме: к домашнему очагу. Кухня — это рабочее место домашней хозяйки, место, где она может в полной мере проявить и богатство воображения, и хозяйственную расчетливость, все свое умение и искусство. Это — поле сражения, на котором она должна одержать победу или потерпеть поражение. Давайте представим себе, что мы вошли как раз в тот момент, когда хозяйка, нагруженная сумками, вернулась из магазина. Она входит

через заднюю дверь, и мы тут же замечаем первый недостаток планировки кухни. Ведь наш век отмечен одной особенностью — изобилием оберточной бумаги. Во имя гигиены и прибылей бумажных фабрик все на свете — начиная с хлеба (питательность которого равна нулю) до яиц (отложенных давным-давно узницами птицеферм) — непременно должно быть упаковано в картон или бумагу, в целлофан или фольгу. За день накапливается такая куча бумаги, что смотреть страшно. Но оказывается, что никто даже не задумался, куда все это девать. Затолкав бумагу в мешок, подвешенный за дверью, а покупки — в холодильник или в шкаф, хозяйка поворачивается к тому, что служит средоточием ее существования: это Раковина... Полвека назад раковина представляла собой продолговатое корыто из желтоватой обливной глины, помещенное под краном достаточно низко, чтобы можно было набрать воды в ведро. Бока раковины были в желобках — теперь их можно увидеть на тех белых тарелках, которые экспортируют только в Канаду, — и в ней имелся сток и затычка. Когда надо было мыть посуду, первым делом ставили чайник, а потом наливали кипяток пополам с холодной водой в облупленный эмалированный таз, поставленный в раковину. Но давно миновали те дни, и Победный Марш Прогресса успел принести второй кран — из него идет горячая вода — и совершенно изменить вид и форму раковины. Сначала она стала белее и глубже, затем засияла нержавеющей сталью, неровные деревянные доски для мокрой посуды превратились в блестящий металл или яркую пластмассу, а на смену старым деревянным сушилкам пришли новые — из металла и пластика. Но вот что удивительно — старинный тазик (теперь тоже пластмассовый) остался в неприкосновенности; маленький тазик, помещенный в большую раковину. Непонятно, *зачем?* Почему бы прежде всего не сделать саму раковину нужных размеров? Быть может, люди сотню лет ломали головы, пока не изобрели двойную раковину, —

и каждая половинка достаточно мала, чтобы, собираясь мыть посуду, налить воду прямо туда. Но двойные раковины в домах до сих пор исключение, а пластмассовые тазики — повсеместное явление. Но и в двойной раковине кое-чего не хватает — хозяйке приходится, как и раньше, вставлять конический продырявленный ковшик, чтобы сбрасывать туда остатки с тарелок и заварку из чайника. А иначе сток может засориться — проектировщик раковины должен был бы об этом догадываться. Но почему никто не постарался сделать раковину законченной, чтобы она не нуждалась в разных пластмассовых аварийных приспособлениях? Почему бы не предусмотреть необходимую сетку уже при проектировании раковины? Правда, сейчас появилась в продаже сеточка для помоев, но как долго она пробивала себе путь! За всю историю домашнего хозяйства редко приходилось встречать подобное пренебрежение к вещи, которая так нужна многим людям и отнимает у них так много времени.

Отвернувшись от раковины и осмотревшись вокруг, нельзя не согласиться, что викторианская кухня, снабженная моечной, кладовкой и ледником, плитой и котлом для воды, стенными шкафами и угольным погребом, по крайней мере вполне отвечала своему назначению. А в этой современной кухне все наоборот: плита и кипятильник, холодильник и машина для мойки посуды — все это собрано с бору по сосенке и втиснуто в помещение, которое никогда не имело определенного плана. Необходимость всего этого инвентаря еще можно было предвидеть, но форму и размер предметов предугадать было решительно невозможно: все постоянно менялось. Так что кухня не только не спланирована заранее — она всегда обставлена как попало, и в ней царит вечный беспорядок. Кухонные шкафчики в ней есть, но по вместимости они ни в какое сравнение не идут с кладовками, которыми пользовались наши родители. Холодильник — необходимая вещь, но в него уместится только ничтожная доля

тех продуктов, которые хранились бы в леднике, если бы таковой здесь был. Для пылесоса и гладильной доски места не полагается, а о том, как избавиться от жары и кухонного чада, если понадобится, никто даже и не задумывался. Давайте смотреть правде в глаза: кухня находится в состоянии первозданного хаоса, а если где-нибудь в уголке еще приходится завтракать, то дело совсем плохо. Если же есть еще третья комната, которую называют то маленькой столовой, то кабинетом, она обычно оказывается самой жаркой или самой холодной во всем доме и почти все время пустует — разве что кто-нибудь сбежит туда от телевизора. В Америке ниже первого этажа часто строят подвал, где, кроме отопительного котла, есть еще мастерская и комната для игр — в первой развлекаются мужчины, во второй играют дети. В Англии чаще всего нет ни того ни другого, так что инструменты и игрушки разбросаны по всему дому. Во всем, что касается комнат для игр, США до сих пор держат первое место в мире.

Главная проблема в комнатах первого этажа — поддержание порядка. Совершенно очевидно, что неаккуратность сводит на нет все труды декораторов, все усилия, затраченные на выбор обоев или материи для занавесок, — гость все равно увидит беспорядок, и только. Некоторые викторианцы, более стесненные в средствах, выходили из положения — у них была специальная гостиная, порог которой переступали только в особо торжественных случаях — например, если дом осчастливил посещением сам викарий. Гостиная всегда содержалась в отменном порядке, по всем правилам, но это холодное святилище отнимало у людей необходимое место, уменьшая полезную жилую площадь и без того тесного домика. Подобных ошибок мы больше не повторяем, но зато и расплачиваемся: кухонный беспорядок расползается по всем смежным комнатам. В одном и том же месте приходится и работать и болтать, принимать гостей и писать письма, делать уроки и развлекаться, играть на рояле

и устраивать шахматные турниры. Все это сливается в непрерывный процесс, и при каждой перемене рода занятий мусор и беспорядок от прежней деятельности остается в наследство приходящим. Многие так и живут в обстановке неистребимого хаоса, теряя уйму времени на розыски ножниц или поваренной книги, карандаша или веревочки. В доме у них, как в рундуке у боцмана, все под рукой и ничего не найдешь.

Да, Большая энциклопедия аккуратности когда-нибудь непременно будет написана. В нее войдут статьи о теории и практике, примечания, библиография, приложения и алфавитный указатель. Там будет объяснено, со ссылками на исторические примеры, что поддерживать порядок намного легче, когда хватает места, когда есть чердаки и стенные шкафы, пристройки и подвалы. Анализом конкретных ситуаций и материалом серьезнейших интервью будет доказано, что самые квалифицированные рабочие даже не приступали к работе, не подметя пол вокруг рабочего места и не разложив весь свой инструмент в привычном порядке. Конечно, можно возразить, что самый безукоризненный порядок возникает как раз в ограниченном пространстве. Когда доведется жить в палатке или в кубрике, приходится в буквальном смысле слова наводить корабельный порядок. И что бы ни понадобилось — от винтика до винтовки, — все находишь в кромешной тьме за секунду-другую. Это наталкивает на мысль, что аккуратность — непременная спутница деловитости и расторопности. Но так ли это? Некоторые роды деятельности связаны с постоянной горячкой и неразберихой. За кулисами театра и в павильонах телестудии всегда творится бог знает что. Надо еще учесть, что у английского столяра или ученого-экспериментатора нет ничего общего, скажем, с китайским резчиком по дереву. Китаец вырезает самые прихотливые фигурки прямо на шумных улицах, где толкутся разносчики с лотками, детвора, домашняя птица и

собаки. И кантонская джонка, ни в какой мере не подражающая блеску английского линкора, тем не менее дает своим хозяевам заработок и благополучно пристает к берегу. Дело в том, что аккуратность сама по себе практически не так уж необходима, она просто доставляет эстетическое и психологическое удовлетворение.

Что значит аккуратность? Это значит, что все вещи не мозолят глаза и в то же время находятся под рукой. Это значит, что у каждой вещи есть свое место и каждая использованная вещь водворяется на место естественным порядком, а не в результате внезапных авралов. Но порядок зависит от наличия ящиков, шкафов и других подсобных помещений, а если их нет, то многие вещи буквально не находят себе места. Не только детская коляска и столик на колесах, но и чемоданы и клюшки для гольфа могут оказаться бесприютными скитальцами. Та же судьба может постигнуть складные стулья и большие пластмассовые игрушки. А поскольку места у них все равно нет, совершенно бессмысленно требовать, чтобы их убрали на место. Архитектор, так сильно урезавший подсобные помещения, может оправдаться тем, что ему удалось выгадать несколько лишних метров для гостиной. Но какая же от этого польза, если половина жилой комнаты превращается в кладовку? Эстетическое впечатление, которое на нас производит дом, зависит от порядка не меньше, чем от красоты; а порядок в свою очередь зависит от площади подсобных помещений. Может быть, и правда, что ни в одном доме нет лишних шкафов, но некоторые дома практически их лишены. В подобных домах у нас есть только один выбор: вечный беспорядок или беспощадное истребление. Однако я не хочу сказать, что площадь стенных шкафов сама по себе обеспечивает порядок. Некоторые люди, судя по всему, живут гораздо счастливее среди полного хаоса. Кроме того, возникает вопрос о порядке в самих шкафах. Если все

рассовали по разным углам, это еще не значит, что нужную вещь можно будет найти.

Но теперь нам пора подняться наверх — разумеется, если можно. Современное жилище, собственно говоря, часто целиком помещается на одном этаже; видимо, это естественная реакция на недостаток подходящих участков. Предстоит еще оценить, какое влияние это может оказать на психику детей. Может быть, и вправду в доме без лестницы вырастут люди без честолюбия? Может быть, правы и те, кто утверждает, что из-за отсутствия перил, по которым можно скатываться, молодежь потеряет смелость. Но, бесспорно, первое в жизни восхождение по лестнице для многих малышей — огромная победа. Несомненно, именно по этой причине двухэтажные дома до сих пор — скорее правило, чем исключение. А средоточием второго этажа в Англии является единственная ванная комната и (возможно) отдельный туалет. Есть страны, где своя ванная комната имеется при каждой спальне, но Англия, увы, к их числу не принадлежит. Несмотря на то, что мы живем в грязнейшей в мире стране, мы вполне мирно дожидаемся своей очереди помыться. И когда наша очередь наконец подходит, мы обнаруживаем ванну — некий сантехублюдок, который принял, судя по всему, неизменную, раз и навсегда застывшую форму. В Америке ванны встречаются чаще, чем в Англии, но здесь выигрыш в частоте снимается из-за потери в размерах. Американская ванна создана на основе какой-то пуританской традиции, потому что в ней можно сидеть, но лежать невозможно. Чистоплотность — вовсе не оправдание для излишней роскоши! Но с самого начала века цивилизации создатель английских и американских ванн оставался в полном неведении относительно существования мыла. По его понятиям, хватит с нас ванны, слыханное ли дело, чтобы люди требовали еще и мыло! Но тем не менее мыло нам понадобилось, и это породило огромное разнообразие мыльниц и по-

лочек для губок, которые пристраиваются к ванне более или менее изобретательно и ловко. Однако все эти сооружения часто никуда не годились. Понадобились буквально усилия целых поколений, чтобы создать ванны, которые рассчитаны на применение мыла. Но в области душа до сих пор уйма неразрешенных проблем. Краны, как правило, расположены так, что регулировать температуру воды может только тот, кто уже стоит под душем, и ему приходится служить морской свинкой в собственных экспериментах. А если из душа хлещет крутой кипяток, то вы даже и закрутить эту штуку не сможете. Правда, американцы изобрели стеклянные загородки вокруг душа, которые по крайней мере предотвращают потоп в ванной. Но шкафчик с зеркалом, где мы держим шампуни и крем для бритья, и по сю пору торчит на стене, прикрученный болтами. Кажется, можно было предвидеть, что такой шкафчик понадобится, но мало кто догадывается встроить его в стену.

Пора, однако, немного отвлечься и поговорить об электропроводке. В США нам особенно часто приходится слышать об оголтелом индивидуализме, а встречать мирную покладистость. Однако оголтелые индивидуалисты существуют и там и у нас. Я ничуть не сомневаюсь, что все они, за малым исключением, электрики. Самые новомодные картины или песенки часто не отличишь друг от друга, но каждый электрический выключатель — это единственное в своем роде произведение искусства. Давайте представим себе для наглядности, что гость из Европы отправился вечером в свою спальню в гостеприимном американском доме. Пожелав доброй ночи хозяину, который идет прогулять собачку, гость без всяких затруднений находит свою комнату, напевая — а почему бы и нет? — веселенький мотивчик. Так как в комнате темно, он пытается нащупать выключатель, ожидая найти его возле двери, примерно на высоте плеча и с той стороны, где дверь открывается. Но никакого выключателя обнару-

жить не удается — ни на ощупь, ни при свете из коридора. Гость понемногу продвигается в комнату, но тут дверь вдруг сама собой захлопывается, и он оказывается в непроглядном мраке. В ужасе он забывает о выключателе и панически шарит вокруг в поисках двери. На этот раз он ухитряется оставить дверь слегка приоткрытой и отправляется на разведку в другую сторону. Выключателя нет и здесь, но зато он внезапно натыкается на что-то вроде старинной китайской вазы и судорожно сжимает в объятиях холодный фарфор, который щекочет его шею какой-то слишком шелковистой бахромкой. Эта штука оказывается торшером, и ей бы полагалось иметь выключатель возле лампочки, но там даже ухватиться не за что. Поиски продолжаются под аккомпанемент толчков и ударов, которые на минуту прерываются, потому что путешественник наткнулся на спинку кровати. Тут его осеняет мысль, что над изголовьем должна быть лампочка для чтения. Лампочка-то есть, только без выключателя... Гость решает начать все сызнова, но на этот раз он проникает в ванную комнату, где, конечно, еще темнее, но зато не так много вещей попадается под ноги. Так как зеркало в ванной комнате уж непременно должно быть освещено, надо набраться терпения, и все будет в порядке. Методическое прощупывание обнаруживает в ванной комнате все, что положено, и еще некоторые предметы роскоши, которые нам и не снились, — словом, все, кроме выключателя. Усевшись на край ванны, гость на ощупь изучает весьма интересную серию кранов и рычагов. Вот один как будто не такой, как другие — может быть, это и есть выключатель? От легкого прикосновения к этому рычагу на гостя мгновенно низвергается настоящий тропический ливень. Сбросив промокший пиджак и отжимая волосы, перепуганный гость звонит, как ему кажется, в звонок для прислуги. Комната в тот же миг озаряется лампой дневного света, помещенной над зеркалом.

Ободренный успехом, при свете, струящемся из ванной комнаты, гость возвращается в спальню, и душа его (более или менее) поет. И он не обманулся в своих ожиданиях. Исследуя полуосвещенную комнату, он обнаруживает то, что не заметил раньше, — гибкий шнур, свисающий с потолка как раз над центром кровати. Теперь видны и две настольные лампы, а напротив каждой из них, в плинтусе, — маленькие кнопки, которые надо нажать — и все дела. Одна лампа загорается сразу, а вторая — только после того, как гость повертел абажур. Еще одна кнопка включает радио, которое любезно передает легкую музыку. Выключатель под туалетным столиком запускает кондиционер, и жить становится веселее. Однако еще остается шнур с кнопкой, болтающийся над кроватью, и гость решает проверить, к чему он тут. Легкий нажим на кнопку — раздается негромкий щелчок, и все лампы, даже в ванной, гаснут. Гость впопыхах нажимает еще раз — никакого эффекта. Единственное, что осталось, — это радио, и оттуда доносится женский голос, переполненный сочувствием. «Вы выходите из себя, когда что-то не клеится? Да? Признайтесь! Это значит, что у вас пошаливает печень. Вот что вам нужно — ложечка Болванала. Его можно достать в любой аптеке...» Может, от печени оно и помогает (думает гость), но как же быть со светом?

Печально, но факт — наше электрооборудование порождено самым оголтелым индивидуализмом: приборы рассчитаны на разнообразнейшие напряжения, розетки рассованы куда попало, но самое сногсшибательное — это выключатели. Выключатели щелкают вверх, вниз, вкривь, вкось, их надо нажимать или дергать — каждый производственник старается блеснуть оригинальностью в той области, где нам больше всего нужна стандартизация. Как бы ни открывались двери в автомобиле, это само по себе неважно — главное, чтобы все открывались одинаково. Но погоня за оригинальностью в конце концов оставляет впечатление полной без-

дарности. Видит бог, дорога прогресса широка, но только не надо ее использовать для выкрутасов и вариаций там, где это совсем ни к чему. И в этих джунглях новинок страшнее электрика зверя нет. Ненавидя однообразие, он заставляет нас вести беспрерывную борьбу с незнакомыми устройствами. То, что вызывает лишь легкую досаду, когда у нас вдоволь времени и терпения, может вывести из себя, когда дорога каждая секунда. Порой мы можем себе позволить на досуге полюбоваться изобретательностью мастера, но гораздо чаще нам просто-напросто нужен *свет*. Мы питаем робкую надежду, что электрики будущего будут меньше поддаваться вдохновенным наитиям и больше считаться с общепринятыми стандартами. Точное расположение выключателя не так уж важно — важно, чтобы мы заранее знали, где его искать... Фантазия — качество очень нужное во многих областях человеческой деятельности, и даже в отделке интерьера, но она совершенно ни к чему при проводке электричества. Пусть фантастические световые эффекты используют в танцевальном зале — нам нужны лампы, которые работают.

А теперь перейдем к спальням — обычно они планируются, по крайней мере в Англии, просто как комнаты на втором этаже, которые можно свободно использовать по любому назначению. В таких случаях главным предметом обстановки, кроме кроватей, оказывается массивный гардероб, как правило чересчур громоздкий для того, чтобы таскать его по лестницам. В редчайших случаях гардероб оказывается встроенным в стенку; а ведь тот, кто строил дом, не мог не знать, что одежду и обувь придется куда-то убирать. Можно было додуматься заблаговременно, что без туалетного столика и зеркала не обойтись. Тем не менее эти предметы все еще считаются мебелью, и их приходится перевозить из дома в дом, не щадя затрат. Те ухищрения, к которым приходится прибегать, проталкивая тяжеловесные шкафы красного дерева в открытые окна, возможно, и выгодны для грузчиков,

но никаких других достоинств эта процедура не имеет. Не лучше ли спальню проектировать как спальню и чтобы в комнате для гостей было куда убрать чемоданы, а в детской — игрушки. Если за недостатком ванн понадобится умывальник, то не стоит, спохватившись, пристраивать его на самом виду — он должен быть заранее внесен в план комнаты, и лучше, если он не бросается в глаза, когда им не пользуются. Иногда понадобится убрать из комнаты вторую кровать, но куда же ее денешь? Придумать место для лишних кроватей — вполне в человеческих силах, но почему это делают так редко? Шкафы для белья, кладовки для одеял и полотенец — это вещи в быту необходимые, и порой об этом все-таки вспоминают, а вот о помещении для чемоданов забывают всегда, хотя для него легко нашлось бы место. После тщательного осмотра мы убеждаемся, что второй этаж устроен так же бестолково, как и первый. Все разбросано в полном беспорядке, планировка не продумана, а о назначении комнат как будто никто и ведать не ведал.

Тут нам могут возразить, что все указанные недостатки связаны с дороговизной. От каждого недочета можно избавиться, но это влетит в копеечку, да еще уйма времени пойдет на проект, планы и отделочные работы. А это как раз и напоминает нам о первоначальных принципах, потому что цена — и без того несообразная — зависит от тех двух факторов, которые мы упомянули в самом начале. Ни один мужчина не несет ответственности за здание в целом, и ни одну женщину не спросили, удобно ли ей будет хозяйничать. Мы до сих пор сначала строим дом, а потом набиваем его предметами. Нам не приходит в голову собрать все оборудование и построить дом вокруг него. А если бы мы до этого додумались, всю работу мог бы сделать один инженер. В жилищном строительстве давно пора обходиться без архитектора, подрядчика, электрика и слесаря. Мы больше не можем позволить себе такую средневековую роскошь, как каменщик и

штукатур. Квартира должна быть блоком, запущенным в массовое производство, как домики-прицепы или жилые вагончики. Нужно добиться того, чтобы жилище можно было перебросить из одного района в другой, увеличить или уменьшить его размеры, сменить любую отслужившую деталь за несколько минут и собрать всю постройку за несколько часов. Производство таких жилищ совсем несложно, и они не в пример лучше и дешевле тех квартир, в которых мы живем. Заметьте, общий проект такого жилья можно было бы поручить самому гениальному архитектору, затратить на это годы научной и исследовательской работы. Этот проект можно обдумать настолько тщательно и всесторонне, что с ним не сравнится ни один из прежних домов. Некоторые люди восстанут против стандартизации, боясь, как бы она не лишила их индивидуальности! Но ведь теперешние дома и так похожи на массовую продукцию, только лишены всех ее преимуществ. Подумайте и о том, что все ковры и занавески могут быть рассчитаны на точно известные размеры — какая экономия при ремонте и покупках! Идея стандартизации не так уж нова — это всего-навсего японская традиция многовековой давности. Но именно она дает нам возможность разрешить жилищную проблему. Рано или поздно, но необходимо хоть волоком втащить в XX век наше жилищное строительство, как бы оно ни отбрыкивалось. Только вот удастся ли с этим управиться вовремя — ведь XX век вот-вот подойдет к концу.

Быть может, нам захотят напомнить, что после главы о доме должна следовать глава, посвященная саду. У нас такой главы не будет — разумный человек предпочтет обойтись без сада. О садоводстве он узнает — во всяком случае, в Англии — из телепередач и придет к выводу, что это дело лучше предоставить другим. А для тех, кто еще не умудрен опытом, полезно будет познакомиться с содержанием подобных передач. Каждая передача начинается с того, что камеру наво-

дят на Любителя Свежего Воздуха в твидовом костюме, который раскуривает трубку на фоне безукоризненных грядок с цветной капустой и салатом.

— Добрый вечер, — говорит он самодовольным голосом. — Вы помните, конечно, что я говорил на прошлой неделе о борьбе с Сорняками. Вы видели, как я пропалывал междурядья, видели, как надо сажать рассаду, — *вдоволь* компоста и *вдоволь* удобрений. Сегодня я приглашаю вас оценить плоды моих трудов, а также посмотреть результат обрезки фруктовых деревьев. Вы убедитесь, как мы были предусмотрительны, заготавливая компост еще с прошлого года. Да, у меня сегодня гость, мистер Герберт Плодожоркинс, занимавший в прошлом году пост председателя в Черноземском сельскохозяйственном обществе, автор широко известного руководства «Насекомые-вредители». (Появляется второй Любитель Свежего Воздуха, они здороваются и начинают обходить огород. Камера панорамирует за ними.)

— Великолепная фасоль, Франк. Должно быть, ты производил глубокое рыхление и обильно поливал ее в сухое время года.

— Да, Герберт, я ежедневно поливал ее в течение трех недель, и она нисколько не пострадала.

— А с рассадой брюссельской капусты никаких неприятностей, Франк?

— В этом году все в порядке. В прошлом году не ладилось, да и в позапрошлом тоже, но этой осенью я опрыскал все, до последнего листика. Надеюсь, и ты опрыскал свою рассаду?

— Нет. Я всю ее вырвал и посадил другую, которую насекомые не трогают.

— Да, Герберт, надо бы и мне сделать то же самое. Жаль, жаль! Как видишь, мы подошли к фруктовым деревьям. Мне хотелось бы с тобой посоветоваться насчет обрезки. Тебе не кажется, что я перестарался?

— По-моему, нет. Я обычно подстригаю немного — то тут, то там и, пожалуй, *вот здесь*. Лишнее отхватить — дереву повредить.

— А как ты опрыскиваешь, Герберт?

— Чем чаще, тем лучше. Я обычно стараюсь опрыскивать не только крону, но и ствол, при этом раствор беру несколько крепче, чем указано на этикетке... — И т. д. и т. п.

Считается, что английские телезрители должны смотреть такие передачи часами. Глубокий смысл преподаваемых советов заключается в том, что *сейчас* уже ничего сделать нельзя. Надо было проделать все это в феврале прошлого года, но успех обеспечен только в том случае, если еще что-то проделано в позапрошлом году, в апреле. Так что любовь к подобным передачам — мера чистого энтузиазма. Тот, кто их смотрит, воистину привязан к земле.

Для пользы дела будем считать, что читатель довольствуется небольшим газончиком, траву на котором летом раз в неделю подстригает приходящий садовник. Если вы хотите узнать больше, возьмите какую-нибудь другую книгу. Заодно можете в корне пересмотреть свой теперешний образ жизни: дом и семья — предостаточная нагрузка на одного мужчину. Если вы хотите еще и сады разводить, значит, вы сами роете себе яму.

ДЕТИ

В прежние времена женатый человек почти неизбежно обзаводился семейством и только высокая детская смертность предотвращала угрозу перенаселения. В примитивном обществе детей рассматривали как разновидность социального страхования — предполагалось, что они вырастут и бу-

дут покоить своих родителей в старости. В наше время людям предоставлен более свободный выбор, и многие предпочитают на несколько лет отложить появление потомства, а то и вовсе не заводить детей. Когда женщина допускает беременность, это значит, что родители совместно приняли решение, и в этом ясно выражено их желание иметь потомство. Такое решение обзавестись семьей супружеская пара принимает, исходя из двух возможных побуждений. Жена знает, что ей, как женщине, дано испытать два значительных переживания: замужество и рождение детей. Если она пережила и то, и другое, она сравнялась в этом отношении с любой другой женщиной, если же чего-то не хватает, она может почувствовать себя обделенной, а если у нее не было ни мужа, ни детей, то и совсем обездоленной. Муж со своей стороны должен сочувствовать жене, которая ищет полного удовлетворения, — отчасти потому, что он ее любит, а отчасти и потому, что ему совершенно ясно — если она будет разобижена, вся семейная жизнь пойдет прахом. Но у него, возможно, есть и свои причины желать продолжения рода. Может быть, ему нужно думать о наследниках, которые носили бы его имя, поддерживали родовые традиции, приумножали родовое имущество. Обычно это особенно бросается в глаза, если семья знатна или богата, но и в более заурядных семействах тоже бывает и семейное дело, и фамильное состояние. Некоторые способности и склонности подчас передаются по наследству. По целому ряду причин — иногда совершенно непостижимых — мужчина хочет иметь сына, а если он пессимистически настроен, то и нескольких сыновей — чтобы застраховаться на случаи естественных потерь. В отличие от своей жены мужчина обычно умеет предвидеть будущее и смотрит на младенца как на временную помеху — как-никак из него вырастет будущий наследник. Здравый смысл порой подсказывает мужчине, что сын может добиться в жизни

большего, чем его отец. Таким образом, мужчина даже привыкает ставить интересы семьи превыше собственных.

В современном мире, как ни странно, проблему человеководства обходят молчанием — возможно, потому, что ее изучение может натолкнуть на выводы, идущие вразрез с нашими религиозными и политическими взглядами. Широко известно, что выдающиеся способности часто возникают в том случае, когда в породе есть линия, уже проявившая разнообразную одаренность. Сельский батрак, выбившись в егеря, женится на дочке полисмена, а его старший сын в свое время получает звание фармацевта. Фармацевт женится на учительнице, у них появляются дети, и один из сыновей становится дантистом. Зубной врач — так он предпочитает именоваться — женится на дочери ученого и с гордостью следит за блестящей карьерой младшего сына, который становится всемирно известным специалистом по сердечным болезням. Вторая жена знаменитости — дочь и наследница преуспевающего финансиста, так что ее дети могут позволить себе роскошь заниматься политикой. Один из них в конце концов добирается до места министра внутренних дел и вступает в Палату лордов с титулом виконта Чертечтолля.

Ничего особенного в этой истории нет. Передача способностей по отцовской линии оказалась довольно устойчивой, а сам политический деятель — это, безусловно, голова. Но что будет дальше? Быть может, достопочтенный министр истощил все семейные запасы ума и энергии и оставил после себя немощных и слабоумных сыновей? А может быть, есть основания ожидать, что следующее поколение окажется еще более блестящим? Мы так мало знаем, а тут еще нет единого мнения о том, как измеряется успех, и эти разногласия нас окончательно запутывают. Но нам известно, что сыну знаменитого отца непривычно пробивать себе дорогу собственными силами, да и вообще он сознает, что ему не по плечу поддерживать прежнюю славу. Тогда он мирно выбывает из

игры и садится писать биографию своего отца; женится он на аристократке или на красавице и — вполне вероятно — умирает бездетным. Хотя общепринятой теории на этот счет не существует, мы можем довольно точно представить себе путь восхождения семейства к славе и могуществу. Так, можно принять за аксиому, что *B*, которому расчистил дорогу его отец *A*, будет считать себя обязанным добиться для своего сына *C* еще более высокого положения. Его чувство фамильной гордости можно понять, а польза для общества в целом не вызывает сомнения. Напротив, семейство, плодящее в каждом поколении тупиц и бездельников, никакой пользы обществу не приносит. Если уж разводить какую-то породу, следует предпочесть ту, которая улучшается.

Итак, предположив, что люди все-таки хотят иметь детей, обсудим теперь их количество. Все авторитеты выступают против единственного ребенка, так что двое — это количество минимальное, но недостаточное для поддержания народонаселения на постоянном уровне. Может быть, когда в семье есть дочь и сын, она кажется хорошо уравновешенной, но не слишком ли многое ставится в зависимость от единственного сына? Помните, что какой-нибудь болезни или несчастья достаточно, чтобы прервать мужскую линию в роду, — не стоит ли позаботиться о резервах? Большинство людей считает, что семью только в таком случае можно считать полноценной. И если она продолжает расти, то только потому, что все время рождаются девочки: например, если второй ребенок (или даже третий) женского пола, то в семье все так же остается или единственный мальчик, или одни девочки. Вот и получается: плодятся дочки, пока ждут сыночка. Но семьи, где пятеро или больше детей, как правило, нежелательны. Конечно, в большой семье дети могут получить хорошее воспитание, но только если родители целиком принесут себя в жертву. Пятеро детей, между которыми примерно по два года разницы, — это же четверть века, в большей

или меньшей степени заполненная стиркой пеленок и проверкой домашних заданий. Это оправданно только в том случае, если считать, что дети главнее родителей. Но почему мы должны так считать? Конечно, в некоторых случаях это бесспорный факт, но нет ничего нелепее утверждения, что родители должны всегда жить только ради детей. Ребенок *может оказаться* Исааком Ньютоном, верно, но ведь и отец *может оказаться* Иоганном Себастьяном Бахом! Считать за правило, что каждое поколение менее ценно, чем последующее, просто смешно, и ни к чему хорошему это не приведет.

Первый ребенок обычно появляется на свет года через два после свадьбы, и вполне возможно, что это наилучшее решение. Потому что если люди поженились только ради романтической любви, ее хватает в среднем как раз на два года и конец ее знаменуется открытием, что кто-то другой — или другая — еще более достоин романтической любви. Так что первый ребенок появляется вполне кстати, скрепляя союз, который без него мог бы распасться. Обычно не принято откладывать на более долгий срок рождение детей, а вот ранние браки, как мы уже убедились, все больше входят в моду, и мало кто из молодоженов успевает всерьез заинтересоваться чем-либо, кроме собственного дома. В этом случае откладывать рождение первого ребенка тоже не стоит, потому что тогда сам брак подвергается опасности. Выйдя замуж в восемнадцать и став матерью в двадцать, современная девушка вступает в тот период (занимающий 20—25 лет), когда вся ее жизнь в основном посвящена материнским заботам. Если предположить, что этот период закончится, когда младшему ребенку исполнится, скажем, четырнадцать лет, то жене и матери стукнет сорок (или около того), когда она наконец получит право на заслуженный отдых. В этом возрасте учиться новой профессии поздновато, а уходить на покой еще рано. Некоторые женщины постараются найти утешение в

роли бабушки, но еще не старый человек не может (или не должен) посвящать все свое время воспитанию внучат.

Именно теперь, может быть, нам захочется сказать, что жизнь, увы, полна трудностей, от которых никуда не денешься. Но рассматриваемая проблема, в частности, возникла совсем недавно, и теоретически она вполне разрешима. В прежнее время родители обычно распределяли свои обязанности между няньками, кормилицами, гувернантками и учителями. В трудовых семьях детей отдавали в подмастерья с семи лет, а работать они начинали и с пяти. Только в двадцатом веке возникло убеждение, что родители должны лично заботиться о воспитании своих детей-подростков. Один из современников королевы Виктории отмечает в своем дневнике, что его отец разговаривал с ним всего один раз. Другой викторианец похвалил нянюшку, проходившую мимо, за то, что у нее такие чистенькие детки, а она ему ответила, что детишки, которых он не узнал, его собственные чада. В восемнадцатом веке, при тогдашнем образе жизни, приемные родители были необходимы — хотя бы для того, чтобы воспитывать городских детей на свежем воздухе. Многие из ныне здравствующих леди практически не встречались со своими малолетними отпрысками, а собственных родителей они припоминают смутно, потому что те никогда не заглядывали в детскую. Если в доме хватает прислуги, мать может видеться со своими детьми по нескольку минут в день, а отцу ничего не стоит вообще с ними не сталкиваться. Но обстоятельства переменились, и теперь все члены семьи живут в обстановке, которую многие уже стали считать «естественной»; но никто не предвидел, к чему все это приведет. Выигрывают ли от этого дети, еще неизвестно, а вот родители, безусловно, многое теряют. Годы и годы подряд — полжизни! — они вынуждены приспосабливать все свои разговоры к уровню маленького ребенка или школьника. В их собственном умственном развитии наступает полный застой.

Очень немногие люди понимают, в какой мере разговоры способствуют нашему развитию (или задерживают его). Может быть, наш ум зависит от воспитания, но умение применять его на практике оттачивается в спорах. Мы обучаем друг друга уговорами и спорами, насмешкой и разумными доводами. И больше всего мы можем почерпнуть от людей необыкновенных, мудрое и тонкое красноречие которых заставляет нас внимать их речам в молчании. Но если от общения с такими людьми наш разум становится острее, то разговор с узколобыми и недалекими людьми его только притупляет. Наши попытки поучать малышей и подростков приводят к одному — в конце концов мы сами скатываемся на доступный им уровень понимания. Они набираются ума-разума, а мы его теряем; мы настолько выдыхаемся, стараясь растолковать им начало алфавита, что сами уже не в силах добраться до середины. Поучающий расплачивается тем, что сам перестает развиваться. Мы видим, что для школьных учителей это стало правилом — недаром их всегда считают не совсем настоящими взрослыми. Но мы не замечаем, что эта судьба в какой-то мере постигает и родителей. Мы никогда не видим линии, ограничивающей наш собственный умственный горизонт. Наш разум — предмет измерения — одновременно является и единственной доступной нам мерой. У нас нет возможности узнать, насколько умнее мы были бы в других условиях. И все же мы изо дня в день позволяем нашему разуму притупляться. Когда семейство Викторианской эпохи рассаживалось вокруг обеденного стола, соблюдалось одно правило: старшие говорят, младшие слушают. Некоторые темы в разговоре не затрагивались, отдельные вопросы обсуждались по-французски, но младшим было чему поучиться. Более того, у них была возможность осознать собственное невежество и научиться выражать свои мысли более связно. В наши дни разглагольствуют дети, а слушают роди-

тели — пользы никакой и ни для кого, а вред вполне очевидный.

Чтобы наглядно представить себе это, соберем к ужину современное семейство. Отец вернулся из города в предместье, ребята пришли из школы. В семье, кроме родителей, две дочери, Джоанна и Рейчел (десяти и семи лет), и один сын, Тимоти, пяти лет. Девочки учатся в одной школе, а Тимоти ходит в детский садик рядом с домом. Скрытый магнитофон запечатлевает для потомков следующую беседу:

П а п а. Скажи-ка, Тимоти, что ты сегодня узнал в детском садике?

Т и м о т и. Ничего.

П а п а. Что же вы делали целый день?

Т и м о т и. Нам давали печеные яблоки и пирог.

М а м а. А перед этим?

Т и м о т и. Сосиски с фасолью.

Р е й ч е л. У него только еда на уме.

Т и м о т и. Врешь! У-у, противная!

М а м а. Ну, будет, будет. А что у тебя, Джоанна?

Д ж о а н н а. А у нас новенькая учительница. Зовут мисс Кроули, и все говорят, училка что надо, только вот очки носит.

Р е й ч е л. Спорим — ты уже нацелилась пролезть в любимчики.

Д ж о а н н а. Нет уж, пусть Диана подлизывается.

Р е й ч е л. Конечно, Диана всегда первая.

Д ж о а н н а. А вот и нет. Мисс Кроули сказала, что у меня талант и рисую я лучше всех.

Р е й ч е л. А ты бы лучше не путала про Библию!

Д ж о а н н а. Ты же обещала. Не смей! Молчи!

Р е й ч е л. Подумаешь! Вот смех!.. Как это... Исав был обезьяночеловеком...

Д ж о а н н а. Не смей, Рейчел! (*Кричит.*) ЗАТКНИСЬ!!!

М а м а. Не шумите, дети. Тим, ты нашел свой комикс? Он лежал на кухонном столе.

Т и м о т и. Мировая книжка! Там про кота Клаудиуса, он плавать не умеет, а рыбки ему хочется. Там такой пруд *(чертит пальцем на скатерти)*: вот здесь забор, а тут — будка, в ней живет собака Кусака, она ненавидит кошек. А у Клаудиуса удочка, во-о-т такой длины *(широко разводит руки)* и крючок на конце, и он ка-ак размахнет с я *(показывает, сбивая при этом свою кружку с молоком)*...

М а м а. Скорее неси тряпку, вытирай!

Постепенно порядок восстанавливается.

Р е й ч е л. А книжка все равно дурацкая. Для малышни.

Т и м о т и. Неправда! Врешь! *(Ревет.)*

М а м а. Нельзя так, Рейчел. Тебе эта книжка не нравится, потому что ее написали для мальчиков, понимаешь? Тиму она очень нравится.

Д ж о а н н а. А он по этой книжке своей шайкой верховодит.

Р е й ч е л. Нет у него никакой шайки.

Т и м о т и. А вот и есть! И моя шайка всегда ихнюю бьет!

Р е й ч е л. Это чью же?

Т и м о т и. Фредди и Майкла. А вот и не угадаешь, что мы им сегодня подстроили.

Д ж о а н н а. А ну, расскажи-ка.

Т и м о т и. Выкопали огромную яму, глубокую-преглубокую, и налили туда воды. Сверху набросали листьев и мусору, как будто там трава растет. Потом мы как побежим, а они за нами — в погоню! — и все в яму — плюх, фр-р-р, буль-буль-б у л ь! *(Неистово размахивает руками, но мама уже успела вовремя убрать кружку.)*

Р е й ч е л. Значит, ты с Тедди выкопал огромную яму прямо в садике, когда гуляли?

392

Д ж о а н н а. Ясно! Какое счастье, что в нее сама мисс Медхэрст не свалилась! *(Хохочет.)*

Р е й ч е л. Уж если кому надо бы туда свалиться, так это Розмари.

Д ж о а н н а. Какая это Розмари?

Р е й ч е л. Розмари Бренд. Наша новая староста! И почему ее выбрали, не понимаю. Хоть бы умная была, раз уж она такая уродина и всю перемену с доски стирает.

Д ж о а н н а. А по-твоему, надо было тебя выбрать?

Р е й ч е л. А что? По крайней мере я бы не совала повсюду нос. По-нашему, она просто ходячий кошмар. Салли ее дразнит «Розмари — нос убери»!

Д ж о а н н а. Так я и знала — у тебя везде Салли, без нее ты ни шагу!

Р е й ч е л. Мы с ней дружили-дружили, а вчера поссорились. Но сегодня опять помирились. Мы с ней читаем одну книжку, там все про лошадок. Там еще есть про маленькую лошадку, которую зовут Тихоня, и никто ее не любит, а Джилл ее полюбила и тайком ото всех ее учит. Но однажды Тихоня пропала, и все думали, что ее украли.

Д ж о а н н а. Знаю, знаю, наверно, в конце она выиграет первый приз!

Р е й ч е л. Мы до конца еще не дошли. Неизвестно, может, ее украли цыгане и продали в цирк или еще что...

М а м а. Будем надеяться, что все кончится благополучно. Сегодня у нас на сладкое шоколадный крем или пирог с вареньем. Кому что?

Шум, неразбериха, все по нескольку раз передумывают, а Тимоти просит и того и другого.

Р е й ч е л *(кончает рассказ)*. Но самое главное в этой книжке, что там совсем нет мальчишек, только девочки, и лошадки, и пес, его зовут Ларри.

Т и м о т и *(ворчит)*. А у меня в комиксе нет девчонок...

Р е й ч е л. Джилл прямо помешана на конных соревнованиях, и ей так хочется, чтобы Тихоня выиграла, так что, когда она видит пустое стойло, она ужасно горюет. Салли даже заплакала на этом месте, а я нет; а мама Джилл сообщает в полицию. Интересно, украли лошадку или она просто так потерялась?

Д ж о а н н а. И чего ты ломаешь голову?

Т и м о т и. Я — все. Можно встать?

М а м а. Подожди, пока другие кончат. Потом поможешь убрать посуду.

Т и м о т и. А ну, живей, пошевеливайтесь!

М а м а. Не надо спешить, Тим. Может быть, папочка хочет добавки?

П а п а. Спасибо, не надо.

М а м а. Ну, вот мы и поужинали. Рейчел и Тим, уберите со стола, а Джоанна поможет вымыть посуду. Хорошо? Посмотрим, что сегодня показывают по телевизору для детей. Вот, вторник, «Космические гонки», в семь тридцать — для тех, кто сделал уроки...

Печальная судьба родителей — каждый божий день все это выслушивать; и это вовсе не безмозглая болтовня, а вполне осмысленные разговоры очень не глупых детей. Когда ребята подрастут, положение несколько исправится, начнутся вопросы, а это как-никак уже стимул для работы мысли. Чтобы ответить на них, родителям придется нет-нет да и забежать в районную библиотеку. Правда, в течение нескольких лет вопросы эти настолько элементарны, что на них можно давать самые упрощенные ответы, но именно в эти годы родителям следовало бы пополнять свои знания. Первой жертвой обычно становится мать, но не надо думать, что отец совсем не терпит ущерба: ведь если она невольно опускается до уровня детских разговоров, то ему

приходится опускаться до ее уровня. Так к середине жизни они могут вовсе разучиться думать.

Умственное развитие — или отсутствие такового — приблизительно измеряется количеством и качеством книг, которые есть в доме. Если книг совсем нет, напрашивается вывод, что развиваться, собственно, было нечему. Но чаще книги отражают стадии нашего роста. Так, в средней семье прежде всего обнаруживаются книги, по которым отец учился, предположим, на бухгалтера. Возможно, рядом с ними стоит несколько более свежих трудов в той же области — случается, что и с неразрезанными страницами. Если мама когда-то изучала домоводство, на полках могут найтись ее конспекты, а рядом — несколько более новых книг по кулинарии. Три-четыре томика стихов — мимолетный след первых дней ее замужества, а испанский словарь — память о том, как они с мужем ездили в Андалузию или Мексику. Если взглянуть на годы изданий, то оказывается, что в течение последующих лет книг не покупали, разве что несколько брошюр по садоводству или столярному делу. Дальше идут книги для детей — словарь, Атлас и Детская Энциклопедия, на которую можно сослаться, если отпрыски спрашивают родителей о том, что те уже позабыли или вообще никогда не знали. Наконец мы находим дешевые издания в бумажных обложках и вдобавок к этому несколько разрозненных выпусков «Легкого чтения». Вот что предстанет перед нашим взором в обыкновенной средней квартире, вот как мы узнаем, в какой мере рождение первого ребенка положило конец умственному росту ее хозяев. Никакого намека на развитие интересов, на перемены вкусов, никаких признаков увлечений театром или историей, наукой или современной политикой. Все наличные знания, по-видимому, были приобретены еще в школе или в колледже. Ничто не указывает на интерес к старинным вещам или к скульптуре, на приверженность к религии или на балетоманию. Сама собой напра-

шивается мысль, что люди перестают развиваться, как только начинают размножаться.

Полно, не слишком ли это резкое преувеличение? Можно возразить, что родители вполне могут заняться какой-нибудь умственной деятельностью, уложив детей спать. Если есть с кем их оставить, можно пойти на концерт или в кино, заняться политикой или филателией. Действительно, все это возможно, но для большинства людей это не более чем неосуществленные возможности. По правде говоря, средняя мать семейства к вечеру уже еле жива, а средний отец семейства — едва ли в лучшем состоянии. Последствия всего этого очень печальны: родители могут давать подрастающим детям все меньше и меньше. Безраздельно посвятив свое время малышам, они уже не смогут разделить радость новых открытий со своими детьми, когда те подрастут. Идеальный отец должен уметь рассказать о скалах и лилиях, о легендах и звездах, чтобы, выслушав его, ребенок обогащался знаниями. Идеальная мать должна помочь своей дочери полюбить стихи и музыку, природу и искусство. Но увы — к тому времени, когда дети готовы слушать, родителям уже нечего сказать. О детях Викторианской эпохи говорили, что их видно, но не слышно. Вероятно, практика все же несколько отставала от теории, но одно правило (в некоторых домах) соблюдалось достаточно строго: дети не должны говорить, пока к ним не обратятся. А это зачастую способствовало интеллектуальному развитию детей, по крайней мере с тех пор, как они покидали детскую. То, что до них доходило далеко не все услышанное, само по себе служило хорошим уроком скромности — дети понимали, как мало они еще знают, как много нужно узнать. Современные знатоки педагогики создают книги для детей, написанные языком, доступным для несмышленышей. Умному ребенку не в пример интереснее встречать слова, которые поначалу будто ничего и не значат, а еще увлекательнее для него фразы, в которых как будто го-

ворится одно, а если подумать — то совсем другое! Чтобы развиваться, ребенок должен слушать умные разговоры, в которых ему далеко не все понятно. Тогда ему есть о чем поразмыслить на досуге. Однако образование этого рода доступно лишь детям, которых видят, но не слышат, потому что, как только детям разрешают вмешиваться и перебивать, разговор перестает быть содержательным и становится всего лишь снисходительным. Когда детям разрешают болтать, у них отнимают возможность взрослеть. Такие дети, даже закончив школу, очень часто продолжают вести себя совсем по-детски.

Возможно, что проблема отцов и детей не может быть полностью разрешена, но школы-интернаты могли бы принести нам облегчение, и этой возможностью не стоит пренебрегать. Мы знаем, что в педагогике есть мнения и за и против интернатов, но большей частью в этих дебатах не принимаются во внимание два главных преимущества подобных школ. Первое из них базируется на том, что труднее всего воспитывать собственных детей. С чужими детьми можно обращаться весело и бесцеремонно; вы просто говорите им, что сегодня будет на ужин, не спрашивая, чего им больше хочется, отправляете их спать в определенный час, не обращая внимания на то, что покажут по телевизору, и незамедлительно караете их за ослушание или дерзость. Родители, напротив, прекрасно зная все правила строгого воспитания, почему-то не решаются их применять. А вдруг потом ребенок, оглянувшись во гневе, осудит такое воспитание и будет навсегда потерян для родителей с той минуты, как шагнет за порог? Родители в страхе перед таким отчуждением потакают ребенку во всем и относятся к нему намного терпимее, чем к детям, которые им не столь дороги. Единственный выход — сделать чужими руками то, что не можешь сделать сам. В Средние века существовал обычай отдавать детей в подмастерья — при этом обменивались детьми пример-

но в возрасте семи лет. Современная замена этого обычая — школа-интернат, где главное преимущество учителя состоит в том, что он не связан с учеником родственными узами. Он добивается не любви, а уважения, применяя любые методы, какие сочтет нужными. В результате преподаватель наводит дисциплину и порядок, и вдобавок дети его любят — хотя поначалу могло показаться, что он этого не заслуживает.

Но еще важнее то, что школа-интернат сокращает тот срок выслушивания детской болтовни, к которому приговорены родители. Если у вас трое детей, между которыми, скажем, по два года разницы, то в конечном итоге вам придется отбывать не двадцать (примерно) лет, а всего лишь двенадцать. И настанет тот час, когда отец сможет вернуться в свой Клуб актеров-любителей, а мама начнет готовиться к сдаче экзаменов экстерном по курсу современных языков. Они могут снова возобновить прерванные занятия фотографией, могут путешествовать, ловить рыбу в море или просто играть в гольф. Многие супружеские пары были бы счастливы воспользоваться такой возможностью. Но надо признаться, что есть и другие (особенно матери) — они и слышать не хотят о расставании со своим детищем; они не уступят ни одного дня — до тех пор, когда расставания все равно не избежать. Радость, которую приносили им маленькие дети, настолько выше всяких неудобств, да и одна мысль о покинутом и опустелом доме приводит их в ужас. Возмущенные матери никогда не признаются в том, что их ум становится ограниченным от общения с невзрослыми существами. К сожалению, спорить тут трудно — никакой ум не сознает собственной ограниченности, и ни один скучный человек не может себе представить, какую скучищу он стал нагонять на других. А верно все-таки то, что чувство облегчения — у людей разумных — должно преобладать над ощущением потери.

Некоторым кажется, что пристроить детей и заняться другими делами могут только бессердечные люди, но в од-

ном мы можем быть твердо уверены: что наиболее очевидную пользу от этого получат сами дети. Ведь подростками они встретят родителей, которые тоже росли и развивались. Их встретит не мама, воркующая над семейным альбомом: «Ах, посмотрите, какая милочка была наша Джулия, когда ей было три годика!» — их встретит интересный человек, которого можно послушать; мыслящая женщина, умеющая найти новое увлекательное занятие, а не просто существо, одержимое материнской любовью. Мы прекрасно знаем, что именно детям нужно и что они предпочтут, если им дать возможность выбора. И хотя им, безусловно, хочется иметь родителей, на чью доброту можно опереться, им вовсе не нужны такие родители, которые им себя навязывают. Нет ничего хуже тех случаев, когда родители говорят (только что не словами): «Мы воспитывали вас, пока вы были маленькие, жизнью жертвовали, ни в чем не отказывали. Теперь мы старенькие, и вы можете хоть немного времени посвятить папочке и мамочке. Не так уж это трудно». Но родители ни в коем случае не должны допускать зависимости от собственных детей и уж никак не должны просить, чтобы их любили. Тот процесс, который заставил родителей снисходить в своих разговорах до уровня детской, в конце концов неизбежно ударит именно по детям. Мать и отец, не успевая развиваться, отстают от собственных детей, а к тому времени, когда дети их покидают, родителям нанесен непоправимый умственный ущерб.

Перспектива стать дедушкой или бабушкой — вот все, что остается родителям, всю свою жизнь отдавшим детям. Но это всего лишь новая возможность повторить ту же самую ошибку. Верно — иногда бабушка избавляет нас от поисков няньки, но вряд ли будет справедливо сделать ее профессиональной нянюшкой. Ведь тот печальный факт, что сейчас выскакивают замуж слишком рано, совсем по-иному ставит вопрос о бабушках. Женщине, вышедшей замуж в 18,

будет, возможно, не больше 37, когда ее дочка совершит столь же опрометчивый поступок. Так что бабушке 38 лет придется выступать в этой роли еще лет 30. Какая бездна времени, потерянного на приставание с ненужными советами к дочкам и невесткам! Единственный выход — поменьше одержимости детьми с самого начала. И первые, кому это несколько более беззаботное отношение принесет огромную пользу, — сами же дети. Когда отец и мать с головой погружаются в родительские заботы, у детей возникает ошибочное представление о собственной значительности. Они относятся к себе чересчур серьезно, чувствуя, что их собственное мнение должно быть законом; что никто, кроме них, не понимает современного мира и само будущее человечества зависит от того, что они скажут или сделают. Это чувство избранности и заставило некоторых политических деятелей высказать мнение, что молодые рано становятся взрослыми. А на самом деле, чтобы повзрослеть даже нормальными темпами, им надо бы с самого начала куда меньше говорить и куда больше слушать.

ЗАКОН МИССИС ПАРКИНСОН

Эта глава предназначена специально для замужней женщины, чьи дети уже ходят в школу; для той женщины, которой жизнь порой кажется невыносимой. Но это вовсе не значит, что ее муж может пропустить эту главу — ему-то как раз и необходимо знать, с какими трудностями сталкивается жена. И главная из них — те тяжелые дни, те минуты отчаяния, тот час, когда кажется, что все кругом летит в тартарары. Мрачнейшие бедствия угрожают отовсюду, и вы (домашняя хозяйка) прямо не знаете — кричать ли, или молить-

ся, или взять да и сунуть голову в газовую духовку. Приступая к анализу этой ситуации, давайте прежде всего взглянем на нее со стороны. Для начала допустим, что беда приключилась с кем-то другим: с приятельницей, которая живет по соседству, наискосок, на той стороне улицы; вы знаете, что она человек доброжелательный и достойный всяческого уважения. Далее, допустим, что ее фамилия (хотя бы) Ярдли и она жена банковского служащего. Случайно выглянув в окно, выходящее на улицу, вы замечаете, что у них не все в порядке.

Да, все смешалось в доме Ярдли, и в современном пригороде, который смахивает на аквариум, вы можете наблюдать это своими глазами. Открытые взору со всех сторон, окруженные только травкой, наши сверхсовременные дома с хлипкими стенами и зеркальными окнами не таят друг от друга никаких секретов. Когда Робинсоны в 34-м устраивают прием, этот факт очевиден даже для тех, кого не пригласили. Когда Джеймсоны в 31-м ссорятся, причина конфликта моментально становится достоянием всех в радиусе ста ярдов. В данном случае семейной ссоры нет и не предвидится — всем известно, что Ярдли живут очень дружно, — но Гвен явно не в себе. Она говорит в повышенном тоне, и ей вторит (еще тоном выше) ее единственный отпрыск (Томми, четырех лет). Перед крыльцом стоит мужчина, и вы узнаете его — это тот самый сборщик подписей, который был вчера у вас. Он распространяет какую-то анкету, чтобы выяснить общественное мнение о ядерном оружии: «П-п-позвольте к вам обратиться, — начал он, — как к самой авторитетной п-п-представительнице общественного м-м-мнения в этом квартале...» Гвен распахнула дверь и выслушивает его стандартное вступление. Даже на таком расстоянии вам заметно, что она проявляет все признаки еле сдерживаемой ярости. Уж вы-то, конечно, не из тех, кто любуется несчастьями

ближних (бог свидетель, у вас уйма собственных дел), но это сцена такого накала, что вы просто не в силах оторваться от окна. Маленький человечек, без сомнения, уверяет, что наш мир заведомо обречен на гибель — если Гвен не вмешается сию же минуту. Бешенство Гвен видно невооруженным глазом на расстоянии целого квартала. И вот внезапно разражается взрыв почти атомной мощности. До вас долетели только слова «УБИРАЙТЕСЬ ВОН!!!», но поток оскорблений, прорвавшийся криком из уст Гвен, легко себе вообразить. Анкета разлетается мелкими клочками. Насмерть перепуганный деятель спасается бегством. Он споткнулся на обочине, упал, бежит, роняя «литературу», к своей машине, через минуту и его и машину как ветром сдуло, и Гвен перестала грозить ему вслед кулаком. Застекленная сверху дверь ее домика с силой захлопывается, и слышно, как сыплются осколки стекла. Несколько более глухо доносится стук внутренней двери, вопль Томми и звон разлетевшегося вдребезги фарфора. Для бедняжки Гвен, судя по всему, этот день — один из тех дней, когда все летит кувырком.

Бывают ли у вас такие несчастные дни? Бывают? Скажите, как они начинаются, в каком порядке сыплются на вас все эти несчастья? И нельзя ли их избежать? Возможно, вы уже решили, что все это просто следствие несовершенства мироздания и с этим ничего не поделаешь. Тут-то вы и ошибаетесь. Но прежде чем начинать лечение, надо поставить диагноз, и поэтому начнем с реконструкции кризисной ситуации. Тем более что мы часто видим, как это делают детективы в телепередачах.

— Расставьте мебель по местам, откройте окно, выключите настольную лампу. Садитесь в кресло, Ватсон. Теперь я вхожу в дверь, как это, должно быть, проделал убийца... И что же я вижу? Ничего. А почему? Потому что в комнате абсолютно темно!

— Холмс, это потрясающе!

Применим тот же метод к нашему не столь мелодраматическому случаю. Давайте-ка начнем с воображаемых обстоятельств, жертвой которых вы вполне могли стать. Ваш муж и дети ушли — кто в контору, кто в школу, а день, предположим, холодный, сырой и туманный. В почтовом ящике письмо из комиссионного магазина, в котором выражается сожаление, что ваша мечта, старинный туалетный столик, уже продан за бесценок кому-то другому. По телефону вы узнаете, что все ваши планы на время отпуска пошли прахом — отель завалило снежной лавиной. Агент заявляет, что теперь уже слишком поздно заказывать номера еще где-нибудь. Приходит ученический дневник Мартина, вы рвете конверт, и вам в глаза бросаются слова «неаккуратен» и «ленится». Тостер заело, и кухня вся в черном дыму. Кофейник выкипает, и кофе заливает плиту. Вы разбиваете красивое и очень дорогое фарфоровое блюдо — королевский вустер, — на котором обычно подаете бисквиты. Все, *все на свете* ополчилось против вас. Все улики выдают наличие заговора, который можно определить, согласно научной терминологии, как извечную зловредность неодушевленных предметов. Чтобы облегчить душу, вы отменяете визит к парикмахеру, жалуетесь по телефону на соседскую собаку и спускаете с лестницы Свидетеля Иеговы. Под конец вы попадаете в небольшую автомобильную катастрофу и в довершение всего вас штрафуют за стоянку в неположенном месте.

Ну почему все это должно случиться именно с нами? Откуда эта цепь бесконечных промахов, неудач, напастей? В безвыходном отчаянии мы обращаем эти вопросы к равнодушным небесам, потому что сами не в силах найти ответ. Но *в эту минуту,* читая эти строки, вы спокойны, вполне владеете собой и способны понять, что все эти события, соб-

ственно говоря, вовсе не цепь. Все трагические случайности никак не связаны друг с другом, и в любом случае их можно подразделить на две группы. Покупка не состоялась, отпуск испорчен, и дневник получен; это все события *внешнего* порядка, и от вашей воли они не зависят. Тостер, кофейник и фарфоровое блюдо — это уже *внутренние* беспорядки и целиком дело ваших собственных рук. Пересмотрите сызнова все эти события одно за другим. С покупкой вам попросту не повезло, и вы не сможете ничего изменить — разве что порадуетесь, что на отпуск остались кое-какие лишние деньги, а провести его можно немного иначе. Вы скажете, что потеря номера в отеле — это уж чистейшей воды невезенье, но полно, так ли это? Между прочим, лавина могла накрыть дом, когда вы были бы уже там и, может быть, даже лежали бы в ванне. Если посмотреть с этой точки зрения, вы еще легко отделались. А теперь загляните-ка еще раз в дневник. Что там написано? «Хотя Мартин иногда довольно неаккуратен, он никогда не шалит и не ленится, и надо отметить, что он определенно делает успехи». Честное слово, не так уж плохо, по крайней мере лучше, чем на прошлой неделе.

А остальные бедствия (будем откровенны) вы сами себе устроили. Что касается тостера и кофе — тут все пошло вкривь и вкось, потому что ваши мысли были заняты туалетным столиком, а не тем, что вы делаете. Но гибель фарфорового блюда выдает нечто более сложное. Женщины большей частью выражают свое недовольство, громыхая посудой и хлопая дверьми. А когда посудой громыхают, она обычно бьется. Расколоченная вдребезги и с грохотом ссыпанная в мусорный бак посуда может также выражать протест против мировой несправедливости. Какая-нибудь лишняя тарелка или блюдечко ничего другого и не выражают, но разбитый веджвуд или спод — это уже другое дело. Это говорит о том, что вы ведете себя по-детски, что вы *знаете* о том, что ведете

себя ребячливо, и вы наказываете себя, как ребенка, и пользуетесь детским способом наказания. Но ваше раздражение от этого не проходит. Но с чего оно должно проходить, да и может ли оно пройти? Вы упорно продолжаете наказывать себя и других, пока наконец не опомнитесь. И только тогда, через несколько часов (а может быть, через несколько дней), вы снова вспомните все происшедшее и обнаружите, что ничего серьезного с вами не стряслось. Но вплоть до этого момента покоя вы будете живой иллюстрацией *Второго закона термодинамики*: согласно этому закону тепловая энергия всегда передается от тела с более высокой температурой к телу с более низкой температурой; в рассмотренном случае от вас к Свидетелю Иеговы, которого вы оглушили сковородкой. Но такая передача энергии не может состояться, если тело, которое могло бы воспринять ее, отсутствует. В рассмотренном примере ваша тепловая энергия распределилась между парикмахером, собачкой и проповедником; последнему это спасло жизнь, иначе вы бы его пришибли насмерть.

Совершенно очевидно, что генерируемая вами и готовая вырваться энергия потенциально опасна и может вызвать действия, имеющие широкий разброс (это подходящее и вполне современное выражение), — от оскорбления до рукоприкладства, от бракоразводного процесса до убийства. Чтобы уменьшить опасность — а это наш прямой долг, — нам необходимо определить: 1) как генерируется теплота и нужно ли ее вообще генерировать и 2) если уж генерация неизбежна, каким образом освободиться от энергии без вреда для окружающих, пока вы не натворили бед? Привлечем к решению пункта первого *Первый закон термодинамики*: количество накапливаемого тепла прямо пропорционально работе, произведенной под давлением; данное количество работы производит определенное эквивалентное количество тепловой энергии. Этот закон применим не только к физической,

но и к эмоциональной температуре. Домашняя работа часто производится под давлением — оно колеблется, поднимаясь до пиковых величин, например, когда собираешь детей в школу или вечером, когда вот-вот нагрянут гости. Тепловая энергия имеет свойство накапливаться и после того, как непосредственные причины устранены, и, наращивая пик за пиком, разражается взрывом — ядерный ускоритель работает примерно по такому же принципу. Но *отчего* тепловая энергия накапливается? Почему она не рассасывается в более спокойные промежутки времени между домашними авралами? Ценой многолетних экспериментов и миллионных затрат (247 фунтов 9 шиллингов 3 пенса за одну лишь битую посуду) мы наконец разрешили эту не разрешимую на первый взгляд задачу. И вот ответ, всего двенадцать слов: потому что не нашлось никого, кому можно было бы передать избыточную теплоту.

А ведь все это началось с песенки под названием «За столом с тобой вдвоем», в которой были следующие примечательные строки:

> За столом с тобой вдвоем
> Мы сейчас чайку попьем.
> Ну, скажи, не дивно ль все кругом?

Читая между строк, мы приходим к выводу, что люди хотят побыть вдвоем наедине; и нам это кажется вполне естественным. Однако такие намерения характерны для двадцатого столетия и характерны для Запада. Во все прежние века и почти в любой части света ваша домашняя жизнь была бы подчинена совсем иным законам. Старинная или восточная семья состояла из родственников, детей, слуг и друзей. В мусульманской семье вы нашли бы еще трех жен, причем каждую из них можно было в любой момент сменить на новую. В Риме цезарей дом был бы полон приживалов и прихлебателей, евнухов и наложниц, телохранителей, астрологов, ра-

бынь и рабов. Даже в сравнительно недавние времена в Индии седьмой великий низам Хайдарабада имел штат из тысячи слуг в своей главной резиденции и вдобавок к этому три тысячи телохранителей и четыре тысячи слуг в других поместьях. Иными словами, вокруг вас всегда были люди. И если в некий день вам покажется, что все беды валятся вам на голову, всегда найдется, на кого свалить вину, кто-то вам посочувствует, а кто-то другой — посмеется. Тогда ваша тепловая энергия распределится между более холодными объектами, и таким образом первые неприятности будут позабыты и других уже за собой не повлекут. А у нас, наоборот, всегда было только «За столом с тобой вдвоем». Когда муж на работе, вы остаетесь в доме одна как перст и единственная ваша надежда — телефон. Этот аппарат — ваше «заземление», как говорят электрики, тот громоотвод, по которому избыток ваших эмоций будет выведен за пределы дома. Вполне понятно, что вы приходите в бешенство, когда номер занят или никто не подходит. Короче говоря, одиночество имеет свои минусы. И, задав риторический вопрос: «Ну, скажи, не дивно ль все кругом?» — можно вполне нарваться на ответ: «Брось, какое там дивно...»

В настоящее время экспериментально доказано, что день домашних напастей наступает вследствие перенапряжения, вызванного тепловой энергией, не нашедшей свободного выхода. И более того, мы можем выразить это точным и вполне научным языком. Так называемый закон миссис Паркинсон, применимый к замужней женщине западного мира, звучит так:

> Теплота, производимая домашними заботами, нарастает и переполняет данный индивидуум, от которого может быть передана только индивидууму более хладнокровному.

Это эпохальное открытие все же не произведет достаточно глубокого впечатления, не будучи снабжено математическим аппаратом. Для этой цели первая рабочая формула была представлена на рассмотрение величайшего в мире авторитета в области домашней термодинамики, профессора Дарси С. Койла из Ренслеровского политехнического института в Коннектикуте, и копия полученного им первого приблизительного результата по ошибке попала в почту, предназначенную для Исследовательского центра этого института. Исследовательский центр автоматически заработал, в результате чего копии в пяти экземплярах были разосланы в десять федеральных агентств в Вашингтоне, округ Колумбия. К своему удивлению (никаких заявок он не подавал), профессор Койл незамедлительно получил дотацию в размере 166 276 долларов, включая 151 116 долларов на административную работу и ведение документации. Ободренный поддержкой, он провел серию полевых наблюдений для получения эмпирических данных и несколько раз срочно выезжал по вызову в больницы штата Коннектикут. Затем все данные были введены в электронно-вычислительную машину марки IBM 360, которая вывела следующее уравнение:

$$T_D = 0{,}052(W\sqrt{S+N} - W\sqrt{s+n}),$$

где T_D — дифференциал эмоциональной температуры;

W — вес домашней хозяйки в фунтах;

S — ее скорость в милях в час;

N — количество несчастий, постигших домашнюю хозяйку за последние 6 часов.

Само собой разумеется, что w, s, n представляют собой вес, скорость и количество несчастий другого лица, попавшегося домашней хозяйке на ее орбите[1].

[1] Кстати, следует отметить, что эмоциональная температура любого человека теперь вычисляется по формуле: Tн=0,52 WS+N. — *Прим. автора.*

Комментируя эти расчеты, профессор Дарси Койл высказывает мнение, что любой дифференциал более ±5 уже опасен. Однако он подчеркивает, что понадобились бы широкие испытания весьма разрушительного свойства для определения границ безопасности в пределах двух крайних значений точности. Он предполагает, что может обнаружиться гораздо более опасное положение, когда $T_D = 0$, но W и w достигают одинаково больших величин, так же, как S и s. В этом случае разрушительная сила действует одинаково в обоих направлениях, и мы получаем в конечном итоге формулу ядерного взрыва. Но без дальнейших экспериментов (которые, возможно, не обойдутся без жертв) это нельзя утверждать с полной уверенностью. Разумеется, любое исследование в этой области можно только приветствовать, и поэтому не следует держать в тайне полученные до сих пор результаты. И вот первое математическое выражение закона миссис Паркинсон во всей своей гениальной простоте отныне становится достоянием всего мира.

Однако первый результат, хотя и весьма впечатляющий, был сочтен недостаточно сложным, и те же самые данные были введены в еще более дорогостоящий компьютер. Новый результат, безусловно более точный, таков:

$$Td = 0{,}37(WS - ws) + 2(N - n) - \frac{45}{1 + N - n},$$

где W — вес домашней хозяйки в фунтах, S — ее скорость в милях в час, N — количество несчастий, ее постигающих, а w, s и n — вес, скорость и количество несчастий другого лица непосредственно перед контактом с ней. T_d — дифференциал эмоциональной температуры; пока он сохраняет положительный знак, наша героиня имеет тенденцию обрушивать силу взрыва на другое лицо, но, когда этот знак становится отрицательным, может пострадать и ее собственное здоровье.

Если мы теперь заменим буквы цифровыми данными, относящимися к конкретному случаю, допуская, что вес домохозяйки — 133,24 фунта, а скорость движения между столкновениями — 2 мили в час, ее эмоциональная температура при идеальных условиях будет вычисляться так:

$$TH = 0,37(133,24 \times 2) = 98,57° \, F \text{ [практически нормальная]}.$$

А если принять ее скорость за 3 мили в час, при одном эмоциональном взрыве перед столкновением с новым объектом, который весит 130 фунтов и движется в спокойном состоянии духа со скоростью 2,5 мили в час, то формула читается так:

$$Td = 0,37\left(133,34 \times 3 - 130 \times 2\frac{1}{2}\right) + 2(1 - 0) - \frac{45}{1 + 1 + 0}$$
$$= 0,37(399,72 - 325) + 2 - 22,5$$
$$= 27,65 + 2 - 22,5$$
$$= 7,15$$

А в том случае, если домохозяйка весит ровно 134,08 фунта и развивает скорость до двух миль в час без столкновений, мы имеем:

$$T_d = 0,52(134,08)\sqrt{2} = 98,601° \, F,$$

т. е. несколько выше нормальной. Однако, если при том же самом весе она развивает скорость в 5,25 мили в час после четырех вспышек, при столкновении ее эмоциональная температура становится

$$T_H = 0,52(134,08)\sqrt{5,25 + 4} = 212,050° \, F,$$

т. е. уже превышает точку кипения. С другой стороны, вспыльчивые по натуре мужчины должны избегать женщин, весящих менее 102,56 фунта и развивающих скорость менее 0,36 мили в час, так как

$$T_{d} = 0,52(102,56)\sqrt{0,36} = 32,000° \ F,$$

т. е. точка замерзания, что само по себе крайне опасно, независимо от величины T_D, т. е. дифференциала эмоциональной температуры.

На этой стадии средства, отпущенные на исследования, были исчерпаны. Конечно, дальнейшие научные изыскания, требующие еще больших затрат, помогли бы вывести еще более точную формулу, но полученный нами результат вполне удовлетворяет всем практическим требованиям. Впредь до уточнения выведенная формула достойна быть увековеченной и высеченной на граните золотыми буквами.

Итак, мы разобрались в процессе генерации тепловой энергии. Мы познакомились также и с обстоятельствами, при которых она не может рассеиваться и накапливается до взрывоопасного состояния. Это ставит перед нами два практических вопроса: как можно приостановить процесс генерации? А если это не удается, как рассеять генерированную нами энергию? Чтобы прекратить нарастание температуры, нужно прежде всего постичь закон миссис Паркинсон и осознать, что вы подвержены действию этого закона. Второй шаг — определить симптомы стресса и применить следующие правила поведения. Первое: никогда не прикасайтесь к свежей почте, пока у вас не найдется времени почитать ее без спешки. Просматривая почту наспех, вы часто напрасно начинаете изводить себя по несущественным, а то и несуществующим поводам. Поэтому помните — листок бумаги от вас не убежит. Он может подождать, и не исключено, что он подождет. А вы тем временем сосредоточьтесь на том, что вы делаете, — это самая верная линия поведения. Второе: никогда не бегите к телефону, если вы заняты более важным делом. Пускай себе трезвонит. Если у вашей подруги действительно важное дело, она позвонит еще раз. Третье: когда кризис (результат вашего собственного перевозбуждения)

все же разразится, прекратите работу, отключитесь, сядьте в кресло, соберитесь с мыслями и возьмите себя в руки. Не начинайте никаких дел, пока ваша температура не войдет в норму.

Достаточно ли этих трех правил? Для лиц повышенной эмоциональности, быть может, и недостаточно. Так что есть еще и четвертое правило: в качестве крайней меры примите холодную ванну или душ, и вы станете заметно хладнокровнее, когда ваше раздражение вместе с водой уйдет в сток. Разумеется, физическая и эмоциональная температура не одно и то же. Но тем не менее между ними существует тесная связь, и вряд ли найдутся столь бурные эмоции, которые не охладило бы ведро холодной воды, вылитое на голову данного субъекта. Может быть, и стоило бы ввести подобный суровый прием в практику, потому что он не только снижает температуру, но заодно и прерывает цепь неудач. Домохозяйка отвлекается от прежних мыслей, ей приходится вытираться, опоминаться после шока от холодной воды — и она возвращается к своей работе уже в другом настроении. Как только она поймет, что корень всех зол таится в ней самой и никакого заговора между людьми или вещами нет, она уже начинает приходить в норму. Но совершенно неверно было бы делать вывод, что мужчинам не свойственно приходить в бешенство или терять самообладание, когда все идет из рук вон плохо. Им редко приходится выходить из себя на работе, потому что очень немногие работают в одиночку, но зато дома они гораздо более уязвимы. Занимаясь каким-нибудь домашним делом — подстригая газон, оклеивая обоями ванную или ухаживая за розами (пока жена бегает по магазинам), — мужчина тоже может пасть жертвой закона миссис Паркинсон. И ему тоже может показаться, что все против него, все беды валятся ему на голову и самая страшная беда готова вот-вот грянуть. Правила, которые следует соблюдать в подобных обстоятельствах, точно те же, что и для домохо-

зяйки, с единственным дополнением: когда все кончится, закурите трубочку. Бросьте работу, отключитесь, присядьте, а если понадобится, примите холодный душ.

Эти правила очень надежны, и они не подведут, если дело касается мужа, а вот для спасения жены их подчас недостаточно. Она более уязвима и, быть может, более склонна предаваться отчаянию. К тому же бывает, что все случается слишком быстро, каждая новая напасть наступает на пятки предыдущей. И несмотря на все усилия, поток событий может стать неуправляемым. Вы понимаете, что нарушили правила № 1 и № 3. Давайте предположим, что события разворачиваются примерно так, как описано в начале этой главы, и тепловая энергия еще сохраняется *после* эпизода у дверей. Ваше любимое фарфоровое блюдо превращено в осколки. Вы прожгли утюгом свое самое лучшее платье. Вы видели, как Свидетеля Иеговы увозят в больницу. Вы трепещете, гадая, какая *еще* беда грянет над вашей головой. Должно быть, вас занесло на орбиту, где вас подстерегают роковые столкновения с Судьбой.

И если бы вы еще не были знакомы с законом миссис Паркинсон — а несколько минут назад вы о нем и не подозревали, — вы, повинуясь безотчетному порыву, бросились бы звонить мужу на работу. Схватив трубку и набрав номер, вы принялись бы изливать свое горе горячо и непоследовательно:

— Ой-какой-ужас-милый- я-же-только хотела-его-отвадить-а- он-упал-как-подко- шен-ный-приехала ско-рая-помощь-я-прямо-не- знаю-самое-лучшее-платье- пропалолюби-мое-блюдо-разбилось-хоть-бы-не-все-разом-я-бы- справилась-а-так-можно-сойти-сума-господи-что-же-мне-делать?

Это неотложное сообщение наверняка застигнет вашего мужа в одной из двух ситуаций. Возможно, у него заседание, и он сражается не на жизнь, а на смерть с какими-нибудь

идиотскими планами, которые грозят погубить все его будущее. С другой стороны, он может спокойно сидеть за столом в своем кабинете. В первом случае его ответ прозвучит так же отчаянно, как ваш призыв на помощь:

— Да-ради- всего-святого- у-меня-заседа-н ие-я-и-такеле-держусь-бывают- же-у-людей- дурацкие-идеи-о-божеты- мой-а- ты- тут-еще- со-своим- любимым- блюдом. Будьумницей-повесь-трубку-глотни-аспиринчику-я- приеду- пораньше-если-вырвусь-пока.

А в другом случае он будет абсолютно и возмутительно спокоен.

— Тебе не кажется, дорогая, что лучше было бы объяснить мне в двух словах, чего ты от меня хочешь? Давай-ка я позвоню тебе минут через десять, а ты пока подумай, как я могу помочь. Повесь трубочку, радость моя, и успокойся. А потом скажешь мне, что надо сделать. Ну, пока.

Если выбирать из этих двух возможных типичных ответов, то второй — гораздо опаснее. Первый ответ ничем не поможет, но все же вы чувствуете, что вы не одиноки: и у него тоже свои неприятности. Но во втором нет ни капли утешения. Вы стремитесь найти «заземление», чтобы разрядить избыточный накал. И хотя ваш муж достаточно хладнокровен для этого, он не желает помочь вам. Вместо того чтобы выслушать ваши путаные жалобы, он все их отметает и старается сразу добраться до сути: «Чего ты хочешь?» Не понимает он, несчастный моллюск, что вам *необходимо* излить все эти путаные жалобы и чтобы кто-то все это выслушал. А приставать с вопросами, что он должен *сделать*, — да это совсем ни к чему, вы об этом и думать не думали, нашел о чем спрашивать. Бросив трубку, вы понимаете, что всему конец. Ваш муж покинул вас, наверное, тут замешана другая женщина. И конечно, он сейчас вместе с ней смеется над вашими страданиями. Но вам *так нужно* все рассказать кому-нибудь! Мэдж — вот та родная душа, которая вам нужна, и до нее

меньше десяти минут на машине! Вне себя от злости на тупость мужа — да, это *он* виноват во всем, решительно во всем, — вы прыгаете в машину. Давая выход своей ярости, прибавляя газ так, что вас заносит на поворотах, тормозя со скрежетом, вы мчитесь к Мэдж. Пять минут спустя машина расплющена об уличный фонарь, а вас увозят в больницу или в морг.

Не надо было звонить мужу — это ошибка. Что вы должны были сделать? Вот правильный порядок действий: примите успокаивающее; потом позвоните Мэдж и пригласите ее на чашку кофе, но пусть приедет через полчасика, а не сию минуту. Потом сядьте (это очень важно, заметьте) и напишите очень короткий отчет о событиях, которые вас вывели из равновесия. Не старайтесь принимать какие-то решения. Лучше решите пока что не принимать никаких решений. Подождите, пока не получите новых сведений или полезных советов, выбросьте из головы все вопросы до тех пор, пока не сможете выбрать время, чтобы их решить. К приезду подруги вы уже начнете остывать. А когда рассказ о ваших злоключениях подойдет к концу, вы уже окончательно войдете в норму. Поведав свои печали и добившись сочувствия, отложив до завтра все практические решения, сделайте только самое необходимое и возьмите в руки наименее волнующую из всех книг. Какую книгу? Конечно, вот эту самую. Какую главу? Ту, которую вы только что прочли.

ЦЕЛИ И ЗАДАЧИ

Когда самый младший ребенок пошел в школу, родителям настало время решать — может быть, с некоторым опозданием, — что они намерены делать. Предположим, что они уже вначале приложили некоторые усилия, чтобы избе-

жать неудач и нищеты. Когда-то у них завязался роман — на это их толкнул зов пола и обычай общества, в котором они родились. Влюбившись, они вступили в брак, а это (как они обнаружили) ведет к приобретению дома, машины и к возможности принимать гостей. Для того чтобы жена чувствовала себя вполне удовлетворенной, а также для продолжения рода были произведены на свет дети — теперь они получают образование. Если бы единственная цель жизни заключалась в том, чтобы поставить на смену родителям детей, которые будут жить точно так же, это повторение не имело бы никакого смысла. Стоит ли биржевому маклеру тратить всю жизнь на то, чтобы подарить обществу физиотерапевта или бухгалтера? И стоит ли бухгалтеру выбиваться из сил, чтобы породить еще одного биржевого маклера? Если население удвоится, это только увеличит транспортные затруднения. Тогда в чем же смысл всех этих усилий? Некоторые люди оптимистически утверждают, что дети будут лучше отцов, каждое поколение будет достойнее предыдущего и что именно такого прогресса мы и должны добиваться. Но пока что у нас нет доказательств, что дети делают честь своим предкам. В одном отношении по крайней мере они чаще всего им уступают, потому что детей преуспевающих родителей не подхлестывает бедность. Им никогда не приходилось пробивать себе путь из трущоб. Они довольно легко сохраняют то имущественное положение, к которому привыкли с детства, и у них нет побуждений делать вообще какие бы то ни было усилия. Они могут быть более здоровыми, чем их деды, и, возможно, они выше ростом, но ведь высокий рост вовсе не связан с большей жизнеспособностью. И мы вправе полагать, что более рослые люди тратят больше энергии как раз на преодоление лишнего веса. Надо проститься с мыслью о том, что мир становится все лучше. Может быть, мы и смогли бы сами улучшить его, но вряд ли мы этого добьемся,

плодя более крупных и менее инициативных детей. Все, что предстоит сделать, придется делать нам.

Но какие же цели мы поставим перед собой? Можно попробовать служить Богу, или Человечеству, или на худой конец Обществу, в котором мы живем. Мы можем добиваться богатства или общественного положения, власти или счастья, гоняться за удовольствиями или искать покоя. Мы даже можем — если придется — положить свои силы на то, чтобы просто обеспечить себе спокойную старость. И хотя последняя цель в известной мере оправданна, она ни в коем случае не может стать целью жизни. Старость не может составлять смысл жизни в юности, так же как юность не может служить целью старости. Нельзя жить для того, чтобы заработать пенсию, как нельзя бодрствовать для того, чтобы лечь спать. Конечно, известная обеспеченность никогда не помешает, но все же в жизни надо добиваться чего-то большего. А что, если, например, поставить перед собой цель разбогатеть? Но это намерение большинство людей, несомненно, отвергнет с презрением. И самое шумное негодование будут выражать люди, которые сами не способны заработать или скопить больше денег, чем нужно, чтобы сводить концы с концами. Но разве многие из тех, кто умеет делать деньги, пренебрегают этой возможностью? А если так, то правильно ли они поступают? Сколачивать состояние — более безобидное занятие, чем многие думают, но дальше возникает вопрос: на что нужны эти деньги? Если рассуждать здраво, то богатство не самоцель, а средство для достижения цели. Что будет делать миллионер, когда он уже завладел миллионами? Он может купить политическую власть себе или своим детям или купить политиканов, которые делят власть между собой. Он может купить знаки высокого положения в тех странах, где положение еще имеет свое символическое выражение. Он может купить еду, выпивку, женщин, приятелей и комфорт. Наконец, он может купить убежище — остров в юж-

417

ных морях, обитель, полную солнца, красоты и покоя. Но большинство развлечений имеют свойство доставлять со временем все меньше и меньше удовольствия. Разумная мера удовольствия доступна и небогатым, а излишества приводят только к несварению желудка, болезням и переутомлению. Тот, кто гоняется за удовольствиями, напоминает слепого в темной комнате, который ловит черную кошку, давно сбежавшую в неизвестном направлении. Самой природой вещей он обречен на разочарование.

Те же проблемы, которые стоят перед отдельным человеком, встают и перед обществом в целом. Некогда были города и княжества, которые служили определенной цели. Они существовали, чтобы утверждать идеалы или бороться за веру. Греческие города были созданы, чтобы прославлять греческий образ жизни. Римские города выражали римские понятия разума и порядка. Замки крестоносцев дышали ненавистью к исламу, а средневековые города старались превзойти друг друга богатством и блеском своих соборов. В давние времена во многих местах можно было с первого взгляда определить, к чему стремится общество. Теперь это возможно только в тех сообществах, которые стараются сохранить уже издавна существующий уклад. В самых современных городах ярко выражен один-единственный идеал — делать деньги в давке центра и тратить их на удобства в пригородах. Те общественные мероприятия, которые проводятся, в основном носят негативный характер: люди объединяются, чтобы требовать очистки трущоб или благоустройства больниц. Всем понятно, что напряжение разрядится, если уменьшится бедность, поэтому и прилагаются определенные усилия, чтобы обеспечить отдых молодежи и удобства для престарелых. Но все это деятельность побочная, и она должна сопутствовать основным усилиям, направленным на благо общества, а этого нет. Некоторые объединения или даже семьи могут гордиться концертным залом или библиотекой. Есть люди, ко-

торые вправе считать своей личной заслугой зону, очищенную от дыма, или проект перестройки города. Но очень редко все общество целиком участвует в каком-нибудь полезном деле. И тем не менее именно в таких общественных делах личность, наверное, находит высшее счастье. Поглощенные общим делом, люди обычно забывают о своих собственных неурядицах и перестают замечать неприятности и недомогания. Без общей единой цели никакое личное счастье для них недостижимо.

Такие семьи по-прежнему стремятся к своим целям; и в этой области успех можно измерить богатством или положением в обществе. Но для средней семьи солидные состояния обычно вне пределов досягаемости. Добившись обеспеченности и комфорта, мало кто решится рискнуть всем своим достоянием в надежде на то, что ему повезет в игре. Во-первых, люди чувствуют себя ответственными за благополучие семьи. Во-вторых, они не так уж уверены, что огромное состояние принесет им такое же огромное удовлетворение. Только представители самых низших слоев общества с бешеной энергией стараются добиться богатства, потому что им дает разгон неистовое желание вырваться из когтей нищеты, да и с самого начала им нечего терять. Если десять таких людей вышли на старт, то девять из них финишируют в тюрьме, а десятый станет миллионером.

Из благополучной средней семьи редко выходят миллионеры, и еще реже среди них встречаются люди, окончившие коммерческие институты. Главная цель жителей современного пригорода, имеющих определенную профессию, — это стремление, чтобы их дети были еще лучше устроены, получали бы более высокие оклады и дружили бы с влиятельными людьми. Все это не имеет ничего общего с настоящим богатством, потому что, получив наследство, человек меньше стремится чего-то достичь и становится осмотрительнее. Да кто мы такие, чтобы ставить на карту добытое тяжким тру-

дом состояние деда? Мы относимся к этому наследству скорее как к порученному нам имуществу наших детей — оно поможет обеспечить наших незамужних дочек или поддержит наших сыновей.

Значит, для большинства из нас богатство не представляет цель жизни. Зато общественное положение остается заветной мечтой для многих в обществе, где четко разграничены разные слои и человек может завоевать более высокое положение. «Снобизм» — вот первое слово, что приходит нам в голову, и мы тут же вспоминаем монолог, в котором пожилая мать семейства (она же бабушка) раскрывает все те ценности, перед которыми она привыкла преклоняться. Поместим ее в розарий и выслушаем со вниманием ее разговоры о чайно-гибридных и штамбовых розах.

— До нынешнего года моей любимицей была «Принцесса Монако» — Грейс ведь сама выбрала этот цвет, вы знаете, нежнейший серебристо-розовый, — но теперь у меня новая гордость — эти малютки «Жемчужины Монсеррата» и, конечно, неподражаемая «Диана Радзивилл». Верно, это чистые сантименты: она посадила вот этот куст своими руками, в те счастливые дни, когда Джон еще был жив. Правда, многим кажется, что цвет чересчур яркий. Мой братец Марк не преминет назвать ее «кирпично-красной», но вы же знаете, как ему трудно угодить. Неужто все наши адмиралы такие? Наверное, все одинаковы. Мне всегда казалось, что генералы куда более тактичны. Я помню, что мой дядюшка Нэд всегда умел сказать каждому как раз то, что нужно. Но зато *ему* бы и в голову не пришло выращивать розы без лошадиного навоза. Вам приходилось бывать в конюшнях Кэтерли-Корт? Там в добрые старые времена стояло не меньше двадцати лошадей, так что розы просто *процветали!* Ученые уверяют, что химические удобрения нисколько не хуже, но милый Гарольд (нет-нет, я не про нынешнего премьер-министра!) — он бы ни за что им не поверил! Он ведь учился вместе

с Диреком в школе, а потом они вместе служили в полку. Но Первая мировая война теперь уже — древняя история! Кстати, они ни в чем не сходились, кроме садоводства. Не наскучила ли я вам своей болтовней о розах? Честное слово? На прошлой неделе я водила по саду двух гостей и попала в пресмешное положение — разглагольствовала часами, пока не поняла, что у епископа цветовая слепота, а судья не чувствует запахов! Но они были удивительно милы, так милы, что Ивлин Во и то с ними не сравнится. Я вообще трепещу перед писателями, а вы? Мне всегда кажется, что они возьмут да и опишут тебя в следующем романе. Вы, конечно, подумаете, что это нелепые страхи — я ведь совсем-совсем никто, — но один писатель именно меня-то и описал! Книгу никто не читал, но это как раз к лучшему. Если бы это оказался бестселлер, мои внуки не знали бы, куда деваться от смущения, и все бы ее читали и в Тринити-колледже, и в колледже Христовой Церкви... Живая изгородь прекрасно разрослась, не правда ли? Она заслоняет коттедж, который выстроили какие-то неприятные люди — мне сказали, что они приехали из Хэддерсвильда или из какого-то другого захолустья... А вот в этом углу у нас разыгралась трагедия. Я посадила здесь секвойю — гигантскую сосну из Калифорнии. Они растут до восьмисот лет, но эта не прожила и восьми секунд. Ее вырвала колли Дирека, Весталка Третья. Потом она стала чемпионкой на выставке, но это все же меня не утешило. Ну вот, мы и вернулись на террасу, и вы заслужили стаканчик вина. Что вы предпочитаете — Черный Бархат или Белый Атлас?

Эта леди в своем монологе не переводя дыхания нагромоздила один на другой все или почти все символы, которые характеризуют ее общественное положение. Даже если она немножко приврала, это все же перечисление ценностей, в которые она верит. Ее безыскусная болтовня была рассчитана на то, чтобы, во-первых, подчеркнуть, что она выросла в

поместье, а не в городе. Она с детства разбирается в почвах и деревьях, в цветах и кустарниках. Она намекает, что в числе ее знакомых есть люди из высшего общества, но она сама слишком уважаема в своем кругу, чтобы этим хвастаться. Она интересуется лошадьми и собаками больше, чем политикой. Ее родственники и друзья занимают высокое положение в Армии и во Флоте, в Церкви и в Суде. Ее муж учился в Итоне и некоторое время служил в Королевской гвардии. Но сама она человек интеллигентный, немного знает и театр, и литературу. Цель ее монолога — показать, какое положение она занимает в обществе, хотя именно эти ее попытки говорят о том, что она отнюдь не в центре, а, скорее, на периферии этого круга. И хотя ее неуверенность в себе ни от кого не скроется, все же ее претензии на положение в обществе имеют какие-то основания. Но совершенно очевидно по крайней мере то, что эта особа неподдельно глупа.

Но хотя ее глупость и бросается в глаза, ее систему ценностей нельзя назвать абсолютно фальшивой. Она не говорит, что все ее друзья неимоверно богаты. И даже не пытается сделать вид, что она — влиятельное лицо. Она просто хочет утвердить свое «положение в графстве», свои родственные и дружеские связи с представителями хороших семей и уважаемых профессий. Ей приятно сообщить, что некоторые члены ее семьи доказали свою воинскую доблесть и кое-кто из них дослужился до высоких чинов. Во всем этом достаточно оснований для вполне законной гордости. Может быть, с ее стороны было и глупо говорить об этом, но нам, конечно, не подобает отнимать у нее удовольствие. Пусть себе купается в лучах чужой славы. Все-таки она превозносит достойных людей и за дела, вполне достойные одобрения. Ее герои достигли известных степеней на избранном ими поприще. А ведь бывает, что люди превозносят куда менее почтенных друзей и за менее похвальные действия.

Итак, общественное положение — цель, которой мы мо-

жем добиваться, и усилия, которые мы для этого прилагаем, составляют часть общей социальной динамики. Но вряд ли можно сказать то же самое о стремлении к счастью (в противоположность удовольствиям), и, собственно говоря, еще неизвестно, достигают ли счастья те, для кого оно стало целью жизни. Однако в той мере, в какой оно вообще достижимо, оно легче всего достигается теми, кто требует малого. Символ счастья — рай в шалаше, простая пища и жизнь на лоне природы. Убегая от цивилизации, мы можем расстаться с автомобилем и радио, свести свое имущество к минимуму и таким образом наслаждаться единением с природой и всей ее прелестью. Может быть, это и неплохая мысль, если речь идет о людях пожилых. А в более ранние годы этот план провалится — надо воспитывать детей. Удалиться на лоно природы, успев обогатить свой ум, унося в памяти множество прочитанных книг, — это одно, а растить детей, которые никогда не видели библиотеки, концертного зала или театра, — это совсем другое дело. Вряд ли они будут счастливы, и весьма возможно, что они деградируют до такой степени дикости, которая может оказаться на редкость неприятной. Расставшись с цивилизацией, нам не вернуться к первобытной простоте. Хороший урок можно извлечь из «Повелителя мух» Уильяма Голдинга; этот урок заключается в том, что даже на необитаемый остров мы берем с собой свои пороки.

Так чего же мы, в конце концов, пытаемся добиться? Мы не хотим просто плодиться и размножаться. Человечеству и обществу мы отдаем себя в очень малой мере. Богатство для большинства из нас недосягаемо, и, следовательно, нам кажется, что его не стоит и добиваться. Положение в обществе, может быть, и стоит усилий, но сами эти усилия легко превращаются в нелепицу. Как и счастье, общественное положение обычно приходит к нам как побочный продукт какой-то другой деятельности. Удовольствия, которые мы в состоянии купить, ограничены физическими законами, а простая

уверенность в завтрашнем дне едва ли может служить целью всей жизни. Но что же тогда должно стать нашей целью? Наиболее здравомыслящие люди ответят, что надо отыскать равновесие между всеми этими возможными побуждениями, но по временам какое-то из них становится главным — может быть, открываются новые возможности, или, как это чаще бывает, обстоятельства меняются. Сосредоточить все свои мысли на деньгах — значит стать скупцом, а это немногим лучше, чем стать скопцом. Мечтать только о высоком положении — это значит ставить себя в глупое положение. Жить ради детей почти так же бессмысленно, как детям — жить ради своих родителей. Погоня за счастьем может кончиться несчастьем, а жажда удовольствий может довести нас до горького похмелья. Больше всего нам нужно одно: чувство меры. Эта истина — основа унаследованной нами цивилизации, и весь наш опыт подтверждает ее. Стоит нам лишиться чувства меры, и мы пропали.

Сравнивая всевозможные цели, которые мы ставим перед собой, мы пока что обошли молчанием ту цель, которая, может статься, значит больше всего в нашей жизни. Это — стремление создать что-то прекрасное, нужное и всем интересное. Художник, писатель или музыкант ставит перед собой цель, которая не ведет (непосредственно) ни к положению в обществе, ни к богатству, счастью или спокойной жизни. Скульптор, высекающий шедевр из глыбы мрамора, создает прекрасное произведение искусства. Для него в этом и труд, и забава, ему жаль каждой минуты, потерянной на еду или на сон. Статуя, которую он изваял, может принести ему и некоторую сумму денег, и славу в мире искусства. Он счастлив, когда работает, и испытывает удовлетворение, завершив эту работу. Он верит, что слава переживет его самого и его лучшие произведения останутся в наследство грядущим поколениям... Значит, он может получить и удовольствие, и плату за это удовольствие — эту привилегию он де-

лит с композитором или драматургом, с живописцем и поэтом. Только такой род занятий может соединить в гармоническом единстве все или почти все мыслимые цели. Какая радость сравнится с радостью композитора, написавшего музыку к оперетте, имеющей бешеный успех? Заставить петь весь мир — это само по себе счастье, но, если получаешь удовольствие во время работы, а по окончании ее на тебя еще сваливается слава и богатство, по-моему, это значит, что ты добился почти всего, чего можно добиться в жизни. Это — привилегия великих художников, и мало кто из нас окажется достойным такого жребия. Однако мы все время забываем, что и нам это доступно, только в меньших масштабах. Не имея особых талантов, не отличаясь ничем, кроме способностей и здравого смысла, мы можем участвовать в творческой работе и радоваться ее результатам. Мы способны сыграть некую роль в создании чего-то полезного и прекрасного и имеем право поставить внизу свою размашистую подпись. Великие произведения искусства редко создаются без помощников. Чаще всего работой руководил мастер, который точно знал, что ему нужно и вообще что к чему. В этом смысле каждый из нас имеет возможность оставить какой-нибудь памятник, чтобы увековечить свое имя; можно хотя бы обогатить местность новой постройкой — пусть это будут ворота, фонтан или колодец. Конечно же, это прекрасно, когда после тебя остается что-то существенное.

НАДЦАТИЛОГИЯ

Надцатилогия — это наука, изучающая систему ценностей, обычаи, одежду, моды, музыку, танцы, искусство, напитки и наркотики, характеризующие мир тех, кому мину-

ло -надцать лет. Моды меняются так молниеносно, что не стоит и пытаться определить, что именно нравится -надцатилетним, — все равно любое определение устареет прежде, чем книга выйдет из печати. Тем не менее если и существует преемственность идей, то она выражается в пренебрежении ко всем европейским традициям и в явном предпочтении чувств и ритмов, пришедших к нам из Африки. Подоплека такого предпочтения представляет собой чисто исторический интерес, но, несомненно, преимущество заключается в том, что благодаря этому можно ускользнуть из-под опеки старших. Если захочешь станцевать менуэт или джигу, придется приставать с расспросами к взрослым. Чтобы играть Моцарта, надо сначала научиться исполнять классические произведения. Но поклоннику африканских ритмов такие консультации ни к чему, да родители и не в состоянии помочь ему советом. Это помогает -надцатилетним создать свою среду существования, ограничить мир, в который взрослые не допускаются. Подразумевается, что есть многое на свете, чего взрослым нипочем не втолкуешь, и не надейся. Поэтому подростки так часто начинают жить в своем собственном мире.

Такое положение дел можно объяснить многообразными причинами, но самая первостепенная из них, несомненно, отсутствие в доме родительского авторитета. Лет сто назад все строилось на том, что муж, по общепринятым обычаям, был хозяином в собственном доме. Жена точно следовала заповедям повиновения и покорности, прекрасно понимая, что на это в свою очередь опирается ее власть над детьми. Ей приходилось проводить с ними гораздо больше времени, но ее усилиям поддержать дисциплину часто мешала слишком большая близость. Поэтому наилучший выход для нее был в том, чтобы опираться на авторитет отсутствующего мужа. Она заявляла: «Ваш отец это строго запретил», — и делала при этом вид, что сама она была бы гораздо сговорчивей.

Только признавая непререкаемую власть мужа, ей удавалось добиться повиновения младших. Порой приказание исходило от нее, а недовольство доставалось на его долю; впрочем, он это переносил вполне безболезненно, так как по большей части при сем не присутствовал. Она добавляла к правилам субординации и мощное воздействие личного примера. Именно так и детей и прислугу учили знать свое место.

То, что родительский авторитет в Викторианскую эпоху, по-видимому, достиг своего апогея, было прямым следствием многочисленности потомства. Когда детская смертность внезапно и резко снизилась, семьи насчитывали по двенадцать, четырнадцать и даже двадцать детей. Это превратило дом в настоящую частную школу, где дисциплина была необходима, как никогда. Правило, чтобы дети никогда не открывали рот, пока к ним не обратятся, может пригодиться в любом случае, но, когда этих детей дюжина, если не больше, это правило превращается в жизненную необходимость. Без главы и повелителя жить было бы просто невозможно. Так что Мама изо всех сил старалась поддержать авторитет Отца, используя его в свою очередь и для самозащиты. «Придется рассказать все вашему отцу, когда он вернется из конторы», — с помощью этих устрашающих слов она сохраняла порядок, и нависшая над домом угроза превращалась в страх, когда она восклицала: «Я слышу шаги вашего отца на лестнице!» Сама она не так уж трепетала перед ним, это было притворство, но тут притворство могло оказать добрую услугу. Дети готовы были сквозь землю провалиться еще до того, как их постигало возмездие, а в результате создавалась относительно мирная и спокойная домашняя обстановка. Весьма возможно, что иного способа держать в руках домашние бразды правления и не существовало.

В двадцатом веке детей стало меньше, и женщины тут же взбунтовались. Дисциплина больше не стояла во главе угла, и строй семейной жизни переменился. Предполагалось, что

если детей мало и интервалы между их появлением на свет тщательно продуманы, то времени на объяснения с ними, видимо, будет предостаточно. Может быть, хватит времени даже на чтение трудов по детской психологии. Приказания отца перестали быть непререкаемыми, как заповеди Священного Писания, да и сама Библия оказалась в изгнании где-то на верхней полке, как совершенно неподходящее чтение для малолетних. А с какой стати женщина должна покорно подчиняться? И правда, с какой стати? После некоторых колебаний претензия женщин на равенство была удовлетворена. Слова «да убоится» были вычеркнуты из обряда бракосочетания или, по взаимному соглашению, потеряли свой прямой смысл: это привело к более естественным отношениям между людьми разумными, к более непосредственной дружбе и взаимопониманию, и любовь встала на место страха. Отныне замужние женщины сохраняли право на свою собственность, а некоторые даже делали независимую карьеру; и большинство мужчин обрадовались наступившим переменам, с облегчением сбросив с плеч обязанности непогрешимого домашнего тирана. Атмосфера в доме стала менее чопорной и более непринужденной, и отныне все вопросы выносились на обсуждение, а о трудностях толковали без страха и сомнения. Мы имеем все основания полагать, что муж, живший в одно время с А. А. Милном, был более приятным и добродушным человеком, чем современник Чарльза Диккенса. Семейные анекдоты пришли на смену семейным молитвам. Ветхий Завет уступил место «Винни-Пуху».

Но до людей почему-то очень не скоро дошло, что эмансипация жены подорвала власть родителей над детьми. Мать больше не подавала пример покорности, хотя сама по-прежнему требовала послушания. Теперь между родителями чаще стали возникать споры, а ребенок получил возможность жаловаться на одного из них другому. Кончилось же это тем, что он совсем перестал их слушаться. Свергнув мужчину с

пьедестала, жена и мать, собственно говоря, отняла у себя оружие для поддержания дисциплины. На вопрос «А почему нельзя играть со шлангом?» она уже больше не может бросить в ответ: «Потому что отец запретил». Теперь ей пришлось бы ответить: «Потому что я сказала — нельзя!» Но так отвечать ей не хочется, и она инстинктивно пускается в объяснения, избегая приказаний. Дети должны бросить шланг, потому что соседи будут недовольны, потому что вода будет литься зря, потому что одежда может намокнуть и потому, что сами дети могут схватить воспаление легких и умереть. Но если пускаешься в объяснения там, где нужно повиновение, пиши пропало. От детей удается добиться невнятного обещания, что они будут осторожны, обещания, которое через минуту уже позабыто и нарушено. Но страшны не прямые последствия, а то, что дети раз и навсегда поймут: маму можно уговорить, а папа ничего им не сделает, даже когда узнает, что они натворили. Жена, которая спрашивает, заливаясь слезами: «Ну почему ты не хочешь на них повлиять?» — взывает к авторитету, который она же и ниспровергла. Очутившись в столь невыгодном положении, она начинает уверять себя и других, что дисциплина старых времен не годится для современного ребенка. Ему нужно все объяснять, не прибегая к насилию. И форма обращения снизилась от викторианского «сэр» до более позднего «папочка», а теперь отца зовут по имени или просто «предок». В конце концов все пришли к заключению, что проблему дисциплины должна разрешить школа.

Однако и сама школа была ослаблена влиянием Джона Дьюи (1859—1952) — он требовал, чтобы авторитарные методы были упразднены и ученики обучались на собственном опыте. Созданная им система «прогрессивного» обучения с тех пор прочно утвердилась в школах, и все прогрессивно настроенные умы наслаждались эпохой просвещения целых пятьдесят лет. Мрачные средневековые училища с расша-

танными, изрезанными партами и засиженными мухами одноцветными гравюрами Парфенона уступили место классным комнатам со стеклянными стенами, веселенькой обстановкой, окрашенной в нежные пастельные тона, и развлекательными уроками по телевидению. Относительно достигнутых результатов могут быть высказаны разные мнения. Но одно, во всяком случае, не вызывает разногласий — процесс обучения стал чрезвычайно длительным. Чтобы получить образование по этим принципам, надо учиться, учиться и снова учиться многие годы. По пятнадцать лет и больше — подчас этот срок достигает четверти средней человеческой жизни — дети и подростки ходят стадами по весело окрашенным коридорам учебных заведений совместного обучения. Возможно, это и представляет счастливый контраст с прежними временами, когда детей бросали прямо в мир взрослых, когда не в диковинку были семилетние ученики в мастерских или десятилетние юнги на кораблях. Сто лет назад молодежь везде была в меньшинстве среди старших — в конюшне ли, в казармах или в кубрике. А если посмотреть для сравнения на прогрессивную школу, там не найдешь взрослых, которым можно подражать и которых надо побаиваться — ведь учителям за то и платят (по общему мнению), чтобы они вели себя как положено, и поэтому их считают чудаками и чужаками. Молодым приходится создавать свой собственный мир.

Но если эти бесконечные школьные годы, в отрыве от общества взрослых, создают фон проблемы -надцатилетних, то первый план, безусловно, занимают средства передвижения. Располагая мотоциклом или машиной, некоторой суммой денег и хорошей погодой на уик-энд, молодежь может заниматься чем ей заблагорассудится. И не так-то легко запретить им брать машину, которая стала необходимой и в нашей, и в их жизни; это не роскошь, а просто предмет первой необходимости — и без машины молодежь чувствует себя обойденной, обездоленной и обескураженной. Получает-

ся, что все уик-энды и каникулы они проводят не со старшими, а в обществе друг друга. Так они и остаются в своем мире -надцатилетних до тех самых пор, пока не кончат школу или колледж, когда им предстоит начать зарабатывать себе на жизнь.

Но следует признаться в оправдание молодых, что общество, от которого они стараются отгородиться, особого восторга не вызывает. И более того, за эту серую скуку взрослого мира их родители, быть может, проливали кровь, пот и слезы. Для многих супружеских пар жизнь начиналась в трущобах, где торговля наркотиками и проституция были привычными занятиями, где не редкость были потасовки, а случалось, и поножовщина. Самообразование и скупость, предприимчивость и бесконечный труд помогли им выбиться в люди. Для них дом в пригороде с гаражом на две машины олицетворяет такое благополучие, на которое в былые времена они и надеяться не смели. Имя на дощечке у ворот и зеленая травка газона для них полны высокой романтики. Все это заработано расчетом и терпеньем, неустанным и непрерывным трудом. Но то, что им кажется настоящим чудом, нисколько не трогает их детей — они-то, возможно, ничего другого и не знали. Глазам детей предстает скучный пригород, где самые драматические события — невинные сплетни или эпидемия кори. «Здесь ничего никогда не случается!» — возмущаются они. Родители со своей стороны могли бы припомнить времена, когда случалось слишком много и чересчур часто. Спокойная жизнь — вот их самая заветная мечта, к которой они до сих пор постоянно стремятся не жалея сил. Однако это не так уж легко и просто объяснить другим. Поэтому и принято считать, что старшие обленились и с ними скучно, что взрослая жизнь наводит на молодых тоску и им только и остается, что сбежать от всего этого подальше.

Но если молодых никак не тянет к семейной жизни в пригороде, то деловой мир привлекает их, пожалуй, и того

меньше. Потому что требования, предъявляемые к вступающим в этот клуб, с самого начала достаточно обременительные, зачастую повышаются каждый раз, как только обнаруживаются симптомы неповиновения. За допуск к ответственной работе подчас приходится расплачиваться ценой слишком рабского соблюдения правил и предписаний. И вдобавок это часто неразрывно связано с чересчур долгим периодом ученичества. Нам все время повторяют, что в наши дни молодежь — наша надежда. Но когда старцы цепляются за власть, не только люди среднего возраста приходят в отчаяние, но и молодые отказываются вступать даже на первую ступеньку лестницы. Быть обреченным на тридцать лет подчиненного положения достаточно, чтобы подрезать человеку крылья, но, когда в перспективе пятьдесят лет бесплодных усилий и разочарований, от этого у кого угодно опустятся руки. Если же старики отстранятся, продвижение людей среднего возраста даст дорогу молодым. Там, где молодые доведены до бешенства собственным бессилием, приглашать нескольких из них (в возрасте 20 лет) в состав Палаты Мудрых и Добродетельных — это не поможет. Верное средство в этом случае — проводить на пенсию всех, кому больше шестидесяти лет, и таким образом освободить место для тех, кому двадцать семь. Если молодые смогут надеяться на получение ответственной должности через семь лет, они очень быстро станут взрослыми. Конечно, на нас оказывает влияние то, чему нас обучали, но еще больше на нас действуют годы разочарований, простирающиеся перед нами во всей своей неизбежности. Не помогает и изобретение должностей, дающих призрачную власть. Никого не вводит в заблуждение Молодежный Комитет, и особенно в том случае, когда настоящие члены Комитета — один другого древнее. Молодых можно не облекать слишком серьезной ответственностью, но она должна быть реальной.

Организации типа бойскаутов, несомненно, по замыслу

очень хороши, но их еще в зародыше роковым образом подрывает то, что они выдуманы пожилыми для юных. Гораздо более прочная организация возникает, когда старшие зовут молодых на помощь в общем деле, например, принимают в команду спасательной лодки или в комиссию по организации парадного шествия. Современный отец, зная, что праздность приводит к порокам, и не принимая помощи, предлагаемой молодежными организациями, подчас изобретает собственный доморощенный план, чтобы уберечь своих детей от соблазнов. Он предлагает какой-нибудь проект вроде строительства парусной лодки. Вначале все загораются энтузиазмом, и на заднем дворе разворачивается кипучая деятельность, которую отцу так хотелось видеть. Драят планки наждачной бумагой, сшивают паруса, смолят такелаж. Мальчишки больше не слоняются без дела, засунув руки в карманы. Дочку удалось выманить из бара, и мама счастлива, что семейство собралось все вместе. Но постепенно в этих совместных усилиях проглядывает что-то ненастоящее. Лодка, спущенная на воду, нисколько не лучше и не намного дешевле той, что продается в магазине. Корпус из стеклопластика был бы, пожалуй, гораздо практичней. Отец добился только одного — организовал полезное времяпрепровождение для себя и для детей. Вместо того чтобы оставить их играть с друзьями, он пригласил их играть с собой, не потому, что действительно нуждался в их помощи, а потому, что ему хотелось занять их чем-нибудь. Нереальность ситуации заключается в том, что отец — биржевой маклер, а не лодочник на канале. Если бы суденышко нужно было сму для дела, это заслужило бы уважение со стороны детей. Но лодка — игрушка, причем по праву их игрушка, а не отцовская. В конце концов они начинают понимать, что все это — ребяческая затея вроде попытки взрослого человека вмешаться в детский хоровод; да и игра не из тех, которую они выбрали бы сами, добровольно. Отцу приходится заканчивать по-

стройку лодки в одиночестве, и он понимает, что затея провалилась. Правда, сам он действительно уберегся от соблазнов, но мальчишки опять бездельничают, как и прежде, а дочка снова водит компанию с местными подонками. Нет ли другого пути? — вопрошает отец.

Единственный окончательный ответ — это дать молодым возможность расти, и чтобы при этом перед ними была перспектива как можно раньше применить какие бы они ни были, но свои, личные таланты. Если им это не удается, они отвращаются от общества и решают навсегда остаться в мире -надцатилетних. Это и породило движение, которое почти одновременно возникло в таких отдаленных друг от друга местах, как Сан-Франциско, Берлин и Токио, Амстердам, Лондон и Париж. Характер движения постоянно меняется, но начинается оно неизменно стремлением вырваться, освободиться. Можно примерно наметить шесть путей освобождения, а именно: секс, скорость, шум, выпивка, экзотика, наркотики. Ближе всего к реальности — секс, потому что партнер по крайней мере реальное лицо. Отчасти связана с сексом и страсть мотоциклиста к грубой силе и бешеной скорости, чувство своей власти и могущества. Но звук ревущего мотора сливается с африканскими ритмами, которые в наше время заменяют музыку. Гипнотический ритм ударных инструментов погружает в некий транс, когда реальный мир становится тенью, а сны — явью. Но хотя это увлечение пластинками, стонами и завываниями делает мало чести нашим методам воспитания, нельзя утверждать, что оно приносит ощутимый физический вред. Беда приходит тогда, когда бегство от действительности стараются ускорить выпивкой или — теперь это не в диковинку — наркотиками. Из них табак — самый мягкий, скорее просто успокаивающее; но постепенно в употребление входят наркотики, дающие более сильные иллюзорные ощущения.

Осудить наркомана слишком легко. Издеваться над бо-

родатым придурком, размахивающим флажком в какой-нибудь жалкой демонстрации протеста, и того легче. Гораздо труднее создать такое общество взрослых, в которое молодежь будет стремиться и пробиваться. Однако начало может быть положено в любой семье, где поняли, что чувство ответственности необходимо. Секрет заключается в том, что родители должны поставить перед собой такую цель, для достижения которой им как раз чуть-чуть не хватит сил, и обратиться к детям за помощью, потому что без них ничего не добиться. Вполне почтенная цель — заработать побольше денег, может быть для того, чтобы переехать в более удобный дом. Покупка или постройка дачного домика может оказаться хорошим приемом, особенно если с самого начала кого-нибудь из детей называют будущим хозяином. Успех родительского (или любого другого) руководства должен всегда быть связан с достижением цели, явно желанной, но почти (не абсолютно!) недостижимой. Дети теряют всякий интерес к делу, когда и общество и семья ставят перед собою только такие цели, которых ничего не стоит достичь или которые вообще уже достигнуты. С этой точки зрения совершенно неважно, какая это цель — идеалистическая или эгоистическая. Главное то, что необходимо какое-то усилие и детям можно — и даже необходимо — принять в этом участие. Собственно говоря, их побуждают стать взрослыми.

Чтобы разрешить проблемы надцатилогии, необходимо, как видим, создать такое общество, в котором у молодых есть своя роль и они становятся не бунтовщиками и не просто учениками, а младшими членами бригады. Громче всех клеймят непокорную молодежь старики, стоящие во главе организаций, где никому моложе шестидесяти лет никогда не приходилось заниматься чем-либо, кроме подсобной работы. Если их хорошенько припугнуть, эти престарелые автократы иногда вдруг возносят на самый верх кого-то из самых молодых. Но вот уйти в отставку они никак не согласны!

А в таком случае создается взрывоопасная ситуация, и мы делаем вывод, что молодежь просто-напросто бунтует. Но мы так дрожим за те основы, которые грозят ниспровергнуть, что редко замечаем, какой вред наносится самой молодежи. Потому что выкрикивание лозунгов — все равно, брошенных ли Малькольмом Х, или председателем Мао — это же признак умственной отсталости. И юность не проходит невредимой через годы, заполненные гонками и грохотом, враньем и наркотиками. Даже если это не отразится на физическом здоровье, то возможность, которой они пренебрегли, — возможность пораньше достичь интеллектуальной зрелости — потеряна, и теперь ее уже не воротишь.

В ПОИСКАХ ВЫХОДА

Всякой хозяйке дома, даже если у нее и нет -надцатилетних детей, все же приходится переживать минуты уныния и отчаяния; но стоит только с кем-нибудь поделиться, как все проходит. Однако бывают времена, когда не так уж просто справиться со скукой и тошнотворной тоской. Женатый мужчина природным иммунитетом в этом отношении тоже не обладает, и вполне допустимо, по крайней мере теоретически, что он выходит из строя одновременно со своей женой. Впрочем, это хотя и допустимо, но столь же маловероятно, как если бы две свечи догорели в один и тот же миг. Учитывая, насколько эта ситуация маловероятна, можно скорее предположить, что, когда один из супругов расклеивается, другой при этом подтягивается. Если пока что исключить случаи, когда оба одновременно отравились одним и тем же омаром, то можно считать, что в каждый данный момент один из двоих полон энергии и жизнерадостности.

Тот, кому на этот раз не повезло, начнет, наверное, жаловаться на дороговизну, на то, что с дочерьми никакого сладу нет, что дом сырой и промозглый, а все лучшие друзья разлетелись кто куда. Если бы она могла убежать от всего этого! Но ведь на самом деле ей нужно бежать от самой себя. Тут представляется на выбор несколько выходов, и проще всего — взять да и заболеть. Но этот способ хорош, только если в доме остается кто-то внимательный, ласковый и здоровый.

То, что болящий в этом случае содействует болезни, обычно видно по тому, когда и почему болезнь начинается. Будем считать, что микроб присутствует постоянно, а жертва подсознательно складывает оружие как раз в то время, когда ей *надо* заболеть. Для некоторых людей нет никакой другой возможности хоть немного передохнуть. В определенный момент, когда гости разъехались или дети отправлены в школу, температура подскакивает, начинаются боли, слабость становится непреодолимой и болезнь вступает в свои права. Заметим, чтобы не было недоразумений, что это вовсе не симуляция. Недомогание подлинное, симптомы не вымышлены, болезнь будет развиваться своим ходом, и осложнения в точности совпадут с описанными в учебниках. И тем не менее ничего бы не произошло, если бы пациентка подсознательно не дала свое согласие — ведь по разным обстоятельствам ничего не случалось, пока болеть было совершенно невозможно и недопустимо. Отчасти болезнь можно объяснить потребностью в отдыхе, но в эту форму частично вылилось и желание сбежать от всего. Пока больная лежит в постели, она не только избегает ежедневных обязанностей, но и избавляется от своей обычной будничной личности. Она становится другим человеком — быть может, даже мученицей, чей мужественный пример должен вдохновлять окружающих. Чтобы только не быть в тягость своим друзьям, она борется почти что до последнего издыхания. И лишь много времени спустя окружающие постигают, как она страдала.

Да, она была бледна и бессильна, но всегда думала о других. Она была святее всех великомучениц и храбрее всех героев.

Но на ложе болезни, как и на поле брани, одного героизма мало. Героизм должен иметь зрителей. Кто-то должен все видеть и сочувствовать, кто-то должен заметить, как судорога боли сменилась слабой улыбкой покорности. Тут нужна публика — сиделки, доктора, родственники, — и чем больше, тем лучше; но уж один-то человек — это тот минимум, без которого все пойдет прахом. Этот единственный человек чаще всего муж или жена, и ничто не подвергает семейную жизнь такой опасности, как неумение сыграть эту роль по всем канонам. Когда жена говорит: «У меня голова раскалывается», хороший муж обязан высказать беспокойство, заметив, что она и вправду неважно выглядит.

— Бедняжечка ты моя! Ты даже побледнела, теперь я вижу. У тебя, наверное, и сердчишко пошаливает. Глотни-ка аспиринчику, а я сейчас намочу полотенце. И сразу позвоню в клуб, скажу, чтобы вечером тебя не ждали на заседании комитета.

Как не подивиться бесчувственности мужа, который, наоборот, считает все жалобы жены чистейшей выдумкой.

— Странно, — заявляет он. — *С виду* ты в полном порядке. Может, просто не проспалась как следует после вчерашней вечеринки. Ну, увидимся после заседания комитета!

Это пример бесчеловечной жестокости, когда муж просто закрывает глаза на то, что его жена почти что при смерти. Страшно даже подумать, что такие мужчины ходят по земле, это же просто (чтобы не искать других слов) чудовища в человеческом облике, садисты, для которых чужие страдания ничто, зато сами они становятся совершенно несносными, если схватят пустячный насморк. Но хуже всего доселе описанного то, что позволяют себе люди, отвечающие жалобой на жалобу. Супружеские отношения зиждутся на том, что в данный момент болеть имеет право только один из двоих. За

тем, кто пожаловался первый, закрепляется приоритет, а другой обязан оставаться здоровым, пока на воображаемом светофоре не загорится зеленый сигнал. Но некоторые нарушители тем не менее едут на красный свет, и орудием преступления служит, к примеру, такой диалог:

— Ах, Том, мне плохо, голова кружится, я боюсь, что вот-вот потеряю сознание.

— И мне тоже плохо, ну точь-в-точь как тебе, Мэйбл. Может, глотнуть бренди?

— Меня тошнит.

— И меня! Видно, все этот салат с креветками. Я сразу заметил, что вкус не тот.

— У меня сердце еле бьется, с перебоями...

— Да у меня сплошные перебои! Все от несварения желудка.

— Прямо не знаю, как дотяну до вечера. Бог свидетель, борюсь из последних сил, но эта боль в груди меня доконает.

— Как, и у тебя то же самое? А я все думаю, не тромбоз ли у меня.

— Больше не могу. Придется лечь.

— Я и сам ложусь. Только уж ты сначала вызови врача, ладно?

Но ситуация, в которой произошла эта беда, явно нереальна. Муж и жена не могут заболеть одновременно. Поведение Тома возмутительно, потому что Мэйбл первая объявила о своей болезни. Когда она начала говорить «Мне плохо, голова кружится...» и т. д., он должен был вступить, как по сигналу, и сказать: «Пойди приляг на диван, а я принесу тебе чашку чаю». Но он, пренебрегая своим святым долгом, разглагольствует о собственных воображаемых недомоганиях. Да так он в конце концов доведет бедную девочку до безумия! Требовать сочувствия у женщины, которая сама в нем нуждается, — это просто нанесение душевных ран. Мужей бросали и за меньшие жестокости. Конечно, описанная на-

ми воображаемая ситуация крайне серьезна, и мы вправе задать себе вопрос, не рушится ли этот брак. Приходится признать, что перспективы печальные, потому что муж не желает дожидаться своей очереди. Всему свое время, и ни один муж не смеет болеть, пока жена не выздоровеет.

Еще один вид спасительного бегства, заменяющий болезнь или помогающий выздоровлению, — это вымысел. Вымыслы поставляются нам телевидением и радио, в виде беллетристики, кинофильмов или пьес. Все это служит одной цели: отключиться от реальной окружающей жизни и хотя бы на время уйти в иной, воображаемый мир. Некоторые дети целые дни напролет видят сны наяву, почти не нуждаясь в поддержке телеэкрана или печатной страницы. Телепоклонникам XX века приходится все меньше и меньше пускать в ход воображение, и если Шекспир предлагал зрителям самим по-своему вообразить поле битвы, то современный продюсер обязательно должен живописать кровавую сечу всеми цветами техниколора. Правда, подобные зрелища прерываются время от времени обсуждениями и комментариями на тему дня. Но в конечном итоге действительность так сплетается с вымыслом, что продюсер запутывается еще больше, чем зрители. Когда невозможно отличить жизненную драму от разыгранной, вымысел обычно производит впечатление более реальное: государственные мужи в телефильмах, как правило, гораздо представительнее тех политических деятелей, за которых нас призывают голосовать. Эта путаница в мыслях приводит нас к заключению, что кинозвезда или популярный певец — именно те люди, которые должны дать ответы на животрепещущие вопросы современности. Великого актера и режиссера сажают перед камерой и просят высказаться о международной политике или о положении трудящихся. Своего мнения у него нет. А зачем оно ему? Он посвятил всю свою жизнь изображению других людей, выдуманных или реальных, и привык драматически

остро подавать их точку зрения. И не видать бы ему сценического успеха, если бы он был нашпигован собственными взглядами. Но до телезрителей чрезвычайно медленно доходит то, что административные и актерские способности — не только две разные вещи, но две вещи несовместные. Когда граница между вымыслом и действительностью становится нечеткой, радио и телеэкран дают нам слабую возможность отвлечения от реальности. Повествование о выдуманном мире постоянно нарушается, и дело тут не только в том, что вклинивается всякая реклама, а в том, что сам продюсер решительно не способен уяснить себе, что именно он намерен предложить зрителю. Он может в избытке предлагать развлечения — оперные арии или болтовню комедиантов, — но всякому ясно, что это не помогает уйти от повседневности. Это всего-навсего шум, мы привыкли, что он служит аккомпанементом всей нашей обычной жизни. Что же касается тех строго документальных многосерийных телепередач, в которых говорится о делах злободневных, то они уж и подавно не годятся для «бегства»: они обычно еще непригляднее, чем сама жизнь.

Для тихого ухода от мирских забот, видимо, до сих пор ничто не может сравниться с книгой. Ее выбирают по собственному вкусу, вам ее не навязывают, исходя из представления какого-то продюсера о вкусах среднего зрителя. Более того, книгу выбирают, учитывая определенную обстановку или настроение; приключенческий роман для чтения в вагоне, любовную историю для путешествия в самолете, драму плаща и шпаги для чтения на ночь и что-нибудь усыпительное, когда хочется прикорнуть на диване в гостиной. По сравнению с телевизионной постановкой роман гораздо длиннее, и у автора есть время создать нужную атмосферу. Средний читатель всегда готов принять самые неправдоподобные выдумки, ему только нужно время, чтобы привыкнуть к предлагаемым обстоятельствам. Покойный мистер

Эрнест Брама разворачивал действие всех своих романов на фоне стандартного китайского пейзажа с ивами во времена неопределенной, но древней династии, и все его диалоги церемонны, пространны и преисполнены утонченной любезности. Нужно время, чтобы создать подобную атмосферу; и примерно такого же подхода требуют истории о короле Артуре и Мерлине. Мы готовы поддаться иллюзии, но сначала нам надо знать, какая это будет иллюзия. В этом смысле ничто не может превзойти викторианский роман в трех томах, в который читательница может действительно уйти с головой, как, например, в «Барчестер» Троллопа. Произведение такой протяженности действительно позволяет увлеченной читательнице вступить в другую жизнь, слиться с одним из действующих лиц и пережить множество событий. Отрываясь от книги — например, чтобы подойти к телефону, — испытываешь что-то вроде шока, что и доказывает, насколько глубоко ты погрузился в другую жизнь. Наоборот, некоторые детективные истории, в которых все дело в разгадке, можно прочесть только один раз, и если читатель начнет заранее догадываться, кто преступник, то все удовольствие будет испорчено. В многотомных романах девятнадцатого века дело было не в эффектной концовке, и они могли поглощать наше внимание даже при чтении во второй и в третий раз. Переносясь в другое общество, мы на какое-то время спасаемся от обстановки, в которой нам приходится жить. Может случиться, что вымышленный мир более привлекателен, чем настоящий, но это не так уж важно; важнее другое — это иной мир. Пока мы читаем, мы целиком и полностью отрываемся от нашего дома.

Может ли кинофильм служить той же цели, что и роман? Следует признать, что действие его кратковременно. Хотя фокусы киноискусства легче привлекают наше внимание, мы, в общем, увлечены меньше. Во-первых, посещение кинотеатра в некоторой степени уже общественное мероприя-

тие. Вы представляете собой часть аудитории и все время воспринимаете реакцию остальных зрителей. На минуту вы можете почувствовать, что идете в атаку за генералом Гастером или бьетесь с зулусами на Стремнине Рорка, но вот малыш в задних рядах вскрикивает «О-ооой» — и вы снова грубым рывком возвращены к действительности. И прежде всего вы вряд ли пойдете в кино одна. Значит, все переживания вам придется разделять с мужем или дочкой. Словом, с кемто связанным с вашей повседневной жизнью; с человеком, которому ваш излишний восторг может прийтись не по вкусу. «По-твоему, Элизабет Тейлор *красавица?*» — со значением вопрошает жена, и муж осмотрительно поясняет, что женщины могут быть привлекательны *по-разному* (надеюсь, ты понимаешь, что я хочу сказать), что у мисс Тейлор есть свои поклонники, но что сам он лично предпочитает блондинок лет тридцати семи. Так кинозрителю приходится следить за собой, памятуя, что он — или она — не в одиночестве. Кроме того, сюжет зачастую отступает на задний план перед актерами, а актеры так ломаются и переигрывают, что не остается и намека на правдоподобие. Одно из многих возражений против рекламной шумихи, создающей кинозвезд, — то, что мы все время помним, кто играет главную роль. Чем больше мы восхищаемся Рексом Гаррисоном как актером, тем менее мы склонны воспринимать его как Юлия Цезаря или профессора Хиггинса. Кинофильм может быть нам полезен и приятен во многих отношениях, но он редко переносит нас надолго в иные места, иные времена. Мы не можем забыть об актерах и о монтаже, нам интересно угадать, какие монтажные куски сняты на натуре, какие — в павильоне. Мы можем поддаться обаянию, но втереть нам очки не так-то просто.

Если нам хочется сбежать от нашей тоскливо-однообразной жизни, то театр пригоден для этого еще меньше, чем кино. Выход в театр — еще более общественное мероприятие; в

антракте мы встречаем друзей и можем поболтать с ними о достоинствах и недостатках актеров и постановки. И хотя мы теперь уже не наряжаемся, когда идем в театр, как это было принято раньше, мы все же сознаем себя частью зрительного зала и, следовательно, принимаем участие в успехе или провале спектакля. А коль скоро мы так втянуты в само представление, то развитие сюжета едва ли способно увлечь нас до самозабвения. Театральные зрители остаются сами собой, если не считать очень юных, — их мучит вопрос, достаточно ли они элегантны и нарядны, или они непрестанно стараются показать, что давно угадали развязку пьесы. Если пьеса поставлена приезжей труппой или местными актерами-любителями, мы склонны подвергать их еще более строгой критике, замечая, что Эрик был гораздо интереснее в одной из прежних ролей, или удивляясь, что Маргарет, оказывается, умеет так хорошо подать роль. Но больше всего любительская сцена дает, конечно, самим актерам. Для тех из них, кто жить не может без театра, роль — это блестящий способ бегства от жизни. Мы должны всегда помнить об этом, даже если нам самим приходится всего лишь разыгрывать шарады. Постановка любительского спектакля, как нам известно, требует таких героических усилий, что это многих отпугивает. Поэтому кажется странным, что очень немногие выбирают более легкий путь — кукольный театр. И ролей в этом театре учить не надо, и он ни в чем не уступает обычному театру, так же открывая нам путь в другой мир. Под видом куклы, которую дергают за веревочки, мы перевоплощаемся в разбойника с большой дороги или в пастушку, в шерифа или королеву. В таких ролях домашняя хозяйка и банковский клерк перестают хоть и на недолгие, но счастливые мгновения быть самими собой.

Последний и наиболее очевидный путь для ухода от повседневности — это уик-энды и летние отпуска. Прежде всего это позволяет переменить обстановку. Те, кто живет на

равнине, могут отправиться в горы, а живущие в лесу могут переехать к морю. Более того, человек может бросить прежние занятия — банкир станет рыбаком, а загнанная мать семейства превратится в отдыхающую леди. Если вы взяли с собой детей, это, конечно, несет в себе некий элемент непрерывности — отдыхающие родители должны оставаться родителями. И все же атмосфера совсем другая, по крайней мере на первый план выходят другие интересы. Но сложности возникают от несходства во вкусах мужчин и женщин. Предвкушая долгий отдых в конце недели, папа начинает мечтать о палатке на берегу озера или о хижине в горах. А мама скорее всего мечтает о двойном люксе в Гранд-отеле. Эти разногласия между ними возникают оттого, что из каждой девочки обязательно вырастет женщина, в то время как средний обычный мальчуган навсегда останется (в какой-то мере) мальчишкой. Девочка, играющая в куклы, репетирует ту роль, которую ей придется играть в дальнейшей жизни. Когда она ухаживает за своими пони, ее материнские инстинкты уже находят выход, она получает эмоциональное удовлетворение. А мальчишка, наоборот, готовится к жизненному пути, который ему вряд ли предстоит пройти. Он видит себя лесным бродягой или ковбоем, тайным агентом или командиром подводной лодки. Мечта становится явью очень редко — например, когда мальчишка, увлекавшийся моделями, становится инженером-конструктором. Но приходилось ли кому-нибудь из вас видеть, чтобы в мальчишеских играх фигурировали подведение баланса или страховка автомашин? В подавляющем большинстве случаев будущий одинокий скиталец становится простым счетоводом. Поэтому у мужчин есть общая склонность к вечному недовольству, стоит им только оглянуться на полную приключений жизнь, которая стала для них недоступной. У них отняли бастионы и ружья, диких зверей и страшных преступников и засадили играть в какие-то бумажные листочки! В глубине души каж-

дого чиновника томится и мечется человек действия, жаждущий и ждущий возможностей, которые ему никогда не подворачиваются. Мы можем, пожалуй, усомниться в том, что Уолтер Митти проявил бы молниеносную находчивость в случае реальной опасности, но его внутренняя неудовлетворенность не вызывает ни малейшего сомнения. И она находит свое выражение в том, как он планирует свой отпуск. Он уже видит себя мужественным первопроходцем, строителем лесных хижин, рыболовом и охотником, виртуозом топора и охотничьего ножа. Подчиняясь здравому смыслу, он может заменить лагерь в лесной глуши катерком с жилой каютой, но тогда уж он воображает себя старым морским волком, который простым матросом не раз огибал мыс Горн. Эти сны наяву меняют свои очертания день ото дня, но одно в них неизменно — герой всегда имеет дело с подлинными вещами вместо бумажек. Попадая в свою стихию, он становится другим человеком, теперь никто из коллег и не узнал бы в нем товарища по работе. Пусть разразится шторм — тогда его семейство в первый раз увидит и поймет, что он на самом деле за человек.

Мама видит все совершенно иначе. Действительно, мечты ее школьных лет гораздо ближе к той жизни, которую она ведет, но все же жизнь ее совсем не похожа на ту, о которой она мечтала. Ее любимый роман был о девушке, которая полюбила бедного молодого человека, но потом (во время медового месяца) узнала, что он миллионер. Она его полюбила, сами понимаете, *такого, как он есть*, и известие, что он — наследник герцогского титула, было для нее жестоким ударом. Но оставшись в живых после этого страшного обмана, она начинает понимать, что в ее положении есть некоторые мелкие преимущества; первое из них — личная горничная, а второе — шеф-повар, настоящий кудесник в своем деле. Подробности в этой мечте постоянно менялись, но главным всегда оставалось то, что она имела дом в городе и

поместье в сельской местности, заправляла толпой слуг и не считая швыряла деньги на наряды. Таковы были мечты школьницы, но жизнь ее сложилась совсем по-другому. Гарри — лучший муж в мире, имейте это в виду, и жалованье у него, после очередной прибавки, вполне приличное. Однако он далеко не переодетый миллионер, и его доходы на самом деле несколько меньше, чем она предполагала, когда объявили об их помолвке. Домашняя прислуга для них — непозволительная роскошь, да и новое платье можно подыскать только на дешевой распродаже после Рождества. Тщательно экономя и покупая вещи в рассрочку, она добилась известного уровня благосостояния; но купаться в роскоши ей до сих пор как-то не приходилось.

При таких обстоятельствах мама не может проникнуться прелестями отдыха на лоне природы. На катере или в прицепном фургончике ей отведена одна роль — готовить еду, пока папа конопатит палубу или ставит палатку. Школьницей она никогда не мечтала ютиться в палатке, да и во всех вестернах роль героини обычно несколько эпизодическая. И если она не попадала в плен к врагам (судя по всему, это дело вполне обычное), то все обязанности героини сводились к тому, чтобы перезаряжать винтовку героя и побыстрей накормить его, как только последний краснокожий ткнулся носом в землю. Но эта роль опять-таки оставляет ее у неизменной кухонной раковины, с той только разницей, что кухня на природе всегда оборудована кое-как. Крохотный камбуз плохо заменяет кухню с электрической духовкой, а тут еще вечно кто-нибудь что-нибудь забывает, например открывалку для бутылок или сливочное масло. «А я думал, что *ты* его уложишь», — говорят они друг другу, и папа ломает голову, прикидывая, как бы поступил в такой критической ситуации Буффало Билл или сэр Френсис Чичестер. Но главная беда в том, что папины приключения оборачиваются для мамы сплошными неприятностями. Для нее

попытки выстрелом отбить горлышко от бутылки — всего лишь утомительное ребячество. Если это будет продолжаться весь отпуск, она предпочитает вернуться домой, где сковороды по крайней мере можно найти на своих местах, а магазины всегда под боком. По сравнению со средним мужчиной женщина неизлечимо и непростительно взрослый человек.

Отпуск в маминых мечтах начинается так: в собственной очень дорогой машине она подкатывает к подъезду отеля «Феноменаль». В сопровождении мужа, который выглядит гораздо более представительным, чем в жизни, она проходит в двери, и все склоняются перед ней в поклоне. Пока прислуга таскает ее чемоданы свиной кожи, она замечает компанию знаменитостей, которые толпятся у камина в гостиной вокруг принцессы Руританской. Но вот принцесса оборачивается и видит, кто приехал.

— Белинда, *милая!* — восклицает она, маму тут же вовлекают в компанию, и ее окружают герцог Средиземноморский, сенатор Стетсон, графиня Глиссон и посол Каролингии. С легким удивлением она обнаруживает, что все они ее старые знакомые и что они обращаются к ее мужу (который стал на три дюйма выше) с известным почтением. Директор отеля сообщает ей, что для нее оставлены апартаменты царствующих особ, откуда открывается несравненный вид на озеро.

— Ах, вот в чем дело! — с наигранным возмущением шутит принцесса. — Теперь понятно, почему меня туда не пустили!

Вскоре выясняется, что никто не будет обедать в отеле, потому что герцог приглашает всех отобедать чем бог послал в замке Бланкенбург-Штариц, который ему уступил на время старый друг, барон фон Зауэркраут.

— Все будет очень скромно, — признается герцог. — Замок, правда, иллюминирован, и приглашены волынщики.

Все принимают предложение, находя, что это неплохая идея.

Мечтая дальше, мама видит, как в этот момент к отелю подъезжает еще одна машина. Мама узнает машину с откидным верхом, за рулем которой восседает ее соперница в борьбе за место председательницы Родительско-Учительского Совета, эта несносная миссис Сандра Соплинг. Перед тем как врезаться в забор, машина успевает превратиться в драндулет выпуска незапамятных времен, но Сандра со своим маленьким жалким мужем умело чинит помятое крыло — он орудует молотком, а она замазывает царапины лаковой краской от Вулворта, чуть-чуть неподходящего оттенка. Это последнее несчастье как будто ее несколько состарило, а костюм на Седрике сидит еще хуже, чем обычно. Беседа прерывается, когда они, шаркая ногами, волокут свой багаж к столику администратора. Директор отеля испарился, и на его месте сидит клерк с мохнатыми бровями, очень суровый на вид. Ежась под неприязненными взглядами компании, собравшейся у камина, Соплинги бормочут что-то о том, что заказывали номер по телефону. Клерк с величайшей многозначительностью открывает регистрационную книгу и проводит пальцем вниз по странице.

— Как вы сказали?

— Седрик Соплинг.

— Соплинг... Соплинг... У меня нет заказа на это имя. Когда вы звонили?

— Тринадцатого.

— Позавчера? Весьма сожалею, но едва ли мы смогли бы устроить вас по такому заказу. Отель переполнен, и все номера зарезервированы на годы вперед.

— Но вы же приняли заказ.

— Простите, сэр, но здесь нет ни следа вашего заказа.

— Это безобразие!

— Быть может, произошла ошибка. По какому номеру вы звонили?

— Сейчас, я как будто записывал у себя в записной книжке... Ага, вот он... Отель «Феноменаль», Нитвиц 258-634.

— А наш номер, сэр, Сент-Мориц 60-000.

— Так в каком же отеле я заказал номер?

Тут Сандра довольно язвительно спрашивает, откуда клерк может это знать. Но она и здесь ошибается, потому что на клерка внезапно нисходит озарение. Он хватает телефонную книгу и просматривает названия на букву «К».

— Вы, должно быть, набирали номер отеля «Кретиния».

— А где же это? — вопрошает Сандра.

Клерк, которому все это уже надоело, роется в туристском справочнике и читает нужный отрывок великолепно поставленным голосом:

— «Кретиния», 423 Шмелленгассе, Нитвиценберг. Разряд девятый, номеров 5, ванных комнат нет, питания нет, гаража нет, по воскресеньям закрыт.

— О боже! — говорит Сандра. — Сегодня пятница, и в другие отели не протолкнешься.

— Вы правы, мадам, это вполне вероятно.

— Далеко ли до этой трущобы?

— Примерно двести восемьдесят миль.

— У нас не хватит бензина!

— Кстати, дорогая, — говорит пришибленный Седрик. — Кажется, я позабыл свой бумажник дома...

— Но кредитная карточка у тебя с собой?

— Она тоже в бумажнике... Я думал, может, *у тебя* найдется немного денег?

— Откуда? Что мы теперь будем делать?

— Но в этом отеле, наверное, примут наш чек?

Клерк за столиком делает еще более грозное лицо, чем раньше. Голос у него стал на десять градусов холоднее, чем вначале.

— Я справлюсь у старшего администратора, сэр. Но позвольте узнать, если ли при вас какое-либо удостоверение личности или, может быть, вас знает кто-нибудь из наших гостей?

Документы Седрика, разумеется, остались в бумажнике, но взгляд Сандры в эту минуту падает на маму, и она почти рыдает от счастья. Она бросается к маме, наступает на лапу тигровой шкуре, и та тут же вцепляется ей в икру. Сандра собирает последние силы и ковыляет к камину, где все смотрят на нее с нескрываемым отвращением.

— Как чудесно, что вы здесь, дорогая! — запинаясь, бормочет она. — Пожалуйста, скажите же администратору, что вы нас знаете, что мы живем в одном городе!

Наступает мертвая тишина, пока мама изучает Сандру, медленно рассматривая ее с ног до головы. Потом она говорит, обращаясь, однако, не к Сандре, а к служащему за столиком:

— Я вижу эту женщину первый раз в жизни!

ПОРА НА ПОКОЙ

Утверждение, что мы начинаем быстро стареть, как только выйдем на пенсию, грубейшая ошибка. Создаются легенды, что все мы, люди в возрасте, — глухие, слепые, немощные и увечные, но все это чрезвычайно далеко от истины. Однако и мы кое-что замечаем: скажем, многие люди говорят нынче совсем не так, как прежде, — что правда, то правда. К примеру, актеры совершенно разучились произносить свои реплики, а вот раньше их было слышно даже в конце зала. В наши дни приходится садиться в первые ряды партера, а то ничего не разберешь. Подумать только, что же слыш-

но на галерке, где мы сиживали в юные годы? Не странно ли, что люди берут места там, где ни слова не слышно! Что же касается зрения, то оно у нас не хуже прежнего, конечно, если очки на месте. Неприятности начинаются, когда очки куда-то запропастились и мы лишены возможности их увидеть. Учтите, что сейчас пользуются гораздо более мелким шрифтом, да и многие вещи совсем не те, что прежде. Даже самое обычное блюдо — вареный картофель, — ну разве у него тот же вкус, что в прежние времена? Конечно, во всем виноваты химические удобрения. И все же мы не растеряли жизненную энергию — о нет! Мы, слава богу, можем ходить пешком дальше, чем многие из теперешних молодых. А наружность — да мы совсем почти не изменились. Вот нашим сверстникам очень не повезло. Никогда не забыть тот юбилейный День встречи в нашем старом колледже — все одряхлели просто до неузнаваемости. А мы, напротив, и выглядим и чувствуем себя такими же, как прежде, мы полны жизни и молоды душой.

Но жизнь порой любит подшутить, и одна из ее шуток — то, что мы остаемся юными под маской, которую видят другие. Мы до сих пор чувствуем себя немного озадаченными, когда вполне взрослые люди обращаются к нам с почтением, подобающим преклонному возрасту. Мы оборачиваемся, разыскивая поблизости какого-нибудь старца, но никого старше себя не находим и начинаем понимать, что мы состарились. Послушайте, да это же смешно! Мы жизнерадостны, как всегда, не чужды интереса к противоположному полу, мы еще и пошалить не прочь. Мы даже и теперь несколько застенчивы в гостях, как бывало... (боже мой, неужто?) да, полвека тому назад. Заметьте, что теперь нет и в помине столь торжественных приемов, какие мы знавали в те дни. Хозяин дома был так великолепен, хозяйка так изумительно вездесуща, сановные вдовы так вальяжны, а бальные залы так просторны. А теперь мы только и бываем у старушки

Сьюзен с Робертом, у старого Питера с Джоанной — да мы с ними еще в школу бегали, *их-то* уж не станешь стесняться. Вот как мы рассуждаем сами с собой, но наша уверенность постепенно расшатывается. Лицо, которое мы каждый день видим в зеркале, старело постепенно, так что мы и не приметили, как перестали быть просто немолодыми людьми. Последние годы пролетели так быстро, и вот, как бы неслыханно это ни звучало, настал тот возраст, когда пора уходить на покой. Проблемы возраста у женщин другие, чем у мужчин. Во-первых, стареющий мужчина обычно бывает намного старше своей супруги, и не исключено, что на него уже напали хворости, свойственные преклонному возрасту. Во-вторых, на пенсию уходит он, а не она, и жена в меньшей мере переживает удар, который на него обрушивается. После того как человек 45 лет аккуратно ходил на работу, он неожиданно обнаруживает, что теперь он совершенно свободен и может заниматься чем угодно, только вот зачастую никак не может решить, что именно ему угодно. Привычный порядок жизни его жены страдает гораздо меньше, у нее возникают свои трудности только оттого, что теперь муж слоняется по дому в те часы, которые она привыкла проводить в обществе приходящей прислуги. Когда она обнаруживает, что он уселся с газетой в комнате, по которой она собиралась пройтись пылесосом и тряпкой, это вызывает у нее легкую досаду. У нее есть выбор — устроить ему мастерскую, студию или кабинет или обеспечить его избрание в один из городских комитетов. Конечно, нет никаких оснований считать всю систему местного самоуправления приспособлением для того, чтобы убрать чиновника-пенсионера из-под пылесоса его жены. Но тем не менее бесспорно, что роспуск всех местных комитетов (в связи с учреждением должности городского головы) может породить повальный домашний кризис; не мешало бы политикам-теоретикам иметь в виду этот факт. Когда деятельный в прошлом человек полностью выходит в ти-

раж и при этом ему не удается возродить прежние увлечения или найти новый интерес в жизни, перед его женой встает очень серьезная проблема, и ее может разрешить только его смерть, которая не замедлит последовать, — смерть от скуки. Ей приходится признать, что мужчина, полный сил, не страдающий смертельной болезнью или особой подверженностью несчастным случаям, будет жить примерно столько, сколько захочет; он держится за жизнь, пока его хоть что-то интересует, и умирает, в конце концов, когда ему все опостылеет.

Вот первый секрет для тех, кто хочет благополучно уйти на покой: надо удаляться от дел постепенно, уменьшая объем работы за год, за два до ухода, и держать про запас какое-нибудь занятие на несколько лет вперед. Второй секрет вот какой: занимайтесь спортом, только без фанатизма. Жены должны поощрять интерес к рыбной ловле или гольфу, но надо, как правило, удерживать мужей от намерения в одиночку отправиться вокруг света на парусной лодке. Хотя мы и приветствуем отдельных героев, подобные предприятия должны быть не столько правилом, сколько исключением. Обогнуть мыс Горн и так очень не просто, не хватало еще, чтобы на вашу лодку налетали со всех сторон лодки других. Во всяком упражнении надо знать меру. Третий секрет: избегайте напрасных жалоб и сожалений. Мы склонны оглядываться на свою нищую юность, оплакивая ту недоступную нам дорогую еду, которую теперь мы можем себе позволить, но не в состоянии переварить. Мы можем перебирать ускользнувшие от нас романы или развлечения или с тоской вспоминать все выгодные сделки, которые мы упустили из рук. Те, кому вспоминаются тридцатые годы и кому с тех пор пришлось пережить инфляцию в шестидесятых, с горькой иронией думают о вещах, которые можно было купить за смехотворную цену. Если бы мы были способны предвидеть будущее, мы запаслись бы всякой всячиной и теперь зарабо-

тали бы миллионы. Можно было бы собрать побольше старинной мебели, которая с тех пор подскочила в цене в десять и двадцать раз. То, что теперь стоит сто фунтов, мы могли бы в свое время купить за пятерку: но вся беда в том, что именно в то время этих пяти фунтов у нас не было. Подобным сожалениям нельзя предаваться ни в коем случае, и не только потому, что от них портится настроение, но и потому, что они создают привычку оглядываться на прошлое. Если мы перестали смотреть вперед — значит, мы и вправду постарели.

Жена пенсионера прежде всего должна находить интерес в чем-то, кроме возни с внучатами. Ее интересы не должны быть связаны с мужем, которого она, возможно, переживет. Не нужно надеяться и на общество детей и внуков — их привязанность подчас не выдерживает испытания на прочность. Последняя, финальная фаза ее жизни должна принадлежать ей самой. Однако следует избегать подстерегающих ее опасностей; точнее говоря, тех тихих форм помешательства, которым старость так легко поддается. Первая из этих маний — помешательство на собственных болезнях. Когда человеку нечего делать, он принимается болеть, устраивая себе жизнь среди микстур и пилюль. Вполне возможно, что обычные недомогания пожилых людей и не поддаются лечению, но любая из ваших приятельниц всегда знает средство, которое чудом вылечило ее кузину или незамужнюю тетушку. Поэтому пожилые люди часто только и говорят о лекарственных травах и серных ваннах, о чудодейственных свойствах меди и о курсах лечения в той или другой клинике. Соблюдайте одно хорошее правило: запретите все разговоры о болезнях и старайтесь не упоминать о проблемах, связанных с лишним весом. Переносные весы в ванной комнате — очень полезная штука, но не надо втаскивать их в разговор и без конца болтать о калориях. По правде сказать, разные болезни иногда проходят сами собой (хотя бы на время), но мы часто связываем это периодическое улучшение с последним ис-

пробованным лекарством. Вот и выходит, что наш опыт может оказаться совершенно бесполезным для других. Есть на свете панацея от всех болезней — это когда приходится думать о других вещах.

Вторая форма помешательства, которой надо беречься, — это помешательство на коврах и мебели, на фарфоре и столовом серебре. В старости нас подстерегает искушение — вечно беспокоиться о наследствах, о всяком имуществе. С одной стороны, мы можем получить наследство после смерти старшей сестры; с другой стороны, мы можем без конца говорить о том, что сами оставим родным. Если портрет дядюшки Эбенезера перейдет к Уильяму, тогда Бренда должна бы получить горку, а Сьюзен — письменный стол. А если все ножи и вилки достанутся Бренде, то рыбные ножи, пожалуй, больше пригодятся Уильяму. Так можно потерять понапрасну целые годы, протирая фарфор и начищая серебро, которым никто не пользовался и пользоваться не будет, а тут еще родственники устраивают нескончаемые препирательства о том, почему Нора забрала часы, когда прабабушка всегда говорила, что оставляет их Еве. Всем этим склокам и обидам приходит конец, когда мы переезжаем из старого дома, который, быть может, стал слишком просторным для двоих. Когда нашу мебель вытаскивают на свет божий, мы вдруг понимаем, что она ничего не стоит. Она выглядела вполне прилично (не правда ли?), пока стояла на привычных местах, но теперь — взгляните-ка, что сзади творится! Ковры, должно быть, уже давненько поистерлись, только мы этого не замечали. Эти серые портьеры, если вспомнить, были когда-то зелеными, а абажуры, кажется, подбирались им в тон. Вещи менялись так постепенно, что нам до сих пор казалось, что все у нас как новенькое. Мы всегда предпочитали покупать только самое лучшее, знаете ли, вот взять хотя бы ковер, что в гостиной. Купили мы его совсем недавно, то есть несколько лет назад, собственно в

1934-м, и только теперь стало заметно, насколько он протерся. Вероятно, он был не так хорош, как мы тогда думали. На свежем воздухе он разлезается прямо на глазах — не стоит ни чинить, ни чистить. Так что споры о наследстве очень часто оказываются пустыми спорами.

Если следует опасаться помешательства на почве мебели, то еще более по многим причинам надо опасаться помешательства на собаках или кошках, попугаях или канарейках. На склоне лет некоторые люди в угрожающей степени страдают приверженностью к собаке, лелея четвероногое, которое пользуется всеми привилегиями любимого дитяти. Когда таким людям советуют спастись от зимней стужи и отправиться в Вест-Индию, все планы сообразуются с удобствами пуделя. Засунуть Пушка в корабельную конуру — об этом не может быть и речи! А ему не позволят спать у нас в каюте? Нет? Какие-то дикие, варварские порядки! Можно подумать, что судовладельцы считают маленькое, невинное существо грозой корабля! Как будто оно собирается искусать рулевого в самую критическую минуту! Неслыханно! Да он в жизни никого не укусил — разве что почтальона, и всего один разок, и тот был сам во всем виноват, как он впоследствии и признался. Но раз у них там такие правила, ничего не поделаешь. Дорога самолетом или пароходом явно отпадает, остается только одна возможность — оставить Пушка у Агаты, кузины Седрика.

«Один раз мы уже оставляли его, но всего только на уик-энд. А покинуть его на целых три недели — это совсем, совсем другое дело. Он может заболеть с тоски. А потом, у Агаты кошка. Конечно, наш Пушок — самая добрая и ласковая собачка на свете, это все знают. Как-то раз он подрался с бультерьером, но он был совсем не виноват, даже хозяину терьера пришлось с этим согласиться. Пушок никогда не станет драться с другой собакой, но надо признаться, что *кошкам* он спуску не дает. Рядом с нами живет один кот, ко-

торого он каждое утро загоняет на дерево. Но это просто кот-трусишка, а Агатина новая персидская кошка только и смотрит, как бы выцарапать собаке глаза. А если Пушок пострадает, я буду во всем винить себя — не надо было уезжать! Ясно, что у Агаты оставлять Пушка никак нельзя. Единственное, что мне приходит в голову, — это отвезти его к бабушке, в Мартлшэм. Один раз мы уже пробовали, и она была так мила, приняла его так сердечно, что лучше и не придумаешь. Мы тогда уезжали в Танжер, и я никогда в жизни не забуду, как мы расставались в Ньюхейвене с Пушком. Бабуля приехала за ним — она живет совсем близко, — и я ему наказывала вести себя как можно лучше, быть паинькой. Когда мы прощались, я не могла сдержать слез; так мы и отправились в Северную Африку. Конечно, хочется сказать, что путешествие было приятное, но вот печальная правда: у меня перед глазами все время стояла мордочка Пушка, когда бабушка уводила его. Каждое утро, когда мы оказывались к завтраку то в Марселе, то в Тунисе, я видела перед собой только незабвенную, печальную мордашку моего песика. Мы приехали в Алжир, и гид повез нас в Касбу — это арабский квартал, где продают всякие забавные вещицы, там еще снимали фильм с Геди Ламар и Шарлем Буайе. Да, ничего не поделаешь, теперь этот фильм помнят только древние старички, вроде нас. Так вот, мы сидели в кафе, попивая крепчайший кофе, и гид нам рассказывал, что в былые времена Касба была опаснейшим районом. Должно быть, он счел меня ужасно невоспитанной, когда я ни с того ни с сего воскликнула: «Какой ужас — так долго жить в разлуке со своей хозяюшкой!» Нашего гида звали Осман, и он как раз нам рассказывал — мне Седрик потом объяснил — про одного из прежних арабских владык, алжирского дея. Он подумал, что я говорю про этого дея. «Но он вовсе не разлучался со своей хозяюшкой — она была с ним, и все другие жены тоже, весь гарем в полном составе, так что ничего ужасного с ним не

случилось». Он говорил все это с такой торжественной миной, что я даже и не *пыталась* объяснить, что думала я о своем *песике*. Он бы все равно меня не понял, эти туземцы нас совсем не понимают, — вы же знаете, как арабы обращаются с собаками? — зато мы с Седриком потом вдоволь посмеялись: гид рассказывает что-то о прошлом, а я-то, я-то думаю только о своей собачке! Такие чувства до этих иностранцев попросту не доходят. Но в Гибралтаре я наконец не выдержала. Я просто разрыдалась. Вдруг увидела собаку, точь-в-точь похожую на Пушка! Был один безумный момент, когда я подумала, что Пушок отыскал нас, как шотландская овчарка в книге «Лесси возвращается домой». Но потом Седрик стал доказывать, что этот пес нисколько не похож на Пушка. Во-первых, это не пудель, и он вдвое больше и вовсе не черный, а, скорее, буровато-белый, и шерсть у него висит клочьями, а хвост крючком. «Но выражение лица! — рыдала я. — Это вылитый Пушок!» Седрик видел собаку только с хвоста — откуда же ему было заметить ее выражение. Он только сказал, что она как будто бы совсем другой породы, другого роста, окраса и экстерьера — и в этом я не могла с ним не согласиться. Но я тут же категорически заявила, что мы немедленно отправляемся прямо домой, мало ли что мы собирались провести вечер в Париже, не надо мне никакого Парижа. Пушок вот-вот погибнет от горя, и надо спасать его, не теряя ни минуты! Он просто обезумел, когда мы за ним приехали. Бабуля, кажется, немного на нас дулась, я помню, как она сказала, что собака была совершенно здорова и играла куда больше, чем обычно. Но что с нее возьмешь — она так близорука, как же она могла разглядеть выражение его бедной мордочки. Я прямо не знаю, решусь ли опять оставить его там.

Приходилось слышать, как люди говорят, что можно *чрезмерно* привязаться к собаке, а кое-кто даже намекал, что я чересчур поглощена своим псом. Конечно, я на них не об-

ращаю внимания, такие люди для меня просто перестают существовать. Есть же еще такие типы, которые могут отдать собаку в руки вивисекторов или послать на смерть только за то, что она залаяла на молочника! Везде есть бессердечные, жестокие люди, но мы по крайней мере можем избегать их общества. Да, Пушок мне дороже большинства людей, с которыми я встречаюсь на приемах. Седрик любит его почти так же, как я, и мы оба считаем его членом нашей семьи. Мы теперь редко приглашаем гостей — а что, если они не понравятся Пушку? Отдых нам тоже организовать нелегко, раз Пушок так не любит оставаться у чужих. Признаюсь, мы с Седриком в нем души не чаем».

Г. К. Честертон как-то заметил, что дог — великолепное животное, но только до тех пор, пока вы не замените первую букву на «б». Вы гораздо меньше рискуете помешаться на кошке, и самая умная кошка, у которой можно кое-чему научиться, — это кошка из «Алисы в стране чудес», умевшая исчезать постепенно, начиная с кончика хвоста и кончая улыбкой, которая виднелась еще некоторое время после того, как все остальное исчезало. «Ну и ну! Мне часто случалось видеть кошку без улыбки, — подумала Алиса, — но улыбка без кошки! Нет, такой потешной штуки я никогда в жизни не видала». А может, это не так уж и потешно? Не кажется ли вам, что именно так и следует уходить?

СОДЕРЖАНИЕ

Научно-популярное издание

Сирил Норткот Паркинсон

ЗАКОНЫ ПАРКИНСОНА

Ответственный редактор *В. Краснощекова*
Художественный редактор *Е. Савченко*
Технический редактор *Н. Носова*
Компьютерная верстка *Л. Панина*
Корректор *И. Федорова*

ООО «Издательство «Эксмо»
127299, Москва, ул. Клары Цеткин, д. 18/5. Тел. 411-68-86, 956-39-21.
Home page: www.eksmo.ru E-mail: info@eksmo.ru

Подписано в печать 24.10.2007
Формат 60×90 $^1/_{16}$. Гарнитура «Таймс».
Печать офсетная. Бумага тип. Усл. печ. л. 29,0.
Тираж 6 100 экз. Заказ 2089.

Отпечатано в ОАО «Можайский полиграфический комбинат».
143200, г. Можайск, ул. Мира, 93.